#수학은매일매일

#하루6쪽20일완성

#수능준비스타트

#수학기초하루시리즈

하루
수능

Chunjae
Makes
Chunjae

저자	최용준, 해법수학연구회
편집개발	김혜정, 박선영, 민혜경
그림	정용환
디자인총괄	김희정
표지디자인	윤순미, 김지현
내지디자인	박희춘, 조유정
제작	황성진, 조규영

발행일	2021년 4월 1일 초판 2021년 4월 1일 1쇄
발행인	(주)천재교육
주소	서울시 금천구 가산로9길 54
신고번호	제2001-000018호
고객센터	1577-0902
교재 내용문의	(02)3282-8859

※ 정답 분실 시에는 천재교육 홈페이지에서 내려받으세요.

시 작 은

하루 수능

이 책의 **구성과 특징**

수능 수학 준비의 시작은 하루 수능!

수능 수학을 처음 접하는 학생들이 혼자서도 단계적으로 공부할 수 있도록 한 수능 수학 입문서입니다.
하루에 6쪽씩, 일주일에 5일, 4주 완성의 체계적인 구성과 부담 없는 분량으로 단기간에 기초를 완성할 수 있도록 하였습니다.

1 이번 주에는 무엇을 공부할까?

한 주 동안 공부할 내용과 관련된 내용을 복습하고 간단한 기초 문제를 풀어 보며 고등수학 개념에 보다 쉽게 다가갈 수 있도록 하였습니다.

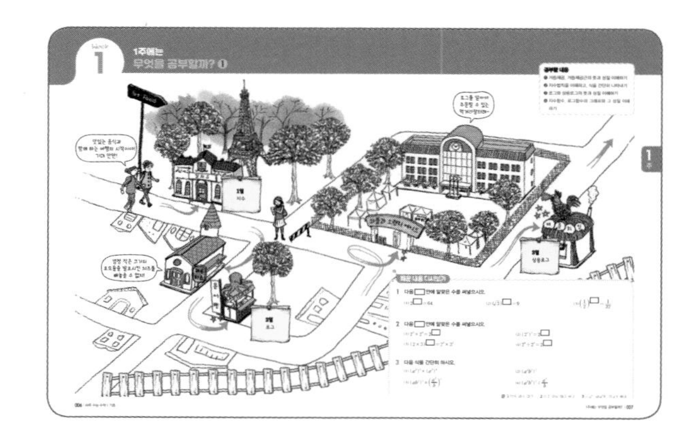

2 핵심 개념 / 개념 확인

문제를 통해 교과서에 나오는 핵심 개념을 체크해 볼 수 있도록 하였습니다.
또 개념 확인 문제로 핵심 개념을 바로 적용해 보고 반복하는 연습을 통해 기초 실력을 탄탄히 할 수 있도록 하였습니다.

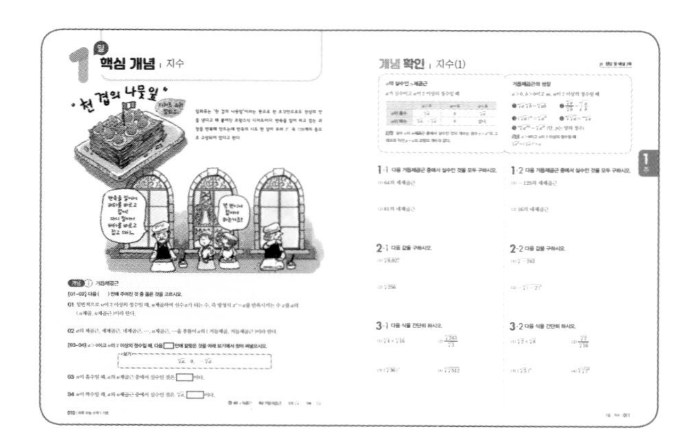

3 기초 유형

교육청, 평가원, 수능에 자주 출제되는 문제를 통해 기출 문제에 대한 감각을 익히고, 쌍둥이 교과서 문제로 비슷한 유형의 문제를 다시 풀어 보면서 실력을 쌓을 수 있도록 하였습니다.

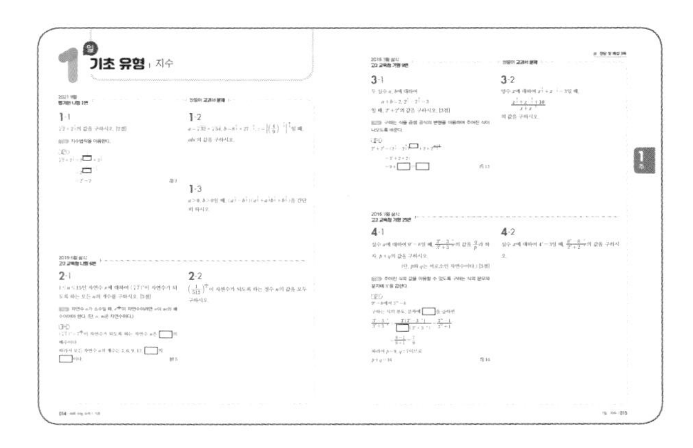

4 누구나 100점 테스트

기초 유형에서 학습한 문제와 유사한 교육청, 평가원, 수능 기출 문제들로 구성하여 각 주에서 학습한 내용을 다시 한 번 정리하고, 자신의 실력을 점검할 수 있도록 하였습니다.

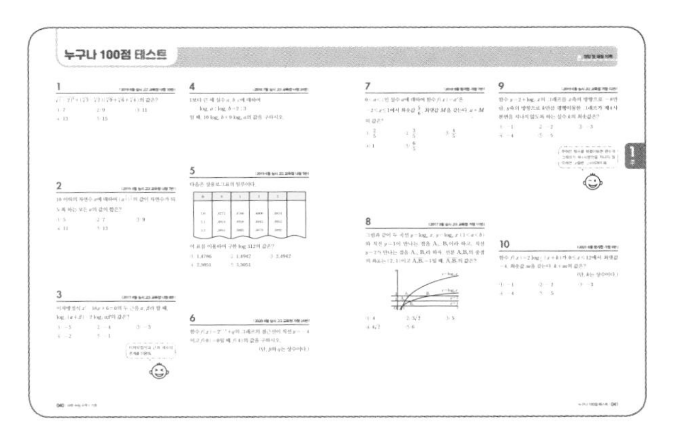

5 창의 · 융합 · 코딩

교육청, 평가원, 수능 기출에서 창의력이 필요한 문제, 복합 유형의 문제를 엄선하여 구성하였습니다.
문제에 쉽게 접근할 수 있도록 문제의 각 조건에 대한 길잡이를 제시함으로써 문제 해결력을 키울 수 있도록 하였습니다.

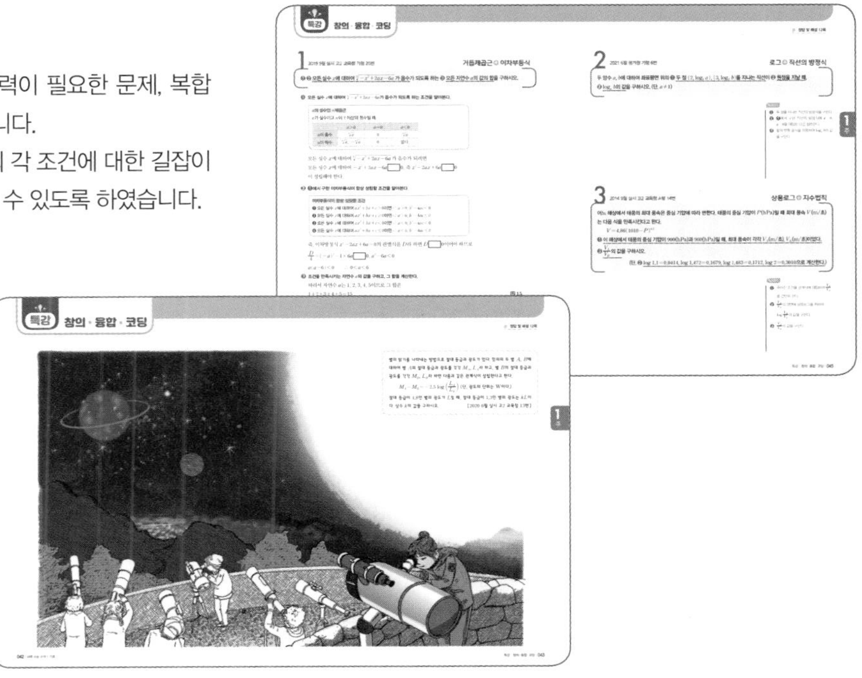

이 책의 차례

Week

Week

Contents

Week

Week

Week 1

1주에는 무엇을 공부할까? ①

❶ 거듭제곱, 거듭제곱근의 뜻과 성질 이해하기
❷ 지수법칙을 이해하고, 식을 간단히 나타내기
❸ 로그와 상용로그의 뜻과 성질 이해하기
❹ 지수함수, 로그함수의 그래프와 그 성질 이해하기

1
주

배운 내용 다시보기

1 다음 □ 안에 알맞은 수를 써넣으시오.

(1) $2^{\square}=64$ (2) $(\sqrt{3})^{\square}=9$ (3) $\left(\frac{1}{2}\right)^{\square}=\frac{1}{32}$

2 다음 □ 안에 알맞은 수를 써넣으시오.

(1) $2^3\times2^4=2^{\square}$ (2) $(2^3)^2=2^{\square}$

(3) $(2\times3)^{\square}=2^5\times3^5$ (4) $2^8\div2^5=2^{\square}$

3 다음 식을 간단히 하시오.

(1) $(a^2)^3\times(a^3)^4$ (2) $(a^3b^2)^2$

(3) $(ab^2)^2\times\left(\frac{a^2}{b}\right)^3$ (4) $(a^2b^3)^2\div\frac{a^4}{b}$

답 **1** (1) 6 (2) 4 (3) 5 **2** (1) 7 (2) 6 (3) 5 (4) 3 **3** (1) a^{18} (2) a^6b^4 (3) a^8b (4) b^7

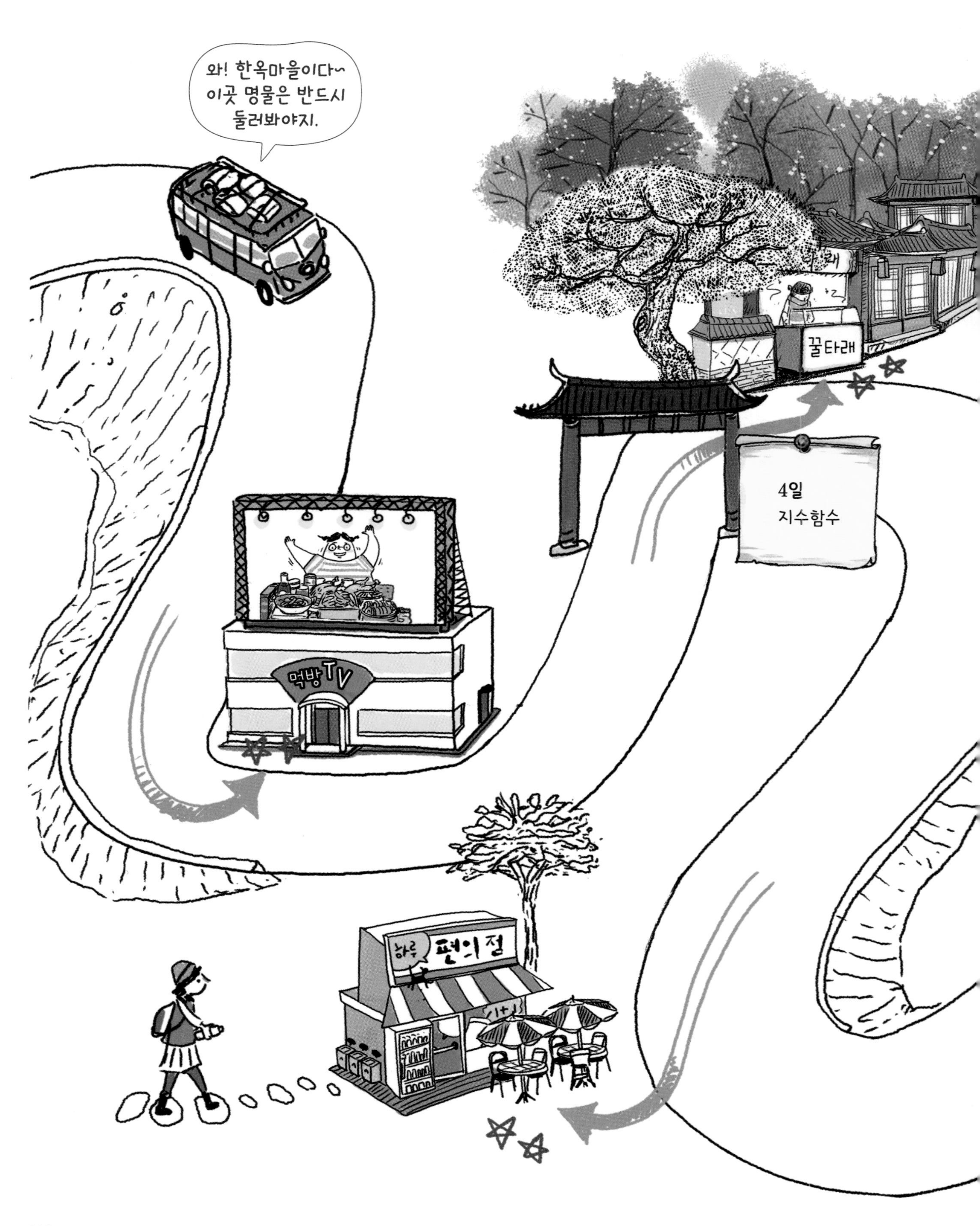
와! 한옥마을이다~
이곳 명물은 반드시
둘러봐야지.
먹방TV
4일
지수함수
꿀타래
하루 편의점

배운 내용 다시보기

4 다음 수의 제곱근을 구하시오.

(1) 16　　(2) $\frac{1}{9}$　　(3) 0.49

5 다음을 간단히 하시오.

(1) $\sqrt{2}\times\sqrt{32}$　　(2) $\frac{\sqrt{27}}{\sqrt{3}}$

(3) $\sqrt{\frac{3}{16}}$　　(4) $\sqrt{18}\div\sqrt{3}\times\sqrt{6}$

6 다음 함수의 역함수를 구하시오.

(1) $y=2x-1$　　(2) $y=\frac{1}{x-1}+2$

답 **4** (1) ±4 (2) $\pm\frac{1}{3}$ (3) ±0.7　**5** (1) 8 (2) 3 (3) $\frac{\sqrt{3}}{4}$ (4) 6　**6** (1) $y=\frac{1}{2}x+\frac{1}{2}$ (2) $y=\frac{1}{x-2}+1$

1일 핵심 개념 | 지수

밀푀유는 '천 겹의 나뭇잎'이라는 뜻으로 한 조각만으로도 천상의 맛을 낸다고 해 붙여진 프랑스식 디저트이다. 반죽을 밀어 펴고 접는 과정을 반복해 만드는데 반죽의 시트 한 장이 무려 3^6, 즉 729개의 층으로 구성되어 있다고 한다.

개념 ① 거듭제곱근

[01~02] 다음 ( ) 안에 주어진 것 중 옳은 것을 고르시오.

01 일반적으로 n이 2 이상의 정수일 때, n제곱하여 실수 a가 되는 수, 즉 방정식 $x^n=a$를 만족시키는 수 x를 a의 (n제곱, n제곱근)이라 한다.

02 a의 제곱근, 세제곱근, 네제곱근, $\cdots$, n제곱근, $\cdots$을 통틀어 a의 (거듭제곱, 거듭제곱근)이라 한다.

[03~04] $a>0$이고 n이 2 이상의 정수일 때, 다음 ☐ 안에 알맞은 것을 아래 보기에서 찾아 써넣으시오.

보기

$\sqrt[n]{a}$, 0, $-\sqrt[n]{a}$

03 n이 홀수일 때, a의 n제곱근 중에서 실수인 것은 ☐이다.

04 n이 짝수일 때, a의 n제곱근 중에서 실수인 것은 $\sqrt[n]{a}$, ☐이다.

답 **01** n제곱근 **02** 거듭제곱근 **03** $\sqrt[n]{a}$ **04** $-\sqrt[n]{a}$

개념 확인 | 지수(1)

정답 및 해설 2쪽

a의 실수인 n제곱근

a가 실수이고 n이 2 이상의 정수일 때

	$a>0$	$a=0$	$a<0$
n이 홀수	$\sqrt[n]{a}$	0	$\sqrt[n]{a}$
n이 짝수	$\sqrt[n]{a}$, $-\sqrt[n]{a}$	0	없다.

참고 실수 a의 n제곱근 중에서 실수인 것의 개수는 함수 $y=x^n$의 그래프와 직선 $y=a$의 교점의 개수와 같다.

거듭제곱근의 성질

$a>0$, $b>0$이고 m, n이 2 이상의 정수일 때

❶ $\sqrt[n]{a}\sqrt[n]{b}=\sqrt[n]{ab}$

❷ $\dfrac{\sqrt[n]{a}}{\sqrt[n]{b}}=\sqrt[n]{\dfrac{a}{b}}$

❸ $(\sqrt[n]{a})^m=\sqrt[n]{a^m}$

❹ $\sqrt[m]{\sqrt[n]{a}}=\sqrt[mn]{a}$

❺ $\sqrt[np]{a^{mp}}=\sqrt[n]{a^m}$ (단, p는 양의 정수)

참고 $a>0$이고 n이 2 이상의 정수일 때
$\sqrt[n]{a^n}=(\sqrt[n]{a})^n=a$

1주

1-1 다음 거듭제곱근 중에서 실수인 것을 모두 구하시오.

(1) 64의 세제곱근

(2) 81의 네제곱근

1-2 다음 거듭제곱근 중에서 실수인 것을 모두 구하시오.

(1) -125의 세제곱근

(2) 16의 네제곱근

2-1 다음 값을 구하시오.

(1) $\sqrt[3]{0.027}$

(2) $\sqrt[4]{256}$

2-2 다음 값을 구하시오.

(1) $\sqrt[5]{-243}$

(2) $-\sqrt[6]{(-2)^6}$

3-1 다음 식을 간단히 하시오.

(1) $\sqrt[3]{4}\times\sqrt[3]{16}$

(2) $\dfrac{\sqrt[4]{243}}{\sqrt[4]{3}}$

(3) $(\sqrt[6]{36})^3$

(4) $\sqrt[3]{\sqrt[3]{512}}$

3-2 다음 식을 간단히 하시오.

(1) $\sqrt[4]{2}\times\sqrt[4]{8}$

(2) $\dfrac{\sqrt[3]{2}}{\sqrt[3]{16}}$

(3) $(\sqrt[4]{5})^8$

(4) $\sqrt[4]{\sqrt[3]{7^6}}$

핵심 개념 | 지수

'순식(瞬息)'과 '찰나(刹那)'는 아주 짧은 시간을 표현할 때 사용되기도 하지만 아주 작은 수를 나타내기도 한다. 실제로 순식과 찰나는 각각 10^{-16}, 10^{-18}을 나타낸다.

이때 $10^{-16}\times10^{-2}=10^{-18}$이므로 찰나는 순식의 10^{-2}배이다.

개념 ② 지수의 확장과 지수법칙

[05~07] 다음 ☐ 안에 알맞은 것을 아래 보기에서 찾아 써넣으시오.

보기

$0,\quad 1,\quad \sqrt[n]{a},\quad \sqrt{a^n},\quad \dfrac{x}{y},\quad xy$

05 $a\neq0$이고 n이 양의 정수일 때

❶ $a^0=$ ☐ ❷ $a^{-n}=\dfrac{1}{a^n}$

06 $a>0$이고 m, n $(n\geq2)$이 정수일 때

❶ $a^{\frac{m}{n}}=\sqrt[n]{a^m}$ ❷ $a^{\frac{1}{n}}=$ ☐

07 $a>0$, $b>0$이고 x, y가 실수일 때

❶ $a^xa^y=a^{x+y}$ ❷ $a^x\div a^y=a^{x-y}$

❸ $(a^x)^y=a^{☐}$ ❹ $(ab)^x=a^xb^x$

답 **05** 1 **06** $\sqrt[n]{a}$ **07** xy

개념 확인 | 지수(2)

■ 정답 및 해설 2쪽

지수가 실수일 때의 지수법칙

$a>0$, $b>0$이고 x, y가 실수일 때

❶ $a^x a^y = a^{x+y}$ ❷ $a^x \div a^y = a^{x-y}$

❸ $(a^x)^y = a^{xy}$ ❹ $(ab)^x = a^x b^x$

참고 지수법칙이 성립하기 위한 지수의 범위에 따른 밑(a)의 조건은 다음과 같다.

지수	자연수	정수	유리수	실수
밑(a)	$a\neq0$	$a\neq0$	$a>0$	$a>0$

4-1 다음 값을 구하시오.

(1) $(\sqrt{3})^0$ (2) $(-5)^{-2}$

4-2 다음 값을 구하시오.

(1) $\left(-\frac{1}{2}\right)^0$ (2) $\left(\frac{1}{4}\right)^{-3}$

5-1 다음 식에서 근호를 사용한 것은 지수를 사용하여 나타내고, 지수를 사용한 것은 근호를 사용하여 나타내시오. (단, $a>0$)

(1) $\sqrt[4]{a^3}$ (2) $a^{-\frac{2}{5}}$

5-2 다음 식에서 근호를 사용한 것은 지수를 사용하여 나타내고, 지수를 사용한 것은 근호를 사용하여 나타내시오.

(1) $\sqrt[9]{3^{-3}}$ (2) $64^{0.25}$

6-1 다음 식을 간단히 하시오. (단, $a>0$, $b>0$)

(1) $\sqrt[3]{a^2}\times\sqrt[4]{a}$ (2) $5^{\sqrt{2}}\times5^{\sqrt{32}}\div5^{\sqrt{8}}$

(3) $(a^{\sqrt{24}})^{\sqrt{6}}$ (4) $\left(a^{\sqrt{\frac{2}{3}}}b^{\frac{1}{\sqrt{6}}}\right)^{\sqrt{6}}$

6-2 다음 식을 간단히 하시오. (단, $a>0$, $b>0$)

(1) $a^{\frac{1}{3}}b^{\frac{1}{2}}\times a^{\frac{2}{3}}b^{-\frac{1}{2}}$ (2) $3^{5\sqrt{3}}\div3^{\sqrt{27}}\times3^{\sqrt{3}}$

(3) $\left(a^{\frac{\sqrt{3}}{2}}\right)^6\times a^{-\sqrt{3}}$ (4) $\left(a^{\frac{\sqrt{2}}{2}}b^{-\sqrt{2}}\right)^{-\sqrt{2}}$

2021 9월
평가원 나형 1번

1-1

$\sqrt[3]{2}\times 2^{\frac{2}{3}}$의 값을 구하시오. [2점]

Tip 지수법칙을 이용한다.

풀이

$\sqrt[3]{2}\times 2^{\frac{2}{3}}=2^{\frac{1}{\square}}\times 2^{\frac{2}{3}}$

$=2^{\frac{1}{\square}+\frac{2}{3}}$

$=2^{1}=2$

답 2

쌍둥이 교과서 문제

1-2

$a=\sqrt[3]{32}\times\sqrt[3]{54}$, $b=8^{\frac{5}{3}}\times 27^{-\frac{5}{3}}$, $c=\left\{\left(\frac{4}{9}\right)^{-\frac{2}{3}}\right\}^{\frac{9}{4}}$일 때, abc의 값을 구하시오.

1-3

$a>0$, $b>0$일 때, $(a^{\frac{1}{3}}-b^{\frac{1}{3}})(a^{\frac{2}{3}}+a^{\frac{1}{3}}b^{\frac{1}{3}}+b^{\frac{2}{3}})$을 간단히 하시오.

2019 6월 실시
고2 교육청 나형 6번

2-1

$1\leq n\leq 15$인 자연수 n에 대하여 $(\sqrt[3]{7})^{n}$이 자연수가 되도록 하는 모든 n의 개수를 구하시오. [3점]

Tip 자연수 a가 소수일 때, $a^{\frac{n}{m}}$이 자연수이려면 n이 m의 배수이어야 한다. (단, n, m은 자연수이다.)

풀이

$(\sqrt[3]{7})^{n}=7^{\frac{n}{3}}$이 자연수가 되도록 하는 자연수 n은 $\square$의 배수이다.

따라서 모든 자연수 n의 개수는 3, 6, 9, 12, $\square$의 $\square$이다.

답 5

2-2

$\left(\frac{1}{512}\right)^{\frac{1}{n}}$이 자연수가 되도록 하는 정수 n의 값을 모두 구하시오.

2018 3월 실시
고2 교육청 가형 9번

3-1

두 실수 a, b에 대하여

$$a+b=2,\ 2^{\frac{a}{2}}-2^{\frac{b}{2}}=3$$

일 때, 2^a+2^b의 값을 구하시오. [3점]

Tip 구하는 식을 곱셈 공식의 변형을 이용하여 주어진 식이 나오도록 바꾼다.

풀이

$2^a+2^b=(2^{\frac{a}{2}}-2^{\frac{b}{2}})^{\square}+2\times 2^{\frac{a+b}{2}}$

$=3^2+2\times 2^{\frac{2}{2}}$

$=9+\square=\square$

답 13

쌍둥이 교과서 문제

3-2

양수 x에 대하여 $x^{\frac{1}{2}}+x^{-\frac{1}{2}}=3$일 때,

$$\frac{x^{\frac{3}{2}}+x^{-\frac{3}{2}}+10}{x+x^{-1}}$$

의 값을 구하시오.

2016 3월 실시
고2 교육청 가형 25번

4-1

실수 a에 대하여 $9^a=8$일 때, $\frac{3^a-3^{-a}}{3^a+3^{-a}}$의 값을 $\frac{q}{p}$라 하자. $p+q$의 값을 구하시오.

(단, p와 q는 서로소인 자연수이다.) [3점]

Tip 주어진 식의 값을 이용할 수 있도록 구하는 식의 분모와 분자에 3^a을 곱한다.

풀이

$9^a=8$에서 $3^{2a}=8$

구하는 식의 분모, 분자에 $\square$을 곱하면

$\frac{3^a-3^{-a}}{3^a+3^{-a}}=\frac{3^a(3^a-3^{-a})}{\square(3^a+3^{-a})}=\frac{3^{2a}-1}{3^{2a}+1}$

$=\frac{8-1}{8+1}=\frac{7}{9}$

따라서 $p=9$, $q=7$이므로

$p+q=16$

답 16

4-2

실수 x에 대하여 $4^x=3$일 때, $\frac{8^x-8^{-x}}{2^x+2^{-x}}$의 값을 구하시오.

1주

2일 핵심 개념 | 로그

지구의 질량은 5.974×10^{24} kg이고, 태양계에서 가장 큰 행성인 목성의 질량은 지구 질량의 317.832배라 한다. 따라서 목성의 질량은 $5.974\times10^{24}\times317.832$ kg이다.
이때 로그를 이용하면 목성의 질량을 구하는 것과 같은 큰 수의 계산을 쉽게 할 수 있다.

개념 ① 로그

[01~02] 다음 □ 안에 알맞은 것을 아래 보기에서 찾아 써넣으시오.

보기
$a>0$, $a<0$, $\log_a N$, $\log_N a$, 밑, 진수

01 일반적으로 □, $a\neq1$일 때, 임의의 양수 N에 대하여 등식 $a^x=N$을 만족시키는 실수 x는 오직 하나 존재한다.

02 위 등식 $a^x=N$을 만족시키는 실수 x를 기호로 □와(과) 같이 나타내고, a를 □(으)로 하는 N의 로그라 한다. 이때 N을 $\log_a N$의 □(이)라 한다.

[03~04] 다음 □ 안에 알맞은 수를 써넣으시오.

03 $2^5=32 \iff \square=\log_2 32$

04 $\log_3 81=4 \iff 3^{\square}=81$

답 **01** $a>0$ **02** $\log_a N$, 밑, 진수 **03** 5 **04** 4

개념 확인 | 로그(1)

정답 및 해설 3쪽

로그의 정의

$a>0$, $a\neq1$, $N>0$일 때

$$a^x=N \iff x=\log_a N$$

(진수: N, 밑: a)

$\log_a N$이 정의되기 위한 조건

❶ 밑의 조건 : 밑은 1이 아닌 양수이어야 한다.
⇨ $a>0$, $a\neq1$

❷ 진수의 조건 : 진수는 양수이어야 한다.
⇨ $N>0$

1-1 다음 등식에서 $a^x=N$ 꼴로 나타낸 것은 로그를 사용하여 나타내고, 로그를 사용하여 나타낸 것은 $a^x=N$ 꼴로 나타내시오.

(1) $100^{\frac{1}{2}}=10$

(2) $\log_{\sqrt{3}} 9=4$

1-2 다음 등식에서 $a^x=N$ 꼴로 나타낸 것은 로그를 사용하여 나타내고, 로그를 사용하여 나타낸 것은 $a^x=N$ 꼴로 나타내시오.

(1) $5^0=1$

(2) $\log_2 \frac{1}{8}=-3$

2-1 다음 값을 구하시오.

(1) $\log_3 27$

(2) $\log_{\frac{1}{2}} 4$

2-2 다음 값을 구하시오.

(1) $\log_4 1$

(2) $\log_{10} \sqrt{0.01}$

3-1 다음 등식을 만족시키는 N의 값을 구하시오.

(1) $\log_5 N=1$

(2) $\log_{\frac{1}{2}} N=-3$

3-2 다음 등식을 만족시키는 N의 값을 구하시오.

(1) $\log_4 N=-3$

(2) $\log_{\frac{1}{3}} N=2$

1주

2일 핵심 개념 | 로그

먹거리 장터에서 오렌지 에이드 3잔과 와플 2장을 살 때, 지불해야 하는 금액은

$3\times(100\times\log_2 2^1\times\log_2 2^2\times\log_2 2^3)$

$+2\times(1000\times\log_2 3\times\log_3 5\times\log_5 8)$

$=3\times(100\times1\times2\times3)+2\times\left(1000\times\log_2 3\times\frac{\log_2 5}{\log_2 3}\times\frac{3\log_2 2}{\log_2 5}\right)$

$=1800+6000=7800$(원)

개념 ② 로그의 기본 성질

[05~08] $a>0, a\neq1, M>0, N>0$일 때, 다음 $\square$ 안에 알맞은 것을 아래 보기에서 찾아 써넣으시오.

> 보기
>
> $0,\ 1,\ +,\ -,\ \times,\ \div,\ a,\ k$

05 $\log_a 1=\square$, $\log_a a=\square$

06 $\log_a MN=\log_a M\ \square\ \log_a N$

07 $\log_a \frac{M}{N}=\log_a M\ \square\ \log_a N$

08 $\log_a M^k=\square\ \log_a M$ (단, k는 실수)

개념 ③ 로그의 밑의 변환

[09~10] 다음 $\square$ 안에 알맞은 수를 써넣으시오.

09 $\log_4 3=\frac{\log_3 3}{\log_3 4}=\frac{\square}{2\log_3 2}=\frac{1}{2}\log_2\square$

10 $\log_8 9=\log_{2^3}3^{\square}=\frac{2}{\square}\log_2 3$

답 **05** 0, 1 **06** + **07** − **08** k **09** 1, 3 **10** 2, 3

개념 확인 | 로그(2)

정답 및 해설 4쪽

로그의 기본 성질

$a>0$, $a\neq1$, $M>0$, $N>0$일 때

❶ $\log_a 1=0$, $\log_a a=1$

❷ $\log_a MN=\log_a M+\log_a N$ — 진수의 곱셈은 로그의 덧셈으로!

❸ $\log_a \dfrac{M}{N}=\log_a M-\log_a N$ — 진수의 나눗셈은 로그의 뺄셈으로!

❹ $\log_a M^k=k\log_a M$ (단, k는 실수)

로그의 밑의 변환

$a>0$, $a\neq1$, $b>0$, $c>0$, $c\neq1$일 때

❶ $\log_a b=\dfrac{\log_c b}{\log_c a}$

❷ $\log_a b=\dfrac{1}{\log_b a}$ (단, $b\neq1$)

❸ $\log_{a^m} b^n=\dfrac{n}{m}\log_a b$ (단, m, n은 실수, $m\neq0$)

참고 ❶ $a^{\log_c b}=b^{\log_c a}$　❷ $a^{\log_a b}=b$

1주

4-1 다음 식을 간단히 하시오.

(1) $\log_3 6+\log_3 \dfrac{9}{2}$

(2) $2\log_3 6+\dfrac{1}{3}\log_3 64-\log_3 \dfrac{16}{9}$

4-2 다음 식을 간단히 하시오.

(1) $\log_2 5-2\log_2 \sqrt{10}$

(2) $\log_5 3-\log_5 3\sqrt{15}+\log_5 \sqrt{3}$

5-1 $\log_{10} 2=a$, $\log_{10} 3=b$일 때, 다음을 a, b로 나타내시오.

(1) $\log_{10} 40$　(2) $\log_{10} 15$

5-2 $\log_{10} 2=a$, $\log_{10} 3=b$일 때, 다음을 a, b로 나타내시오.

(1) $\log_{10} 36$　(2) $\log_{10} \dfrac{6}{5}$

6-1 다음 값을 구하시오.

(1) $\log_8 32$

(2) $\log_2 3\times\log_3 16$

6-2 다음 값을 구하시오.

(1) $\log_{\frac{1}{10}} \sqrt[4]{1000}$

(2) $\log_4 5\times\log_5 6\times\log_6 8$

2일 기초 유형 | 로그

2015 6월 실시
고2 교육청 나형 11번

1-1

$\log_{(x-1)}(-x^2+4x+5)$가 정의되도록 하는 모든 정수 x의 값의 합을 구하시오. [3점]

Tip $\log_a N$이 정의되려면 다음을 만족시켜야 한다.
❶ 밑의 조건 ⇨ $a>0,\ a\neq1$
❷ 진수의 조건 ⇨ $N>0$

풀이
밑의 조건에서 $x-1$ ☐ $0,\ x-1\neq1$
$x>1,\ x\neq2 \quad \therefore 1<x<2$ 또는 $x>2$ ······㉠
진수의 조건에서 $-x^2+4x+5$ ☐ 0
$x^2-4x-5<0,\ (x+1)(x-5)<0$
$\therefore -1<x<5$ ······㉡
㉠, ㉡을 모두 만족시키는 x의 값의 범위는
$1<x<2$ 또는 $2<x<5$
따라서 정수 x는 3, 4이므로 구하는 합은
$3+4=7$

답 7

쌍둥이 교과서 문제

1-2

$\log_{(x-1)^2}(-x^2+8x-7)$이 정의되도록 하는 정수 x의 값을 모두 구하시오.

2018 6월 실시
고2 교육청 나형 23번

2-1

$\log_2 3+\log_2 \frac{4}{3}$의 값을 구하시오. [3점]

Tip 로그의 성질을 이용한다.

풀이
$\log_2 3+\log_2 \frac{4}{3}=\log_2\left(3 \ ☐ \ \frac{4}{3}\right)$
$=\log_2 4=\log_2 2^{☐}$
$=$ ☐

답 2

2-2

$3\log_2\sqrt{2}+\frac{1}{2}\log_2 3-\log_2\sqrt{6}$의 값을 구하시오.

2-3

다음 식의 값을 구하시오.

$$\log_{10}\left(1+\frac{1}{1}\right)+\log_{10}\left(1+\frac{1}{2}\right)+\log_{10}\left(1+\frac{1}{3}\right)+\cdots+\log_{10}\left(1+\frac{1}{99}\right)$$

2020 6월
평가원 나형 8번

3-1

$\log_2 5=a$, $\log_5 3=b$일 때, $\log_5 12$를 a, b로 나타내시오. [3점]

Tip 주어진 식과 구하는 식의 밑을 통일하고 구하는 식의 진수를 곱의 형태로 바꾼 후 로그의 성질을 이용한다.

풀이

$\log_5 2=\frac{1}{\square}$, $\log_5 3=b$이므로

$\log_5 12=\log_5 (2^2\times 3)=2\log_5 2+\log_5 3$

$=\frac{2}{\square}+b$

답 $\frac{2}{a}+b$

쌍둥이 교과서 문제

3-2

$\log_2 3=a$, $\log_3 5=b$일 때, $\log_5 30$을 a, b로 나타내시오.

2019 7월 실시
고3 교육청 나형 12번

4-1

1보다 큰 두 실수 a, b에 대하여

$$\log_a \frac{a^3}{b^2}=2$$

가 성립할 때, $\log_a b+3\log_b a$의 값을 구하시오. [3점]

Tip 주어진 조건을 변형하여 문자 사이의 관계식을 구한 다음 값을 구하려는 식에 대입한다.

풀이

$\log_a \frac{a^3}{b^2}=\log_a a^3-\log_a b^2=3-2\log_a b=2$에서

$2\log_a b=1 \quad \therefore \log_a b=\frac{1}{2}$

$\log_a b=\frac{1}{2}$에서 $\log_b a=\square$이므로

$\log_a b+3\log_b a=\frac{1}{2}+3\times\square=\frac{\square}{2}$

답 $\frac{13}{2}$

4-2

1이 아닌 양의 실수 a, b, c에 대하여

$$\log_a c=\frac{1}{3},\ \log_b c=\frac{1}{2}$$

일 때, $\log_a b+\log_b c+\log_c a$의 값을 구하시오.

1주

3일 핵심 개념 | 상용로그

카레의 매운 정도로 레벨을 측정한다.
맵기가 N일 때, 레벨은 $\log_{10} N$이라 하면 레벨 4일 때의 맵기는 레벨 2일 때의 맵기보다 얼마나 더 매울까?

맵기	10	10^2	10^3	10^4	10^5
레벨	1	2	3	4	5

따라서 레벨 4일 때의 맵기는 레벨 2일 때의 맵기보다 100배 더 맵다.

개념 ① 상용로그

[01~03] 다음 (　　) 안에 주어진 것 중 옳은 것을 고르시오.

01 10을 (밑, 진수)(으)로 하는 로그를 상용로그라 한다.
이때 양수 N의 상용로그 $\log_{10} N$은 보통 밑 (10, N)을 생략하여 기호로 $\log N$과 같이 나타낸다.

02 상용로그표는 (0.1, 0.01)의 간격으로 1.00부터 9.99까지의 수에 대한 상용로그의 값을 반올림하여 소수점 아래 넷째 자리까지 나타낸 것이다.

03 상용로그표에서 log 3.21의 값을 구하려면 3.2의 (가로줄, 세로줄)과 1의 (가로줄, 세로줄)이 만나는 곳에 있는 .5065를 찾으면 된다.
즉, $\log 3.21 = 0.5065$이다.

수	0	1	2	3
1.0	.0000	.0043	.0086	.0128
1.1	.0414	.0453	.0492	.0531
⋮	⋮	⋮	⋮	⋮
3.1	.4914	.4928	.4942	.4955
3.2	.5051	.5065	.5079	.5092

답 **01** 밑, 10 **02** 0.01 **03** 가로줄, 세로줄

개념 확인 | 상용로그(1)

정답 및 해설 5쪽

상용로그

10을 밑으로 하는 로그를 상용로그라 하고, 양수 N의 상용로그 $\log_{10} N$은 보통 밑 10을 생략하여 기호로 $\log N$과 같이 나타낸다.

상용로그표

0.01의 간격으로 1.00부터 9.99까지의 수에 대한 상용로그의 값을 반올림하여 소수점 아래 넷째 자리까지 나타낸 표이다.

참고 상용로그표에 있는 상용로그의 값은 반올림하여 구한 것이지만 편의상 등호를 사용하여 나타낸다.

1-1 다음 상용로그의 값을 구하시오.

(1) $\log 1000$

(2) $\log \frac{1}{100}$

1-2 다음 상용로그의 값을 구하시오.

(1) $\log 10\sqrt[3]{10}$

(2) $\log \frac{1}{\sqrt{10}}$

2-1 아래 상용로그표를 이용하여 다음 식을 만족시키는 x의 값을 구하시오.

수	0	1	2	3	4	5	6	7
3.1	.4914	.4928	.4942	.4955	.4969	.4983	.4997	.5011
3.2	.5051	.5065	.5079	.5092	.5105	.5119	.5132	.5145
3.3	.5185	.5198	.5211	.5224	.5237	.5250	.5263	.5276

(1) $\log 3.14=x$

(2) $\log 3.27=x$

(3) $\log x=0.5224$

2-2 아래 상용로그표를 이용하여 다음 식을 만족시키는 x의 값을 구하시오.

수	0	1	2	3	4
4.6	.6628	.6637	.6646	.6656	.6665
4.7	.6721	.6730	.6739	.6749	.6758
4.8	.6812	.6821	.6830	.6839	.6848

(1) $\log 4.61=x$

(2) $\log 4.74=x$

(3) $\log x=0.6839$

3일

핵심 개념 | 상용로그

$\log 1.07=0.03$, $\log 2=0.3$으로 계산할 때,
현재 음식량을 N, 10일 후의 음식량을 M이라 하면

$M=N\times(1+0.07)^{10}$

양변에 상용로그를 취하면

$$\log M=\log\{N\times(1+0.07)^{10}\}$$
$$=\log N+10\log 1.07=\log N+0.3$$
$$=\log N+\log 2=\log 2N$$

$\therefore M=2N$

따라서 10일 후의 음식량은 현재 음식량의 두 배가 된다.

개념 ② 상용로그의 값

04 $\log 256$의 값을 구하는 과정이다. 다음 ☐ 안에 알맞은 수를 써넣으시오. (단, $\log 2.56=0.4082$로 계산한다.)

1. $256=10^2\times$ ☐ 꼴로 나타낸다.
2. 로그의 성질에 의하여 $\log 256=\log(10^2\times 2.56)=2+\log 2.56$
3. $\log 2.56=0.4082$이므로 $\log 256=2+\log 2.56=$ ☐

개념 ③ 상용로그의 표현

[05~06] 다음 ☐ 안에 알맞은 것을 아래 보기에서 찾아 써넣으시오.

보기
1, 10, 정수, 소수

05 임의의 양수 N에 대하여 $\log N$의 값은 $\log N=n+\alpha$ (n은 정수, $0\le\alpha<$ ☐)와 같이 나타낼 수 있다.

06 n을 $\log N$의 ☐ 부분, α를 $\log N$의 ☐ 부분이라 한다.

답 **04** 2.56, 2.4082 **05** 1 **06** 정수, 소수

개념 확인 | 상용로그(2)

■ 정답 및 해설 5쪽

상용로그의 값

상용로그표에 나와 있지 않은 $\log N$의 값은 다음과 같은 순서로 구한다.

1. $N=10^n \times a$ (n은 정수, $1 \le a < 10$) 꼴로 나타낸다.
2. 로그의 성질을 이용하여 $\log N = n + \log a$ 꼴로 나타낸다.
3. 상용로그표에서 $\log a$의 값을 찾은 후 이 값에 n을 더한다.

상용로그의 표현

임의의 양수 N에 대하여 상용로그의 값은

$$\log N = n + \alpha \ (n\text{은 정수},\ 0 \le \alpha < 1)$$

(α: $\log N$의 소수 부분, n: $\log N$의 정수 부분)

와 같이 나타낼 수 있다.

1 주

3-1 상용로그표에서 구한 $\log 2.13 = 0.3284$를 이용하여 다음 값을 구하시오.

(1) $\log 21.3$

(2) $\log 21300$

(3) $\log 0.213$

(4) $\log 0.00213$

3-2 상용로그표에서 구한 $\log 8.09 = 0.9079$를 이용하여 다음 값을 구하시오.

(1) $\log 80.9$

(2) $\log 809$

(3) $\log 0.809$

(4) $\log 0.0809$

4-1 임의의 양수 N에 대하여 $\log N$의 값이 다음과 같을 때, $\log N$의 정수 부분과 소수 부분을 구하시오.

(1) $\log N = 0.7574$

(2) $\log N = 1.7657$

(3) $\log N = -1.9747$

4-2 임의의 양수 N에 대하여 $\log N$의 값이 다음과 같을 때, $\log N$의 정수 부분과 소수 부분을 구하시오.

(1) $\log N = 3.5416$

(2) $\log N = -0.5058$

(3) $\log N = -2.3288$

3일 기초 유형 | 상용로그

2019 6월 실시
고2 교육청 가형 7번

1-1

다음은 상용로그표의 일부이다.

수	…	4	5	6	…
⋮		⋮	⋮	⋮	
5.9	…	.7738	.7745	.7752	…
6.0	…	.7810	.7818	.7825	…
6.1	…	.7882	.7889	.7896	…

이 표를 이용하여 $\log \sqrt{6.04}$의 값을 구하시오. [3점]

Tip 양수 A에 대하여 n은 실수, $\log A=k$일 때
❶ $\log A^n=n\log A=nk$
❷ $\log(10^n\times A)=\log 10^n+\log A=n+k$

풀이

$\log\sqrt{6.04}=\log 6.04^{\frac{1}{2}}=\frac{1}{2}\log 6.04$

$=\frac{1}{2}\times\square$

$=\square$

답 0.3905

상용로그표에서 6.0의 가로줄과 4의 세로줄이 만나는 곳의 수를 찾아봐.

쌍둥이 교과서 문제

1-2

다음은 상용로그표를 이용하여 $\log 3840+\log 0.0384$의 값을 구하는 과정이다. $\square$ 안에 알맞은 수를 써넣으시오.

$\log 3840+\log 0.0384$
$=\log(10^{\square}\times 3.84)+\log(10^{\square}\times 3.84)$
$=(\square+\log 3.84)+(\square+\log 3.84)$
$=\square+2\log 3.84=1+2\times 0.5843$
$=\square$

1-3

$\log 3.24=0.5105$임을 이용하여 $\log 32.4^2+\log\frac{1}{32.4}$의 값을 구하시오.

2016 9월 실시
고2 교육청 나형 23번

쌍둥이 교과서 문제

2-1

양의 실수 A에 대하여 $\log A=2.1673$일 때, A의 값을 구하시오. (단, $\log 1.47=0.1673$으로 계산한다.) [3점]

Tip $\log A=n+\alpha$ (n은 정수, $0\le\alpha<1$) 꼴로 나타낸다.

풀이

$\log A=2.1673=2+0.1673$

$=\log 10^2+\log \square$

$=\log(10^2\times\square)$

$=\log \square$

$\therefore A=147$

답 147

2-2

양수 N에 대하여 $\log N=-1.3251$일 때, N의 값을 구하시오. (단, $\log 4.73=0.6749$로 계산한다.)

1 주

2020 3월 실시
고3 교육청 나형 25번

3-1

$10\le x<1000$인 실수 x에 대하여 $\log x^3-\log\frac{1}{x^2}$의 값이 자연수가 되도록 하는 모든 x의 개수를 구하시오. [3점]

Tip $0<p<x<q$이면 $\log p<\log x<\log q$임을 이용한다.

풀이

$\log x^3-\log\frac{1}{x^2}=3\log x-(-2\log x)=5\log x$

$10\le x<1000$에서 $\log 10\le\log x<\log 10^3$

$1\le\log x<\square$ $\quad\therefore 5\le 5\log x<\square$

이때 $5\log x$의 값이 자연수이어야 하므로 $5\log x$의 값은 $5, 6, 7, \cdots, 14$이다.

따라서 조건을 만족시키는 x의 개수는 $\square$이다.

답 10

3-2

$10<x<100$인 실수 x에 대하여 $\log\sqrt{x}$와 $\log x^2$의 차가 정수일 때, $\log x$의 값을 구하시오.

4일 핵심 개념 | 지수함수

꿀타래는 꿀과 엿기름을 숙성시킨 꿀덩어리를 아주 가느다란 실타래처럼 만들어 땅콩, 깨 등을 넣어 만든 과자이다.

접어서 늘인 횟수	1	2	3	…	14
가닥의 수	2	2^2	2^3	…	

접어서 늘인 횟수 x와 그때 생기는 가닥의 수 y 사이의 관계는 $y=2^x$이므로 14번 반복하여 만들어지는 가닥의 수는 2^{14}이다.

개념 ① 지수함수의 뜻

01 다음 (   ) 안에 주어진 것 중 옳은 것을 고르시오.

실수 전체의 집합을 정의역으로 하는 함수 $y=a^x$ $(a>0, a\neq1)$을 a를 밑으로 하는 (지수함수, 로그함수)라 한다.

개념 ② 지수함수 $y=a^x$ $(a>0, a\neq1)$의 성질

[02~04] 지수함수 $y=a^x$ $(a>0, a\neq1)$에 대하여 다음 (   ) 안에 주어진 것 중 옳은 것을 고르시오.

02 정의역은 실수 전체의 집합이고, 치역은 (양, 음)의 실수 전체의 집합이다.

03 $a>1$일 때, x의 값이 증가하면 y의 값도 (증가, 감소)한다.
$0<a<1$일 때, x의 값이 증가하면 y의 값은 (증가, 감소)한다.

04 그래프는 점 $(0, 1)$을 지나고, (x축, y축)을 점근선으로 갖는다.

답 **01** 지수함수 **02** 양 **03** 증가, 감소 **04** x축

개념 확인 | 지수함수(1)

정답 및 해설 6쪽

지수함수 $y=a^x\ (a>0, a\neq 1)$의 성질

❶ 정의역은 실수 전체의 집합이고,
치역은 양의 실수 전체의 집합이다.

❷ $a>1$일 때, x의 값이 증가하면 y의 값도 증가한다.
$0<a<1$일 때, x의 값이 증가하면 y의 값은 감소한다.

❸ 그래프는 점 $(0, 1)$을 지나고, x축을 점근선으로 갖는다.

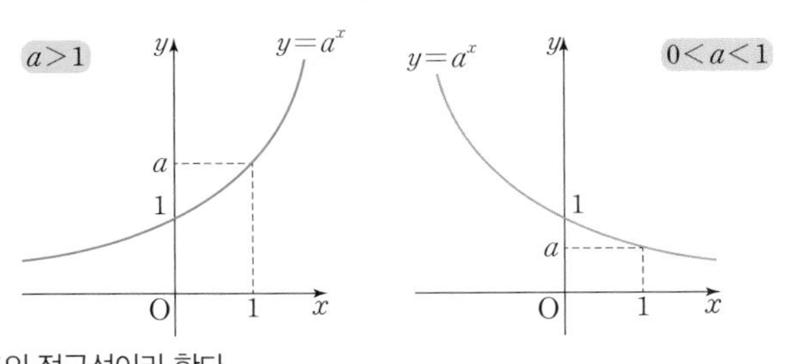

참고 함수의 그래프가 어떤 직선에 한없이 가까워질 때, 이 직선을 그 함수의 그래프의 점근선이라 한다.

1-1 지수함수 $f(x)=3^x$에 대하여 다음 값을 구하시오.

(1) $f(0)$

(2) $f(-1)$

(3) $f\left(\frac{1}{2}\right)$

(4) $f(2)\times f(-2)$

1-2 지수함수 $f(x)=\left(\frac{1}{2}\right)^x$에 대하여 다음 값을 구하시오.

(1) $f(0)$

(2) $f(3)$

(3) $f(-2)$

(4) $f(2)+f(-1)$

2-1 다음 지수함수의 그래프를 그리시오.

(1) $y=2^x$

(2) $y=\left(\frac{1}{2}\right)^x$

2-2 다음 지수함수의 그래프를 그리시오.

(1) $y=3^x$

(2) $y=\left(\frac{1}{3}\right)^x$

3-1 지수함수의 성질을 이용하여 다음 수의 크기를 비교하시오.

(1) $3^{\sqrt{5}}$, 3^2

(2) $\sqrt{2}$, $\sqrt[3]{2^2}$, $\sqrt[4]{2^3}$

3-2 지수함수의 성질을 이용하여 다음 수의 크기를 비교하시오.

(1) $\left(\frac{1}{5}\right)^{0.5}$, $\left(\frac{1}{5}\right)^{\frac{3}{4}}$

(2) $\left(\frac{1}{3}\right)^{-0.2}$, $\frac{1}{3}$, $\left(\sqrt{\frac{1}{3}}\right)^3$

1주

4일

핵심 개념 | 지수함수

지수함수 $y=2^{x+1}$의 그래프는 함수 $y=2^x$의 그래프를 x축의 방향으로 -1만큼 평행이동한 것이다. 정의역은 실수 전체의 집합이고 치역은 양의 실수 전체의 집합이다.
또 x의 값이 증가하면 y의 값도 증가하므로 $x \geq 0$일 때 최솟값은 2이다.

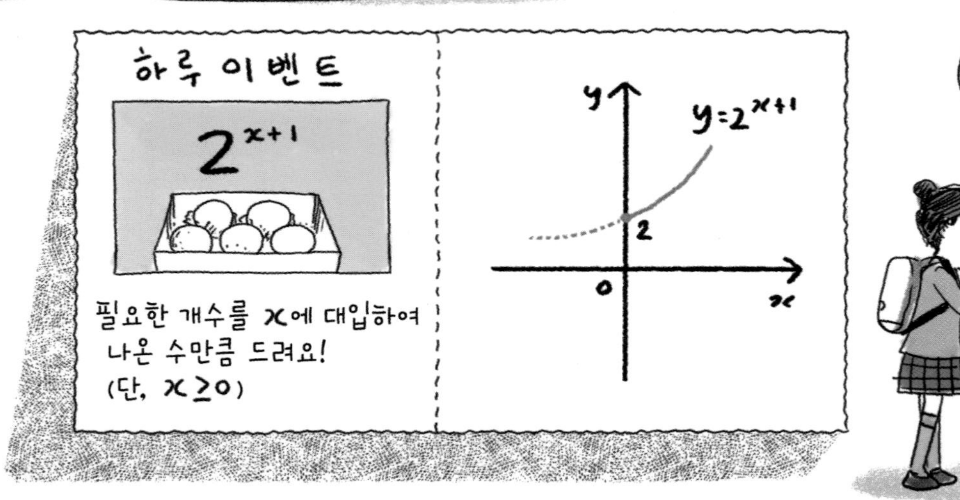

개념 3 지수함수의 그래프의 평행이동과 대칭이동

[05~06] 다음 ☐ 안에 알맞은 것을 써넣으시오.

05 함수 $y=2^{x-3}+5$의 그래프는 함수 $y=2^x$의 그래프를 x축의 방향으로 ☐만큼, y축의 방향으로 ☐만큼 평행이동한 것이다.

06 함수 $y=\left(\frac{1}{5}\right)^x+1$의 그래프는 함수 $y=5^x$의 그래프를 ☐에 대하여 대칭이동한 후, y축의 방향으로 ☐만큼 평행이동한 것이다.

개념 4 지수함수의 최대, 최소

[07~08] 정의역이 $\{x \mid m \leq x \leq n\}$인 지수함수 $y=a^x$에 대하여 다음 (　) 안에 주어진 것 중 옳은 것을 고르시오.

07 $a>1$이면 $x=m$일 때 (최댓값, 최솟값), $x=n$일 때 (최댓값, 최솟값)을 갖는다.

08 $0<a<1$이면 $x=m$일 때 (최댓값, 최솟값), $x=n$일 때 (최댓값, 최솟값)을 갖는다.

답 **05** 3, 5 **06** y축, 1 **07** 최솟값, 최댓값 **08** 최댓값, 최솟값

개념 확인 | 지수함수(2)

정답 및 해설 7쪽

지수함수의 그래프의 평행이동과 대칭이동

지수함수 $y=a^x\ (a>0,\ a\neq1)$의 그래프를

❶ x축의 방향으로 m만큼, y축의 방향으로 n만큼 평행이동 ⇨ $y=a^{x-m}+n$

❷ x축에 대하여 대칭이동 ⇨ $y=-a^x$

❸ y축에 대하여 대칭이동 ⇨ $y=a^{-x}=\left(\frac{1}{a}\right)^x$

❹ 원점에 대하여 대칭이동 ⇨ $y=-a^{-x}=-\left(\frac{1}{a}\right)^x$

지수함수의 최대, 최소

정의역이 $\{x|m\leq x\leq n\}$인 지수함수 $y=a^x$은

❶ $a>1$이면 $x=m$일 때 최솟값 a^m, $x=n$일 때 최댓값 a^n을 갖는다.

❷ $0<a<1$이면 $x=m$일 때 최댓값 a^m, $x=n$일 때 최솟값 a^n을 갖는다.

참고 지수함수 $y=a^{f(x)}$은

❶ $a>1$이면 $f(x)$의 값이 최대일 때 최댓값, $f(x)$의 값이 최소일 때 최솟값을 갖는다.

❷ $0<a<1$이면 $f(x)$의 값이 최대일 때 최솟값, $f(x)$의 값이 최소일 때 최댓값을 갖는다.

1주

4-1 다음 함수의 그래프를 그리고, 점근선의 방정식을 구하시오.

(1) $y=2^{x-1}-1$

(2) $y=3^{-x}+2$

4-2 다음 함수의 그래프를 그리고, 점근선의 방정식을 구하시오.

(1) $y=3^{x-2}$

(2) $y=-2^{x-1}+2$

5-1 다음 함수의 최댓값과 최솟값을 구하시오.

(1) 정의역이 $\{x|-1\leq x\leq 2\}$인 함수 $y=5^x$

(2) 정의역이 $\{x|-2\leq x\leq 0\}$인 함수 $y=\left(\frac{1}{2}\right)^x+1$

(3) 정의역이 $\{x|-2\leq x\leq 1\}$인 함수 $y=4^{x+1}-1$

5-2 다음 함수의 최댓값과 최솟값을 구하시오.

(1) 정의역이 $\{x|1\leq x\leq 4\}$인 함수 $y=3^x$

(2) 정의역이 $\{x|-3\leq x\leq 2\}$인 함수 $y=10^{-x}$

(3) 정의역이 $\{x|-1\leq x\leq 2\}$인 함수 $y=2^{1-x}+1$

2019 6월 실시
고2 교육청 나형 11번

쌍둥이 교과서 문제

1-1

함수 $y=2^{x-a}+b$의 그래프가 그림과 같을 때, 두 상수 a, b에 대하여 $a+b$의 값을 구하시오. (단, 직선 $y=3$은 그래프의 점근선이다.) [3점]

Tip 지수함수 $y=a^{x-m}+n$ $(a>0, a\neq1)$의 그래프의 점근선은 직선 $y=n$이다.

풀이

$y=2^{x-a}+b$의 그래프의 점근선의 방정식은 $y=b$이므로

$b=$ ☐

또 그래프가 점 $(3, 5)$를 지나므로 $5=2^{3-a}+3$

$2^{3-a}=2$, $3-a=1$ $\quad\therefore a=2$

$\therefore a+b=$ ☐

답 5

1-2

함수 $y=3^{x-a}+b$의 그래프가 오른쪽 그림과 같을 때, 두 상수 a, b에 대하여 $a+b$의 값을 구하시오. (단, 직선 $y=-1$은 그래프의 점근선이다.)

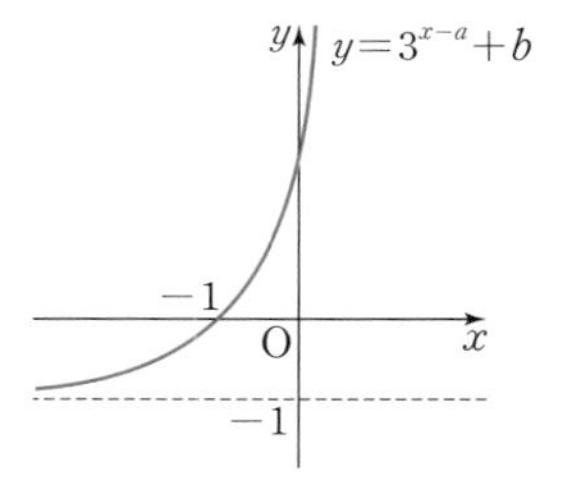

2019 9월
평가원 가형 7번

2-1

함수 $f(x)=-2^{4-3x}+k$의 그래프가 제2사분면을 지나지 않도록 하는 자연수 k의 최댓값을 구하시오. [3점]

Tip 함수 $y=f(x)$의 그래프를 그려 그 그래프가 제2사분면을 지나지 않도록 하는 조건을 알아본다.

풀이

$$f(x)=-2^{4-3x}+k=-2^{-3\left(x-\frac{4}{3}\right)}+k=-\left(\frac{1}{8}\right)^{x-\frac{4}{3}}+k$$

의 그래프는 함수 $y=-\left(\frac{1}{8}\right)^{x}$의 그래프를 x축의 방향으로 $\frac{4}{☐}$만큼, y축의 방향으로 k만큼 평행이동한 것이다.

따라서 그래프가 제2사분면을 지나지 않으려면 오른쪽 그림과 같아야 하므로

$-2^4+k\leq$ ☐ $\quad\therefore k\leq16$

즉, 자연수 k의 최댓값은 16이다.

답 16

2-2

함수 $y=\left(\frac{1}{3}\right)^{x-1}+k$의 그래프가 제3사분면을 지나지 않도록 하는 정수 k의 최솟값을 구하시오.

2020 6월 실시
고2 교육청 7번

쌍둥이 교과서 문제

3-1

$-1\le x\le 2$에서 함수 $f(x)=2+\left(\frac{1}{3}\right)^{2x}$의 최댓값을 구하시오. [3점]

Tip 정의역이 $\{x|m\le x\le n\}$인 지수함수
$f(x)=a^{px+q}+r\ (p>0)$에 대하여
❶ $a>1$일 때 ⇨ 최댓값 : $f(n)$, 최솟값 : $f(m)$
❷ $0<a<1$일 때 ⇨ 최댓값 : $f(m)$, 최솟값 : $f(n)$

풀이
$f(x)=2+\left(\frac{1}{3}\right)^{2x}=\left(\frac{1}{9}\right)^{x}+2$는 x의 값이 증가하면 y의 값은 감소하므로

$x=$ ☐ 일 때 최댓값

$f($☐$)=\left(\frac{1}{9}\right)^{☐}+2=$ ☐

을(를) 갖는다.

답 11

3-2

정의역이 $\{x|-1\le x\le 2\}$인 함수 $y=2^{x-1}\times 3^{1-x}$의 최댓값과 최솟값을 구하시오.

2019 6월 실시
고2 교육청 나형 13번

4-1

함수 $f(x)=\left(\frac{1}{5}\right)^{x^2-4x+1}$은 $x=a$에서 최댓값 M을 갖는다. $a+M$의 값을 구하시오. [3점]

Tip $f(x)=a^{px^2+qx+r}$에 대하여 $g(x)=px^2+qx+r$로 놓고 주어진 범위에서 $g(x)$의 최댓값과 최솟값을 구한 후 a의 값의 범위에 따라 $f(x)$의 최댓값과 최솟값을 구한다.

풀이
$g(x)=x^2-4x+1=(x-2)^2-3$으로 놓으면

$x=2$일 때, 최솟값 ☐ 을 갖는다.

$f(x)=\left(\frac{1}{5}\right)^{g(x)}$에서 밑이 1보다 작으므로

함수 $f(x)=\left(\frac{1}{5}\right)^{g(x)}$은 $g(x)=$ ☐, 즉 $x=2$일 때 최댓값

$\left(\frac{1}{5}\right)^{☐}=$ ☐ 을(를) 갖는다.

따라서 $a=2$, $M=125$이므로

$a+M=127$

답 127

4-2

정의역이 $\{x|0\le x\le 3\}$인 함수 $f(x)=\left(\frac{1}{2}\right)^{x^2-4x+3}$의 최댓값과 최솟값을 구하시오.

1 주

5일 핵심 개념 | 로그함수

$\log_9 19 = \log_{3^2} 19 = \frac{1}{2}\log_3 19 = \log_3 \sqrt{19}$

함수 $y=\log_3 x$는 x의 값이 증가하면 y의 값도 증가한다.

이때 $4<\sqrt{19}$이므로 $\log_3 4 < \log_3 \sqrt{19}$

따라서 꿀 수박이 더 싸다.

이처럼 로그함수의 성질을 이용하여 수의 대소를 비교할 수 있다.

개념 ① 로그함수의 뜻

01 다음 ( ) 안에 주어진 것 중 옳은 것을 고르시오.

로그의 정의로부터 $y=a^x$에서 $x=\log_a y$이므로 x와 y를 서로 바꾸면 지수함수 $y=a^x$의 역함수 $y=\log_a x$ $(a>0, a\neq 1)$를 얻는다. 이 함수를 a를 밑으로 하는 (지수함수, 로그함수)라 한다.

개념 ② 로그함수 $y=\log_a x$ $(a>0, a\neq 1)$의 성질

[02~04] 로그함수 $y=\log_a x$ $(a>0, a\neq 1)$에 대하여 다음 ( ) 안에 주어진 것 중 옳은 것을 고르시오.

02 정의역은 (양, 음)의 실수 전체의 집합이고, 치역은 실수 전체의 집합이다.

03 $a>1$일 때, x의 값이 증가하면 y의 값도 (증가, 감소)한다.
$0<a<1$일 때, x의 값이 증가하면 y의 값은 (증가, 감소)한다.

04 그래프는 점 $(1, 0)$을 지나고, (x축, y축)을 점근선으로 갖는다.

답 **01** 로그함수 **02** 양 **03** 증가, 감소 **04** y축

개념 확인 | 로그함수(1)

정답 및 해설 8쪽

로그함수 $y=\log_a x$ $(a>0, a\neq1)$의 성질

❶ 정의역은 양의 실수 전체의 집합이고,
치역은 실수 전체의 집합이다.

❷ $a>1$일 때, x의 값이 증가하면 y의 값도 증가한다.
$0<a<1$일 때, x의 값이 증가하면 y의 값은 감소한다.

❸ 그래프는 점 $(1, 0)$을 지나고, y축을 점근선으로 갖는다.

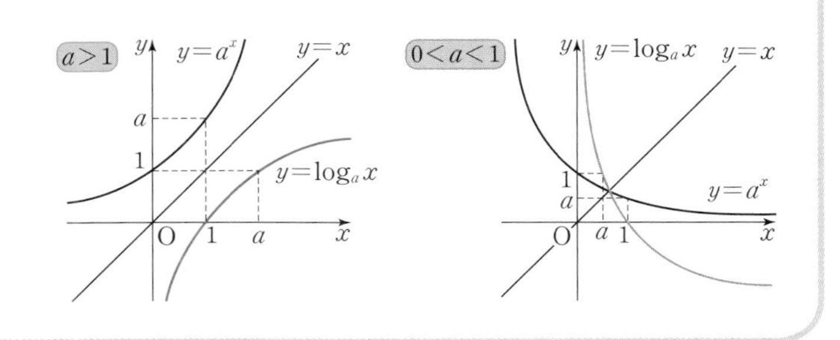

1주

1-1 다음 함수의 역함수를 구하시오.

(1) $y=\left(\frac{1}{2}\right)^x$ (2) $y=\log_3 x$

1-2 다음 함수의 역함수를 구하시오.

(1) $y=2^x$ (2) $y=\log_{\frac{1}{5}} x$

2-1 다음 로그함수의 그래프를 그리시오.

(1) $y=\log_2 x$ (2) $y=\log_{\frac{1}{2}} x$

2-2 다음 로그함수의 그래프를 그리시오.

(1) $y=\log_3 x$ (2) $y=\log_{\frac{1}{3}} x$

3-1 로그함수의 성질을 이용하여 다음 수의 크기를 비교하시오.

(1) $\log_2 5$, $3\log_2 3$

(2) $\log_{\frac{1}{3}} 3$, $\frac{1}{2}\log_{\frac{1}{3}} 5$

3-2 로그함수의 성질을 이용하여 다음 수의 크기를 비교하시오.

(1) $\log_3 25$, $\log_9 25$

(2) $-\log_{\frac{1}{4}} 3$, $\log_{\frac{1}{2}} 0.3$

5일 핵심 개념 | 로그함수

지수함수 $y=a^x$ $(a>0,\ a\neq1)$의 역함수는 로그함수 $y=\log_a x$ $(a>0,\ a\neq1)$이므로 로그함수 $y=\log_a x$의 그래프를 직선 $y=x$에 대하여 대칭이동한 그래프는 지수함수 $y=a^x$의 그래프와 일치한다.

개념 ③ 로그함수의 그래프의 평행이동과 대칭이동

[05~06] 다음 $\square$ 안에 알맞은 것을 써넣으시오.

05 함수 $y=\log_2(x-1)+2$의 그래프는 함수 $y=\log_2 x$의 그래프를 x축의 방향으로 $\square$만큼, y축의 방향으로 $\square$만큼 평행이동한 것이다.

06 함수 $y=-\log_3(x+3)-1$의 그래프는 함수 $y=\log_3 x$의 그래프를 $\square$에 대하여 대칭이동한 후 x축의 방향으로 $\square$만큼, y축의 방향으로 -1만큼 평행이동한 것이다.

개념 ④ 로그함수의 최대, 최소

[07~08] 정의역이 $\{x|m\leq x\leq n\}$인 로그함수 $y=\log_a x$에 대하여 다음 (　) 안에 주어진 것 중 옳은 것을 고르시오.

07 $a>1$이면 $x=m$일 때 (최댓값, 최솟값), $x=n$일 때 (최댓값, 최솟값)을 갖는다.

08 $0<a<1$이면 $x=m$일 때 (최댓값, 최솟값), $x=n$일 때 (최댓값, 최솟값)을 갖는다.

답 **05** 1, 2 **06** x축, -3 **07** 최솟값, 최댓값 **08** 최댓값, 최솟값

개념 확인 | 로그함수(2)

정답 및 해설 9쪽

로그함수의 그래프의 평행이동과 대칭이동

로그함수 $y=\log_a x$ $(a>0, a\neq1)$의 그래프를

❶ x축의 방향으로 m만큼, y축의 방향으로 n만큼 평행이동 ⇨ $y=\log_a (x-m)+n$

❷ x축에 대하여 대칭이동 ⇨ $y=-\log_a x$

❸ y축에 대하여 대칭이동 ⇨ $y=\log_a (-x)$

❹ 원점에 대하여 대칭이동 ⇨ $y=-\log_a (-x)$

❺ 직선 $y=x$에 대하여 대칭이동 ⇨ $y=a^x$

참고 $y=\log_{\frac{1}{a}} x=-\log_a x$이므로 두 함수 $y=\log_a x$와 $y=\log_{\frac{1}{a}} x$의 그래프는 x축에 대하여 대칭이다.

로그함수의 최대, 최소

정의역이 $\{x|m\leq x\leq n\}$인 로그함수 $y=\log_a x$는

❶ $a>1$이면 $x=m$일 때 최솟값 $\log_a m$, $x=n$일 때 최댓값 $\log_a n$을 갖는다.

❷ $0<a<1$이면 $x=m$일 때 최댓값 $\log_a m$, $x=n$일 때 최솟값 $\log_a n$을 갖는다.

참고 로그함수 $y=\log_a f(x)$는

❶ $a>1$이면 $f(x)$의 값이 최대일 때 최댓값, $f(x)$의 값이 최소일 때 최솟값을 갖는다.

❷ $0<a<1$이면 $f(x)$의 값이 최대일 때 최솟값, $f(x)$의 값이 최소일 때 최댓값을 갖는다.

1주

4-1 다음 함수의 그래프를 그리고, 점근선의 방정식을 구하시오.

(1) $y=\log_3 (x-2)+1$

(2) $y=-\log_2 x+2$

4-2 다음 함수의 그래프를 그리고, 점근선의 방정식을 구하시오.

(1) $y=\log_{\frac{1}{2}} (x+1)-1$

(2) $y=-\log_3 (-x-2)$

5-1 다음 함수의 최댓값과 최솟값을 구하시오.

(1) 정의역이 $\{x|2\leq x\leq 64\}$인 $y=\log_2 x$

(2) 정의역이 $\{x|0\leq x\leq 24\}$인 $y=2\log_{\frac{1}{3}} (x+3)$

(3) 정의역이 $\{x|1\leq x\leq 7\}$인 $y=\log_2 (x+1)-1$

5-2 다음 함수의 최댓값과 최솟값을 구하시오.

(1) 정의역이 $\left\{x\middle|\frac{1}{10}\leq x\leq 100\right\}$인 $y=\log x$

(2) 정의역이 $\{x|10\leq x\leq 250\}$인 $y=-\log_5 \frac{x}{2}+1$

(3) 정의역이 $\{x|3\leq x\leq 9\}$인 $y=\log_{\frac{1}{2}} (x-1)+3$

5일 기초 유형 | 로그함수

2020 7월 실시
고3 교육청 나형 10번

쌍둥이 교과서 문제

1-1

두 곡선 $y=\log_2 x$, $y=\log_a x$ $(0<a<1)$이 x축 위의 점 A에서 만난다. 직선 $x=4$가 곡선 $y=\log_2 x$와 만나는 점을 B, 곡선 $y=\log_a x$와 만나는 점을 C라 하자. 삼각형 ABC의 넓이가 $\frac{9}{2}$일 때, 상수 a의 값을 구하시오. [3점]

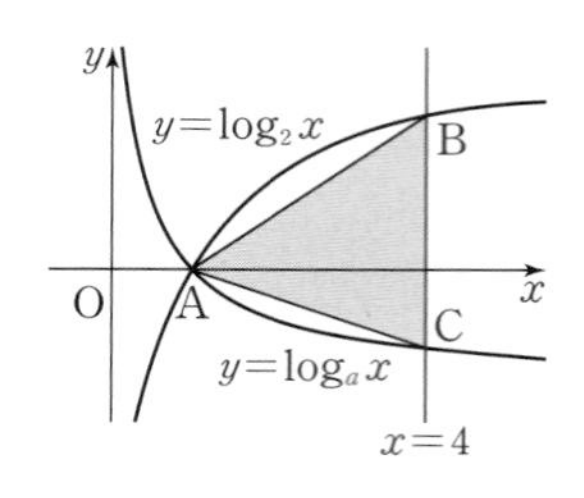

Tip 로그함수 $y=\log_a x$ $(a>0, a\neq1)$의 그래프가 점 (m, n)을 지나면 $n=\log_a m$임을 이용한다.

풀이

세 점 A, B, C의 좌표는 각각

$(1, 0)$, $(4, \square)$, $(4, \log_a 4)$

이때 삼각형 ABC의 넓이가 $\frac{9}{2}$이므로

$\frac{1}{2}\times(\square-\log_a 4)\times(4-1)=\frac{9}{2}$

$\log_a 4=-1$, $a^{-1}=4$ $\quad\therefore a=\frac{1}{4}$

답 $\frac{1}{4}$

1-2

$1<a<b$일 때, 직선 $x=2$가 세 함수

$f(x)=\log_a x$,

$g(x)=\log_b x$,

$h(x)=-\log_a x$

의 그래프와 만나는 점을 각각 P, Q, R라 하자. $\overline{PQ}:\overline{QR}=1:2$일 때, $g(a)$의 값을 구하시오.

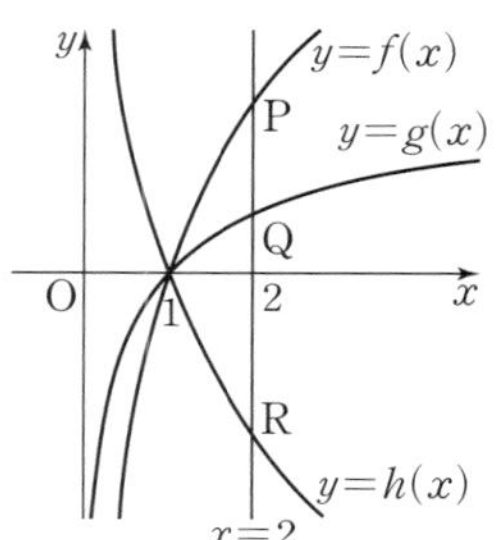

2017 7월 실시
고3 교육청 가형 24번

2-1

함수 $f(x)=\log_6(x-a)+b$의 그래프의 점근선이 직선 $x=5$이고, $f(11)=9$이다. 상수 a, b에 대하여 $a+b$의 값을 구하시오. [3점]

Tip 함수 $y=\log_a(x-m)+n$ $(a>0, a\neq1)$의 그래프의 점근선은 직선 $x=m$이다.

풀이

$f(x)=\log_6(x-a)+b$의 그래프의 점근선의 방정식은

$x=a$이므로 $a=\square$

$f(11)=9$에서 $\log_6(11-\square)+b=9$

$1+b=9$ $\quad\therefore b=8$

$\therefore a+b=13$

답 13

2-2

함수 $y=\log_5(x+a)+b$의 그래프가 점 $(3, 5)$를 지나고 점근선이 직선 $x=-2$일 때, 상수 a, b의 값을 구하시오.

2020 6월 실시
고2 교육청 8번

3-1

함수 $y=\log_2 x$의 그래프를 x축의 방향으로 a만큼, y축의 방향으로 1만큼 평행이동한 그래프가 점 $(9, 3)$을 지날 때, 상수 a의 값을 구하시오. [3점]

Tip 로그함수 $y=\log_a x$ $(a>0, a\neq1)$의 그래프를 x축의 방향으로 m만큼, y축의 방향으로 n만큼 평행이동한 그래프의 식은 $y=\log_a (x-m)+n$임을 이용한다.

풀이
함수 $y=\log_2 x$의 그래프를 x축의 방향으로 a만큼, y축의 방향으로 1만큼 평행이동한 그래프의 식은
$y=\log_2 (x-a)+\square$
이 그래프가 점 $(9, 3)$을 지나므로
$3=\log_2 (9-a)+\square$, $\log_2 (9-a)=\square$
$9-a=2^{\square}=\square$ $\quad\therefore a=5$

답 5

쌍둥이 교과서 문제

3-2

함수 $y=\log_3 (x-2)+3$의 그래프를 x축의 방향으로 a만큼, y축의 방향으로 b만큼 평행이동하면 함수 $y=\log_3 (3x-9)$의 그래프와 일치할 때, 상수 a, b의 값을 구하시오.

1 주

2019 9월 실시
고2 교육청 가형 10번

4-1

$-3\leq x\leq 3$에서 함수 $f(x)=\log_2 (x^2-4x+20)$의 최솟값을 구하시오. [3점]

Tip $f(x)=\log_a (px^2+qx+r)$에 대하여 $g(x)=px^2+qx+r$로 놓고 주어진 범위에서 $g(x)$의 최댓값과 최솟값을 구한 후 a의 값의 범위에 따라 $f(x)$의 최댓값과 최솟값을 구한다.

풀이
$g(x)=x^2-4x+20$으로 놓으면 $g(x)=(x-2)^2+16$
$g(-3)=41$, $g(2)=16$, $g(3)=17$이므로 $-3\leq x\leq 3$에서 $g(x)$의 최댓값은 41, 최솟값은 16이다.
$f(x)=\log_2 g(x)$에서 밑이 1보다 크므로
함수 $f(x)=\log_2 g(x)$는 $g(x)=\square$, 즉 $x=2$일 때 최솟값 $\log_2 \square=\square$를 갖는다.

답 4

4-2

$0\leq x\leq 4$에서 함수 $y=\log_{\frac{1}{2}} (-x^2+4x+4)$의 최솟값을 구하시오.

4-3

함수 $y=\log_{\frac{1}{8}} (x^2-ax+b)$는 $x=2$일 때, 최댓값 -1을 갖는다. $a+b$의 값을 구하시오. (단, a, b는 상수이다.)

누구나 100점 테스트

1

| 2019 6월 실시 고2 교육청 나형 10번 |

$\sqrt{(-2)^6}+(\sqrt[3]{3}-\sqrt[3]{2})(\sqrt[3]{9}+\sqrt[3]{6}+\sqrt[3]{4})$의 값은?

① 7　② 9　③ 11
④ 13　⑤ 15

2

| 2019 3월 실시 고3 교육청 나형 7번 |

10 이하의 자연수 a에 대하여 $(a^{\frac{2}{3}})^{\frac{1}{2}}$의 값이 자연수가 되도록 하는 모든 a의 값의 합은?

① 5　② 7　③ 9
④ 11　⑤ 13

3

| 2017 4월 실시 고3 교육청 나형 8번 |

이차방정식 $x^2-18x+6=0$의 두 근을 α, β라 할 때, $\log_2(\alpha+\beta)-2\log_2\alpha\beta$의 값은?

① -5　② -4　③ -3
④ -2　⑤ -1

이차방정식의 근과 계수의 관계를 이용해.

4

| 2016 7월 실시 고3 교육청 나형 24번 |

1보다 큰 세 실수 a, b, c에 대하여

$$\log_c a : \log_c b = 2 : 3$$

일 때, $10\log_a b+9\log_b a$의 값을 구하시오.

5

| 2019 6월 실시 고2 교육청 나형 5번 |

다음은 상용로그표의 일부이다.

수	0	1	2	3	⋯
⋮	⋮	⋮	⋮	⋮	
3.0	.4771	.4786	.4800	.4814	⋯
3.1	.4914	.4928	.4942	.4955	⋯
3.2	.5051	.5065	.5079	.5092	⋯

이 표를 이용하여 구한 $\log 312$의 값은?

① 1.4786　② 1.4942　③ 2.4942
④ 2.5051　⑤ 3.5051

6

| 2020 4월 실시 고3 교육청 가형 24번 |

함수 $f(x)=2^{x+p}+q$의 그래프의 점근선이 직선 $y=-4$이고 $f(0)=0$일 때, $f(4)$의 값을 구하시오.

(단, p와 q는 상수이다.)

정답 및 해설 12쪽

2 2021 6월 평가원 가형 6번

로그 ⊕ 직선의 방정식

두 양수 a, b에 대하여 좌표평면 위의 ❶ 두 점 $(2, \log_4 a)$, $(3, \log_2 b)$를 지나는 직선이 ❷ 원점을 지날 때, ❸ $\log_a b$의 값을 구하시오. (단, $a \neq 1$)

길잡이

❶ 두 점을 지나는 직선의 방정식을 구한다.
❷ ❶에서 구한 직선의 방정식에 $x=0$, $y=0$을 대입한 다음 정리한다.
❸ 밑의 변환 공식을 이용하여 $\log_a b$의 값을 구한다.

1주

3 2014 9월 실시 고2 교육청 A형 14번

상용로그 ⊕ 지수법칙

어느 해상에서 태풍의 최대 풍속은 중심 기압에 따라 변한다. 태풍의 중심 기압이 P(hPa)일 때 최대 풍속 V(m/초)는 다음 식을 만족시킨다고 한다.

$$V=4.86(1010-P)^{0.5}$$

❶ 이 해상에서 태풍의 중심 기압이 900(hPa)과 960(hPa)일 때, 최대 풍속이 각각 V_A(m/초), V_B(m/초)이었다.
❸ $\frac{V_A}{V_B}$의 값을 구하시오.

(단, ❷ $\log 1.1=0.0414$, $\log 1.472=0.1679$, $\log 1.483=0.1712$, $\log 2=0.3010$으로 계산한다.)

길잡이

❶ 주어진 조건을 관계식에 대입하여 $\frac{V_A}{V_B}$를 간단히 한다.
❷ $\frac{V_A}{V_B}$의 양변에 상용로그를 취하여 $\log \frac{V_A}{V_B}$의 값을 구한다.
❸ $\frac{V_A}{V_B}$의 값을 구한다.

4 2015 3월 실시 고3 교육청 A형 10번

지수함수의 그래프 ⊕ 선분의 내분점

❶ 지수함수 $y=3^x$의 그래프 위의 한 점 A의 y좌표가 $\frac{1}{3}$이다. 이 그래프 위의 한 점 B에 대하여 ❷ 선분 AB를 1 : 2로 내분하는 점 C가 y축 위에 있을 때, ❸ 점 B의 y좌표를 구하시오.

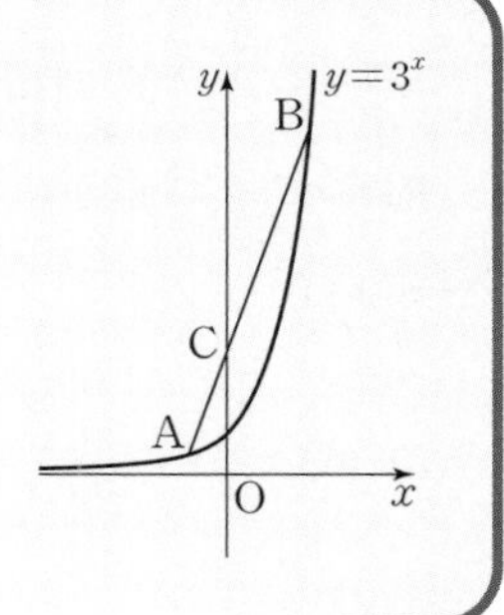

❶ **점 A의 좌표를 구한다.**

$A\left(a, \frac{1}{3}\right)$이라 하면 점 A는 함수 $y=3^x$의 그래프 위의 점이므로

$3^a=\frac{1}{3}=3^{-1}$에서 $a=\square$ $\quad\therefore A\left(\square, \frac{1}{3}\right)$

❷ **$B(b, 3^b)$으로 놓고, 선분의 내분점을 구하는 공식을 이용하여 점 C의 좌표를 구한다.**

> **좌표평면 위의 선분의 내분점과 외분점**
> 좌표평면 위의 두 점 $A(x_1, y_1)$, $B(x_2, y_2)$에 대하여 선분 AB를 $m : n$ $(m>0, n>0)$으로 내분하는 점과 외분하는 점의 좌표는 각각
> $\left(\frac{mx_2+nx_1}{m+n}, \frac{my_2+ny_1}{m+n}\right)$, $\left(\frac{mx_2-nx_1}{m-n}, \frac{my_2-ny_1}{m-n}\right)$ (단, $m\neq n$)

$B(b, 3^b)$이라 하면 선분 AB를 1 : 2로 내분하는 점 C의 좌표는

$$\left(\frac{1\times b+2\times(-1)}{1+2}, \frac{1\times 3^b+2\times\frac{1}{3}}{1+2}\right), \text{즉 } \left(\frac{b-2}{3}, \frac{3^b+\frac{2}{3}}{3}\right)$$

❸ **점 B의 y좌표를 구한다.**

점 C가 y축 위에 있으므로 $\frac{b-2}{3}=\square$ $\quad\therefore b=\square$

따라서 점 B의 y좌표는 $3^{\square}=\square$

답 9

다른 풀이

두 점 A, B에서 x축에 내린 수선의 발을 각각 D, E라 하면

$\overline{AC} : \overline{CB}=1 : 2$이므로 $\overline{DO} : \overline{OE}=1 : 2$

이때 $A\left(-1, \frac{1}{3}\right)$이고 $D(-1, 0)$이므로 $E(2, 0)$

따라서 점 B의 x좌표가 2이므로 y좌표는 $3^2=9$

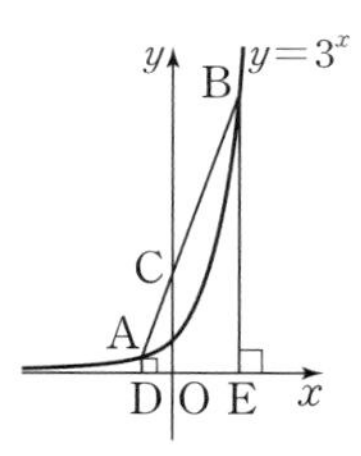

정답 및 해설 12쪽

5 2018 10월 실시 고3 교육청 가형 24번

로그함수의 그래프 + 삼각형의 무게중심

그림과 같이 ❶ 두 곡선 $y=\log_2 x$, $y=\log_{\frac{1}{2}} x$가 만나는 점을 A라 하고, 직선 $x=k\ (k>1)$이 두 곡선과 만나는 점을 각각 B, C라 하자. ❷ 삼각형 ACB의 무게중심의 좌표가 ❸ $(3, 0)$일 때, ❹ 삼각형 ACB의 넓이를 구하시오.

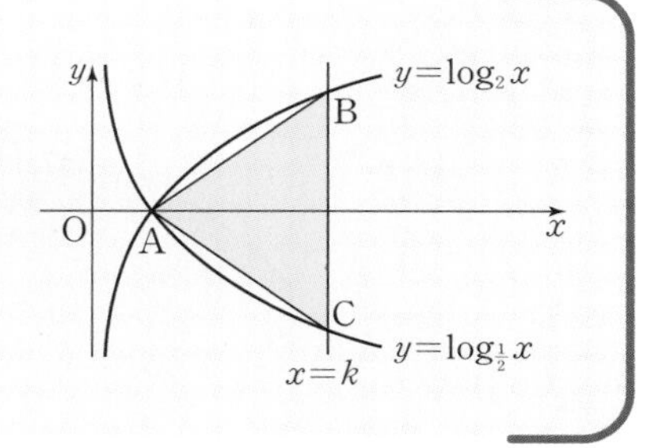

길잡이

❶ 세 점 A, B, C의 좌표를 구한다.
❷ 삼각형 ACB의 무게중심의 좌표를 구한다.
❸ k의 값을 구한다.
❹ 삼각형 ACB의 넓이를 구한다.

1 주

6 2019 수능 가형 5번

지수함수의 그래프 + 로그함수의 그래프

❶ 함수 $y=2^x+2$의 그래프를 x축의 방향으로 m만큼 평행이동한 그래프가 ❷ 함수 $y=\log_2 8x$의 그래프를 x축의 방향으로 2만큼 평행이동한 그래프와 ❸ 직선 $y=x$에 대하여 대칭일 때, ❹ 상수 m의 값을 구하시오.

길잡이

❶ 함수 $y=2^x+2$의 그래프를 평행이동한 그래프의 식을 구한다.
❷ 함수 $y=\log_2 8x$의 그래프를 평행이동한 그래프의 식을 구한다.
❸ ❷에서 구한 그래프를 직선 $y=x$에 대하여 대칭이동한 그래프의 식을 구한다.
❹ 상수 m의 값을 구한다.

Week 2

2주에는 무엇을 공부할까? ①

공부할 내용

❶ 지수함수와 로그함수를 활용하여 문제 해결하기
❷ 일반각과 호도법의 뜻 알기
❸ 삼각함수의 뜻을 이해하고, 사인함수, 코사인함수, 탄젠트함수의 그래프 알아보기

2 주

배운 내용 다시보기

1 다음을 간단히 하시오.

(1) $\left(\frac{1}{2}\right)^3 \times 2^{-2} \times 2^{10}$

(2) $3^{\sqrt{2}} \times 3^{\sqrt{8}} \div 3^{3\sqrt{2}}$

2 다음 식을 로그를 사용하여 나타내시오.

(1) $2^6 = 64$

(2) $\left(\frac{1}{3}\right)^{-4} = 81$

3 다음을 간단히 하시오.

(1) $\log_2 3 + \log_2 4 - \log_2 6$

(2) $\log_3 \sqrt{243}$

(3) $\frac{\log_3 125}{\log_3 5}$

(4) $\log_3 4 \times \log_4 3$

답 **1** (1) 32 (2) 1 **2** (1) $6 = \log_2 64$ (2) $-4 = \log_{\frac{1}{3}} 81$ **3** (1) 1 (2) $\frac{5}{2}$ (3) 3 (4) 1

호두파이
하루 편의점
CAFe
3일
일반각과 호도법
4일
삼각함수
호두가 듬뿍 들어간 호두파이를 먹을까? 소스를 듬뿍 뿌린 핫도그도 지나칠 수 없는데...

2
주

배운 내용 다시보기

4 오른쪽 그림과 같은 직각삼각형 ABC에 대하여 다음 삼각비를 구하시오.

(1) $\sin B$ (2) $\cos B$ (3) $\tan B$

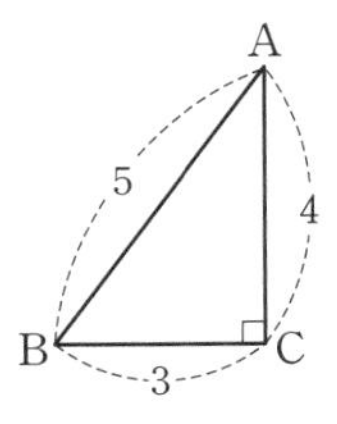

5 다음 표를 완성하시오.

삼각비 \ A	$0°$	$30°$	$45°$	$60°$	$90°$
$\sin A$	0		$\frac{\sqrt{2}}{2}$	$\frac{\sqrt{3}}{2}$	1
$\cos A$	1	$\frac{\sqrt{3}}{2}$		$\frac{1}{2}$	0
$\tan A$	0	$\frac{\sqrt{3}}{3}$	1		

답 **4** (1) $\frac{4}{5}$ (2) $\frac{3}{5}$ (3) $\frac{4}{3}$ **5** $\frac{1}{2}$, $\frac{\sqrt{2}}{2}$, $\sqrt{3}$

1일

핵심 개념 | 지수함수의 활용

어떤 효모를 배양하는데 효모의 처음 개체 수가 1일 때 t시간 후의 효모의 개체 수를 y라 하면 $y=2^t$의 관계가 성립한다고 한다. 효모의 개체 수가 64가 되려면

$2^t=64$에서 $2^t=2^6$ $\quad\therefore t=6$

따라서 효모를 6시간 배양하면 된다.

개념 ① 지수에 미지수를 포함하는 방정식

[01~03] 다음 ☐ 안에 알맞은 것을 아래 보기에서 찾아 써넣으시오.

보기

밑, 지수, x_1, x_2, 2, 4

01 지수에 미지수를 포함하는 방정식을 풀 때는 ☐을(를) 같게 한 후 다음 성질을 이용한다.

$a>0$, $a\neq1$일 때 $a^{x_1}=a^{x_2} \Longleftrightarrow$ ☐ $=x_2$

02 방정식 $3^x=3^2$의 근은 $x=$ ☐이다.

03 다음은 방정식 $2^x=16$을 푸는 과정이다.

[1] 밑이 같아지게 고친다. ⇨ $2^x=2^{☐}$

[2] 지수를 비교한다. ⇨ $x=$ ☐

답 **01** 밑, x_1 **02** 2 **03** 4, 4

개념 확인 | 지수함수의 활용(1)

정답 및 해설 13쪽

밑을 같게 할 수 있는 방정식

주어진 방정식을 $a^{f(x)}=a^{g(x)}$ 꼴로 변형한 후

$a^{f(x)}=a^{g(x)} \Longleftrightarrow f(x)=g(x)$

임을 이용하여 방정식 $f(x)=g(x)$를 푼다.

(단, $a>0$, $a\neq1$)

a^x 꼴이 반복되는 방정식

$a^x=t$로 치환하여 t에 대한 방정식을 푼다. 이때 $a^x>0$이므로 $t>0$임에 주의한다.

참고 $a^x=t\,(t>0)$로 치환하여 구한 t에 대한 방정식의 해가 $t=\alpha$이면 $a^x=\alpha$를 만족시키는 x의 값이 구하는 해이다.

1-1 다음 방정식을 푸시오.

(1) $2^{2x-1}=64$

(2) $\left(\frac{1}{2}\right)^{x+1}=128$

1-2 다음 방정식을 푸시오.

(1) $3^{2x}=\frac{1}{81}$

(2) $\left(\frac{1}{9}\right)^{x}=3\sqrt{3}$

2-1 다음 방정식을 푸시오.

(1) $5^{2x}=125^{x}$

(2) $3^{x+2}=\left(\frac{1}{3}\right)^{x}$

2-2 다음 방정식을 푸시오.

(1) $\left(\frac{3}{2}\right)^{2x^2}=\left(\frac{9}{4}\right)^{4x-3}$

(2) $\left(\frac{1}{2}\right)^{x^2}=2^{-3x+2}$

3-1 다음 방정식을 푸시오.

(1) $4^x-2^x-2=0$

(2) $\left(\frac{1}{9}\right)^{x}-6\times\left(\frac{1}{3}\right)^{x-1}+81=0$

3-2 다음 방정식을 푸시오.

(1) $9^x+3^x-12=0$

(2) $\left(\frac{1}{4}\right)^{x}-3\times\left(\frac{1}{2}\right)^{x-1}-16=0$

1일 핵심 개념 | 지수함수의 활용

카메라의 조리개는 렌즈를 통과하는 빛의 양을 조절하기 위해 사용한다. 조리개의 눈금을 한 눈금 내리면 렌즈를 통과하는 빛의 양은 $\sqrt{2}$배가 된다고 할 때, 현재보다 16배 이상의 빛이 렌즈를 통과하게 하려면

$(\sqrt{2})^n \geq 16$, $2^{\frac{n}{2}} \geq 2^4$

$\frac{n}{2} \geq 4$ $\quad \therefore n \geq 8$

따라서 조리개의 눈금을 최소한 8눈금 내려야 한다.

개념 ② 지수에 미지수를 포함하는 부등식

[04~06] 다음 ☐ 안에 알맞은 것을 아래 보기에서 찾아 써넣으시오.

보기: $>$, $=$, $<$

04 지수에 미지수를 포함하는 부등식을 풀 때는 방정식과 같이 밑을 같게 한 후 다음 성질을 이용한다.

❶ $a>1$일 때, $a^{x_1}<a^{x_2} \iff x_1$ ☐ x_2

❷ $0<a<1$일 때, $a^{x_1}<a^{x_2} \iff x_1$ ☐ x_2

05 부등식 $2^x<2^5$에서 밑 2는 1보다 크므로 x ☐ 5이다.

06 부등식 $\left(\frac{1}{3}\right)^x<\left(\frac{1}{3}\right)^2$에서 밑 $\frac{1}{3}$은 1보다 작으므로 x ☐ 2이다.

답 04 $<$, $>$ 05 $<$ 06 $>$

개념 확인 | 지수함수의 활용 (2)

정답 및 해설 13쪽

밑을 같게 할 수 있는 부등식

주어진 부등식을 $a^{f(x)}>a^{g(x)}$ 꼴로 변형한 후

❶ $a>1$일 때, 부등식 $f(x)>g(x)$를 푼다.

❷ $0<a<1$일 때, 부등식 $f(x)<g(x)$를 푼다.

a^x 꼴이 반복되는 부등식

$a^x=t$로 치환하여 t에 대한 부등식을 푼다. 이때 $a^x>0$이므로 $t>0$임에 주의한다.

4-1 다음 부등식을 푸시오.

(1) $2^{x-1}>\frac{1}{64}$

(2) $\left(\frac{2}{3}\right)^{2x}\geq\frac{81}{16}$

4-2 다음 부등식을 푸시오.

(1) $5^{2x+1}>25\sqrt{5}$

(2) $\left(\frac{1}{3}\right)^{x+1}<81$

5-1 다음 부등식을 푸시오.

(1) $2^{2x}<\left(\frac{1}{2}\right)^{x-4}$

(2) $\left(\frac{1}{25}\right)^{x}>\left(\frac{1}{5}\right)^{x-3}$

5-2 다음 부등식을 푸시오.

(1) $3^{x+3}\geq9^{x^2+x}$

(2) $\left(\frac{1}{4}\right)^{x^2}\leq2^{3x+1}$

6-1 다음 부등식을 푸시오.

(1) $4^x-2\times2^x-8<0$

(2) $\left(\frac{1}{25}\right)^{x}-6\times\left(\frac{1}{5}\right)^{x}+5\leq0$

6-2 다음 부등식을 푸시오.

(1) $3^{2x}-7\times3^x-18<0$

(2) $4^{-x}+2\times2^{-x}-3<0$

2주

1일 기초 유형 | 지수함수의 활용

2017 4월 실시
고3 교육청 가형 6번

1-1

방정식 $\left(\frac{1}{8}\right)^{2-x}=2^{x+4}$을 만족시키는 실수 x의 값을 구하시오. [3점]

Tip 방정식의 각 항의 밑을 같게 한 후 다음을 이용한다.
$a^{f(x)}=a^{g(x)} \Longleftrightarrow f(x)=g(x)\ (a>0, a\neq 1)$

풀이

$\left(\frac{1}{8}\right)^{2-x}=2^{x+4}$에서 $2^{\square(2-x)}=2^{x+4}$

$2^{\square+3x}=2^{x+4}$

즉, $\square+3x=x+4$이므로

$2x=10 \quad \therefore x=5$

답 5

쌍둥이 교과서 문제

1-2

방정식 $\left(\frac{1}{\sqrt{2}}\right)^{3x}=4^{3-x}$의 해를 구하시오.

2014 4월 실시
고3 교육청 A형 8번

2-1

지수방정식 $9^x-11\times 3^x+28=0$의 두 실근을 α, β라 할 때, $9^\alpha+9^\beta$의 값을 구하시오. [3점]

Tip 지수방정식 $pa^{2x}+qa^x+r=0$의 해는 $a^x=t\ (t>0)$로 치환하여 나타낸 t에 대한 이차방정식 $pt^2+qt+r=0$의 해를 이용하여 구한다.

풀이

$9^x-11\times 3^x+28=0$에서 $(3^x)^2-11\times 3^x+28=0$

$3^x=t\ (t>0)$로 놓으면 주어진 방정식은

$t^2-11t+28=0$

이 이차방정식의 두 근은 3^α, 3^β이므로 근과 계수의 관계에 의하여

$3^\alpha+3^\beta=\square$, $3^\alpha\times 3^\beta=\square$

$\therefore 9^\alpha+9^\beta=3^{2\alpha}+3^{2\beta}=(3^\alpha+3^\beta)^2-2\times 3^\alpha\times 3^\beta$

$=\square^2-2\times\square=65$

답 65

2-2

방정식 $6-2^x=2^{3-x}$의 모든 실근의 합을 구하시오.

2-3

방정식 $9^x-5\times 3^{x+1}+k=0$을 만족시키는 서로 다른 두 실근의 합이 3일 때, 상수 k의 값을 구하시오.

2019 6월
평가원 가형 7번

쌍둥이 교과서 문제

3-1

부등식 $\frac{27}{9^x} \geq 3^{x-9}$을 만족시키는 모든 자연수 x의 개수를 구하시오. [3점]

Tip 부등식의 각 항의 밑을 같게 한 후 다음을 이용한다.
❶ $a>1$일 때, $a^{f(x)}>a^{g(x)} \iff f(x)>g(x)$
❷ $0<a<1$일 때, $a^{f(x)}>a^{g(x)} \iff f(x)<g(x)$

풀이
$\frac{27}{9^x} \geq 3^{x-9}$에서 $3^{-2x+3} \geq 3^{x-9}$
밑이 1보다 크므로 $-2x+3$ ☐ $x-9$
$-3x$ ☐ -12 $\therefore x \leq 4$
따라서 자연수 x의 개수는 1, 2, 3, 4의 4이다. 답 4

3-2

부등식 $\left(\frac{3}{2}\right)^{x^2-2x} \leq \left(\frac{9}{4}\right)^{x+6}$을 만족시키는 모든 정수 x의 값의 합을 구하시오.

3-3

직선 $y=f(x)$와 곡선 $y=g(x)$가 오른쪽 그림과 같을 때, 부등식

$$\left(\frac{1}{2}\right)^{f(x)} < \left(\frac{1}{2}\right)^{g(x)}$$

의 해를 구하시오.

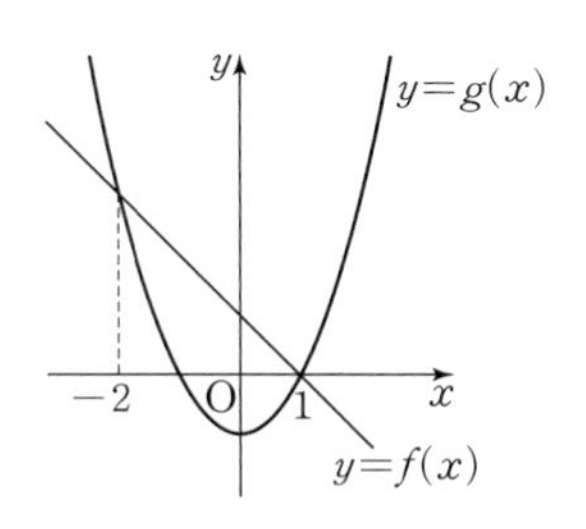

2020 6월 실시
고2 교육청 12번

4-1

부등식 $4^x-10\times2^x+16\leq0$을 만족시키는 모든 자연수 x의 값의 합을 구하시오. [3점]

Tip 지수부등식 $pa^{2x}+qa^x+r\leq0$의 해는 $a^x=t\ (t>0)$로 치환하여 나타낸 t에 대한 이차부등식 $pt^2+qt+r\leq0$의 해를 이용하여 구한다.

풀이
$4^x-10\times2^x+16\leq0$에서 $(2^x)^2-10\times2^x+16\leq0$
$2^x=t\ (t>0)$로 놓으면 주어진 부등식은
$t^2-10t+16\leq0,\ (t-2)(t-8)\leq0$
$\therefore 2\leq t\leq8$
즉, $2^1\leq2^x\leq2^3$이고 밑이 1보다 크므로
☐ $\leq x\leq$ ☐
따라서 자연수 x는 1, 2, 3이므로 구하는 합은
$1+2+3=6$ 답 6

4-2

부등식 $3^{2x+1}-28\times3^x+9\leq0$을 만족시키는 모든 정수 x의 값의 합을 구하시오.

2일 핵심 개념 | 로그함수의 활용

불을 땐 가마의 온도는 시간에 따라 변한다. 초기 온도가 20 ℃인 어떤 불가마에 불을 땐 지 t분 후 온도를 T ℃라 하면

$$T=20+345\log(8t+1)$$

의 관계가 성립한다고 한다. 가마의 온도가 처음으로 710 ℃ 이상이 되려면

$710=20+345\log(8t+1)$, $\log(8t+1)=2$

$8t+1=100 \qquad \therefore t=\frac{99}{8}$

따라서 $\frac{99}{8}$분 후에 가마의 온도가 처음으로 710 ℃ 이상이 된다.

개념 ① 로그의 진수에 미지수를 포함하는 방정식

[01~02] 다음 ☐ 안에 알맞은 것을 아래 보기에서 찾아 써넣으시오.

•보기•

a^b, b^a, x_1, x_2, $>$, $<$

01 로그의 진수에 미지수를 포함하는 방정식을 풀 때는 밑을 같게 한 후 다음 성질을 이용한다.

❶ $a>0$, $a\neq1$이고 $x>0$일 때 $\log_a x=b \iff x=$ ☐

❷ $a>0$, $a\neq1$이고 $x_1>0$, $x_2>0$일 때 $\log_a x_1=\log_a x_2 \iff x_1=$ ☐

02 로그의 진수에 미지수를 포함하는 방정식을 풀 때는 항상 구한 해가 (진수) ☐ 0인 조건을 만족시키는지 확인해야 한다.

답 **01** a^b, x_2 **02** $>$

개념 확인 | 로그함수의 활용(1)

정답 및 해설 15쪽

$\log_a f(x)=b$ 꼴인 방정식

$\log_a f(x)=b \Longleftrightarrow f(x)=a^b$임을 이용하여 푼다. (단, $a>0$, $a\neq1$)

밑을 같게 할 수 있는 방정식

주어진 방정식을 $\log_a f(x)=\log_a g(x)$ 꼴로 변형한 후

$$\log_a f(x)=\log_a g(x) \Longleftrightarrow f(x)=g(x)$$

임을 이용하여 방정식 $f(x)=g(x)$를 푼다. (단, $a>0$, $a\neq1$, $f(x)>0$, $g(x)>0$)

$\log_a x$ 꼴이 반복되는 방정식

$\log_a x=t$로 치환하여 t에 대한 방정식을 푼다.

1-1 다음 방정식을 푸시오.

(1) $\log_3(x+1)=2$

(2) $\log_{\frac{1}{2}}(x-2)=2$

1-2 다음 방정식을 푸시오.

(1) $\log_4(2x-1)=\frac{1}{2}$

(2) $\log_{\frac{1}{3}}(x+2)=-1$

2-1 다음 방정식을 푸시오.

(1) $\log_3(x+3)=\log_3(2x-3)$

(2) $\log_{\frac{1}{2}}x=1+\log_{\frac{1}{2}}(x+1)$

2-2 다음 방정식을 푸시오.

(1) $\log_{\sqrt{2}}(2-x)=\log_2(4-3x)$

(2) $\log_{\frac{1}{9}}(2x+15)=\log_{\frac{1}{3}}x$

3-1 다음 방정식을 푸시오.

(1) $(\log_3 x)^2-2\log_3 x=0$

(2) $(\log_{\frac{1}{5}}x)^2=6-\log_{\frac{1}{5}}x$

3-2 다음 방정식을 푸시오.

(1) $(\log_2 x)^2-\log_2 x^5+6=0$

(2) $(\log_{\frac{1}{3}}x)^2=\log_{\frac{1}{3}}\frac{x^2}{27}$

2일 핵심 개념 | 로그함수의 활용

어떤 지역의 관광 상품이 큰 인기를 끌면서 이 지역을 방문하는 외국인 관광객 수가 매년 18%씩 증가하고 있다. n년 후에 관광객 수가 현재 관광객 수 a의 5배 이상이 된다고 하면

$a(1+0.18)^n \geq 5a$, $(1.18)^n \geq 5$

양변에 상용로그를 취하면 $n \log 1.18 \geq \log 5$

$\log 1.18 = 0.07$, $\log 5 = 1 - \log 2 = 0.7$이므로

$0.07n \geq 0.7 \qquad \therefore n \geq 10$

따라서 10년 후에 관광객 수가 현재의 5배 이상이 된다.

개념 ② 로그의 진수에 미지수를 포함하는 부등식

[03~05] 다음 ☐ 안에 알맞은 것을 아래 보기에서 찾아 써넣으시오.

> 보기
> $\geq$, $>$, $=$, $<$, $\leq$

03 로그의 진수에 미지수를 포함하는 부등식을 풀 때는 방정식과 같이 밑을 같게 한 후 다음 성질을 이용한다.

(단, $x_1 > 0$, $x_2 > 0$)

❶ $a > 1$일 때, $\log_a x_1 < \log_a x_2 \iff x_1$ ☐ x_2

❷ $0 < a < 1$일 때, $\log_a x_1 < \log_a x_2 \iff x_1$ ☐ x_2

04 부등식 $\log_2 x < \log_2 3$에서 밑 2는 1보다 크므로 $0 < x$ ☐ 3

05 부등식 $\log_{\frac{1}{3}} x > \log_{\frac{1}{3}} 2$에서 밑 $\frac{1}{3}$은 1보다 작으므로 $0 < x$ ☐ 2

답 **03** $<$, $>$ **04** $<$ **05** $<$

개념 확인 | 로그함수의 활용(2)

정답 및 해설 16쪽

밑을 같게 할 수 있는 부등식

주어진 부등식을 $\log_a f(x) > \log_a g(x)$ 꼴로 변형한 후

❶ $a>1$일 때, 부등식 $f(x)>g(x)>0$을 푼다.

❷ $0<a<1$일 때, 부등식 $0<f(x)<g(x)$를 푼다.

$\log_a x$ 꼴이 반복되는 부등식

$\log_a x = t$로 치환하여 t에 대한 부등식을 푼다.

4-1 다음 부등식을 푸시오.

(1) $\log_2 (2x-1) < 1$

(2) $\log_{\frac{1}{5}} (x^2+1) \geq -1$

4-2 다음 부등식을 푸시오.

(1) $\log_{\frac{1}{3}} (1-x) \leq -3$

(2) $\log_3 (x^2+x+7) > 2$

5-1 다음 부등식을 푸시오.

(1) $\log_5 (20-2x) < -\log_{\frac{1}{5}} (x+5)$

(2) $\log_{\frac{1}{4}} (x+2) > \log_{\frac{1}{4}} (3-x)$

5-2 다음 부등식을 푸시오.

(1) $2\log_2 (x+2) \leq \log_2 (4x+13)$

(2) $\log_{\frac{1}{3}} (x^2-2) > \log_{\frac{1}{3}} x$

6-1 다음 부등식을 푸시오.

(1) $(\log_2 x)^2 - 3\log_2 x + 2 < 0$

(2) $(\log_{\frac{1}{3}} x)^2 - \log_{\frac{1}{3}} x > 12$

6-2 다음 부등식을 푸시오.

(1) $(\log_3 x)^2 - \log_3 x^5 \geq 0$

(2) $(3+\log_{\frac{1}{5}} x)(1+\log_{\frac{1}{5}} x) < 3$

2일 기초 유형 | 로그함수의 활용

2021 9월
평가원 가형 24번

1-1

방정식 $\log_2 x=1+\log_4(2x-3)$을 만족시키는 모든 실수 x의 값의 곱을 구하시오. [3점]

Tip 방정식의 각 항의 밑을 같게 한 후 다음을 이용한다.
$\log_a f(x)=\log_a g(x) \iff f(x)=g(x)$
(단, $a>0, a\neq1, f(x)>0, g(x)>0$)

풀이
진수의 조건에서 $x>0, 2x-3>0$ $\therefore x>\frac{3}{2}$ ……㉠
$\log_2 x=1+\log_4(2x-3)$에서
$2\log_2 x=2+\log_{\square}(2x-3)$
$\log_2 \square=\log_2 4(2x-3)$
즉, $x^2=8x-12$이므로 $x^2-8x+12=0$
$(x-2)(x-6)=0$ $\therefore x=2$ 또는 $x=6$
$x=2$ 또는 $x=6$은 ㉠을 만족시키므로 구하는 해이다.
따라서 모든 실수 x의 값의 곱은 $2\times6=12$

답 12

쌍둥이 교과서 문제

1-2

방정식 $\log_4 x-\log_4(x-7)=\frac{1}{2}$을 만족시키는 x의 값을 구하시오.

1-3

방정식 $\log_3(x-2)=\log_9(4-x)$를 푸시오.

2014 9월
평가원 A형 25번

2-1

방정식 $(\log_3 x)^2-6\log_3\sqrt{x}+2=0$의 서로 다른 두 실근을 α, β라 할 때, $\alpha\beta$의 값을 구하시오. [3점]

Tip 주어진 방정식을 $\log_3 x=t$로 치환하여 나타낸 t에 대한 이차방정식의 두 근이 $\log_3\alpha, \log_3\beta$임을 이용한다.

풀이
$(\log_3 x)^2-6\log_3\sqrt{x}+2=0$에서
$(\log_3 x)^2-3\log_3 x+2=0$
$\log_3 x=t$로 놓으면 주어진 방정식은 $t^2-3t+2=0$
이 이차방정식의 두 근은 $\log_3\alpha, \log_3\beta$이므로 근과 계수의 관계에 의하여
$\log_3\alpha+\log_3\beta=\log_3\alpha\beta=\square$
$\therefore \alpha\beta=3^{\square}=\square$

답 27

2-2

방정식 $\log_2 x\times\log_2 5x=4$의 두 근을 α, β라 할 때, $\alpha\beta$의 값을 구하시오.

2020 11월 실시
고2 교육청 6번

쌍둥이 교과서 문제

3-1

부등식 $\log 3x<2$를 만족시키는 정수 x의 최댓값을 구하시오. [3점]

Tip 2=$\log 10^2$임을 이용하여 밑을 같게 한 후 부등식을 푼다.

풀이

진수의 조건에서 $3x>0$ $\therefore x>0$ ······㉠

$\log 3x<2$에서 $\log 3x<\log 10^2$

밑이 1보다 크므로

$3x$ ☐ 100 $\therefore x$ ☐ $\frac{100}{3}$ ······㉡

㉠, ㉡을 모두 만족시키는 x의 값의 범위는 $0<x<\frac{100}{3}$

따라서 정수 x의 최댓값은 ☐이다.

답 33

3-2

부등식 $\log_{\frac{1}{2}}\{x(x-2)\}>-3$을 푸시오.

2020 10월 실시
고3 교육청 가형 8번

4-1

부등식 $\log_2(x^2-7x)-\log_2(x+5)\le 1$을 만족시키는 모든 정수 x의 값의 합을 구하시오. [3점]

Tip 주어진 부등식을 $\log_a f(x)\le\log_a g(x)$ 꼴로 변형한 후

❶ $a>1$일 때, 부등식 $0<f(x)\le g(x)$를 푼다.

❷ $0<a<1$일 때, 부등식 $f(x)\ge g(x)>0$을 푼다.

풀이

진수의 조건에서 $x^2-7x>0$, $x+5>0$

$\therefore -5<x<0$ 또는 $x>$ ☐ ······㉠

$\log_2(x^2-7x)-\log_2(x+5)\le 1$에서

$\log_2(x^2-7x)\le\log_2(x+5)+\log_2 2$

$\therefore \log_2(x^2-7x)\le\log_2 2(x+5)$

밑이 1보다 크므로

$x^2-7x\le 2(x+5)$, $x^2-9x-10\le 0$

$(x+1)(x-10)\le 0$ $\therefore -1\le x\le 10$ ······㉡

㉠, ㉡을 모두 만족시키는 x의 값의 범위는

$-1\le x<0$ 또는 $7<x\le$ ☐

따라서 정수 x는 -1, ☐, 9, 10이므로 구하는 합은

$-1+$ ☐ $+9+10=$ ☐

답 26

4-2

부등식 $2\log_{\frac{1}{3}}(x+1)\ge\log_{\frac{1}{3}}(2x+5)$를 만족시키는 모든 정수 x의 값을 구하시오.

4-3

부등식 $\log_5(x-1)\le\log_5\left(\frac{1}{2}x+k\right)$를 만족시키는 모든 정수 x의 개수가 5일 때, 자연수 k의 값을 구하시오.

2주

3일 핵심 개념 | 일반각과 호도법

서울이 오전 7시일 때, 방콕은 오전 5시이다. 방콕에서 서울로 올 때, 시계를 서울 시각에 맞추려면 분침을 시곗바늘이 도는 방향으로 2바퀴 돌려야 한다. 이때 분침을 한 바퀴 돌렸을 때 회전한 각의 크기는 360°이므로 분침이 회전하는 각의 크기는 720°이다.

개념 ① 일반각

01 다음 ( ) 안에 주어진 것 중 옳은 것을 고르시오.

일반적으로 시초선 OX와 동경 OP가 나타내는 $\angle XOP$의 크기 중에서 하나를 α°라 할 때, 동경 OP가 나타내는 각의 크기는 $360^\circ \times n + \alpha^\circ$($n$은 정수)와 같은 꼴로 나타낼 수 있고, 이것을 동경 OP가 나타내는 (일반각, 특수각)이라 한다.

개념 ② 호도법

02 다음 □ 안에 알맞은 것을 아래 보기에서 찾아 써넣으시오.

보기

180°, 360°, 라디안, 호도법

반지름의 길이가 r인 원 O에서 길이가 r인 호 AB에 대한 중심각의 크기를 α°라 하면

$r : 2\pi r = \alpha^\circ :$ □ ⇨ $\alpha^\circ = \dfrac{180^\circ}{\pi}$ ← 원의 반지름의 길이 r에 관계없이 일정하다.

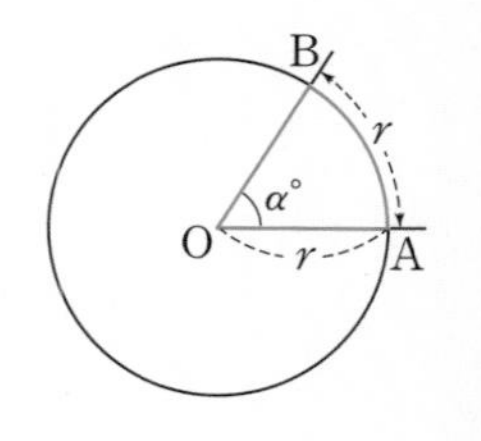

이때 $\alpha^\circ = \dfrac{180^\circ}{\pi}$를 1 □이라 하고, 이것을 단위로 각의 크기를 나타내는 방법을 □이라 한다.

답 **01** 일반각 **02** 360°, 라디안, 호도법

개념 확인 | 일반각과 호도법(1)

정답 및 해설 18쪽

사분면의 각

좌표평면 위의 원점 O에서 x축의 양의 방향을 시초선으로 잡았을 때, 동경 OP가 제1사분면, 제2사분면, 제3사분면, 제4사분면에 있으면 동경 OP가 나타내는 각을 각각 제1사분면의 각, 제2사분면의 각, 제3사분면의 각, 제4사분면의 각이라 한다.

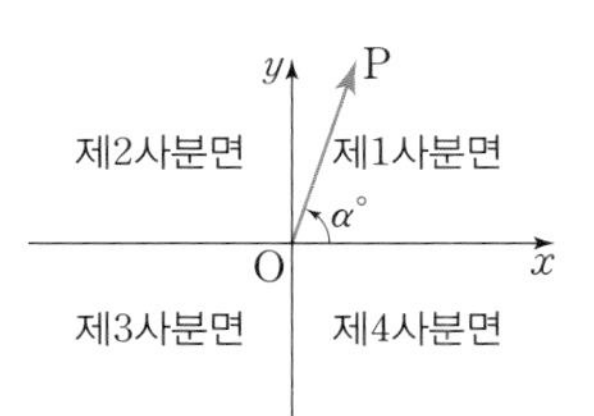

육십분법과 호도법 사이의 관계

$$1\text{라디안}=\frac{180°}{\pi},\quad 1°=\frac{\pi}{180}\text{라디안}$$

❶ 육십분법을 호도법으로 나타내면

⇨ (육십분법)$\times\frac{\pi}{180}$=(호도법) ← 단위인 라디안은 생략한다.

❷ 호도법을 육십분법으로 나타내면

⇨ (호도법)$\times\frac{180°}{\pi}$=(육십분법)

1-1 크기가 다음과 같은 각은 제몇 사분면의 각인지 말하시오.

(1) $840°$　(2) $-120°$

(3) $1140°$　(4) $-420°$

1-2 크기가 다음과 같은 각은 제몇 사분면의 각인지 말하시오.

(1) $1100°$　(2) $-240°$

(3) $640°$　(4) $-820°$

2-1 다음 육십분법으로 나타낸 각을 호도법으로 나타내시오.

(1) $45°$　(2) $-150°$

(3) $144°$　(4) $495°$

2-2 다음 육십분법으로 나타낸 각을 호도법으로 나타내시오.

(1) $60°$　(2) $-135°$

(3) $-270°$　(4) $300°$

3-1 다음 호도법으로 나타낸 각을 육십분법으로 나타내시오.

(1) $\frac{\pi}{6}$　(2) $-\frac{5}{4}\pi$

(3) π　(4) $-\frac{4}{3}\pi$

3-2 다음 호도법으로 나타낸 각을 육십분법으로 나타내시오.

(1) $\frac{\pi}{2}$　(2) $-\frac{2}{3}\pi$

(3) 2π　(4) $-\frac{3}{5}\pi$

3일

핵심 개념 | 일반각과 호도법

부채꼴의 넓이는 중심각의 크기에 비례하므로 중심각의 크기가 클수록 부채꼴의 넓이도 넓다. 반지름의 길이가 $20\,\text{cm}$인 부채꼴의 넓이는 중심각의 크기가

$\frac{\pi}{5}$일 때 $\frac{1}{2}\times20^2\times\frac{\pi}{5}=40\pi\,(\text{cm}^2)$,

$\frac{\pi}{4}$일 때 $\frac{1}{2}\times20^2\times\frac{\pi}{4}=50\pi\,(\text{cm}^2)$,

$\frac{\pi}{2}$일 때 $\frac{1}{2}\times20^2\times\frac{\pi}{2}=100\pi\,(\text{cm}^2)$

개념 ③ 부채꼴의 호의 길이와 넓이

[03~04] 반지름의 길이가 r, 중심각의 크기가 θ(라디안)인 부채꼴 OAB에서 호 AB의 길이를 l, 부채꼴 OAB의 넓이를 S라 할 때, 다음 ☐ 안에 알맞은 것을 아래 보기에서 찾아 써넣으시오.

보기

$\pi,\ \ 2\pi,\ \ r\theta,\ \ 2r\theta,\ \ l,\ \ l^2$

03 호의 길이는 중심각의 크기에 비례하므로

$l : 2\pi r=\theta : 2\pi$ ⇨ $l=$ ☐

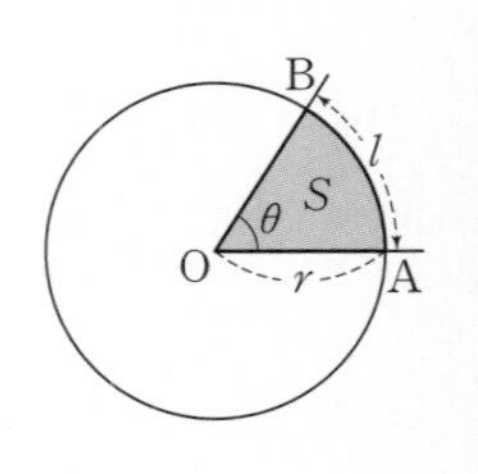

04 부채꼴의 넓이는 중심각의 크기에 비례하므로

$S : \pi r^2=\theta :$ ☐ ⇨ $S=\frac{1}{2}r^2\theta$

이때 $r\theta=l$이므로 $S=\frac{1}{2}r^2\theta=\frac{1}{2}r$ ☐

답 **03** $r\theta$ **04** $2\pi,\ l$

개념 확인 | 일반각과 호도법 (2)

정답 및 해설 19쪽

부채꼴의 호의 길이와 넓이

반지름의 길이가 r, 중심각의 크기가 θ(라디안)인 부채꼴의 호의 길이를 l, 넓이를 S라 하면

❶ $l=r\theta$

❷ $S=\frac{1}{2}r^2\theta=\frac{1}{2}rl$

참고 특별한 언급이 없으면 부채꼴의 중심각의 크기 θ는 호도법의 각으로 나타낸 것이다.

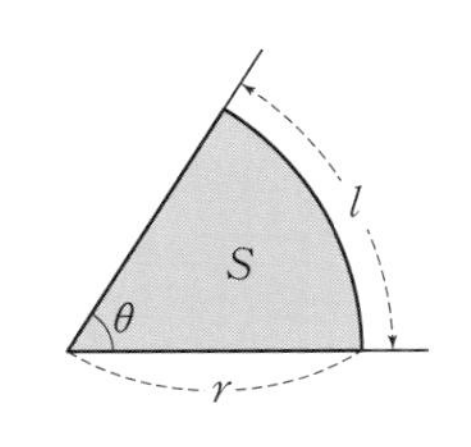

4-1 다음과 같은 부채꼴의 호의 길이 l을 구하시오.

(1) 반지름의 길이가 4, 중심각의 크기가 $\frac{\pi}{4}$

(2) 반지름의 길이가 2, 중심각의 크기가 60°

4-2 다음과 같은 부채꼴의 호의 길이 l을 구하시오.

(1) 반지름의 길이가 5, 중심각의 크기가 $\frac{\pi}{6}$

(2) 반지름의 길이가 6, 중심각의 크기가 120°

5-1 다음과 같은 부채꼴의 넓이 S를 구하시오.

(1) 반지름의 길이가 12, 중심각의 크기가 $\frac{\pi}{2}$

(2) 반지름의 길이가 4, 호의 길이가 2π

5-2 다음과 같은 부채꼴의 넓이 S를 구하시오.

(1) 반지름의 길이가 6, 중심각의 크기가 $\frac{5}{6}\pi$

(2) 반지름의 길이가 5, 호의 길이가 10

6-1 다음과 같은 부채꼴의 중심각의 크기 θ를 구하시오.

(1) 반지름의 길이가 6, 넓이가 6π

(2) 호의 길이가 2π, 넓이가 3π

6-2 다음과 같은 부채꼴의 중심각의 크기 θ를 구하시오.

(1) 반지름의 길이가 3, 넓이가 $\frac{3}{4}\pi$

(2) 호의 길이가 12, 넓이가 36

3일 기초 유형 | 일반각과 호도법

2019 11월 실시
고2 교육청 가형 8번

쌍둥이 교과서 문제

1-1

좌표평면 위의 점 P에 대하여 동경 OP가 나타내는 각의 크기 중 하나를 $\theta\left(\frac{\pi}{2}<\theta<\pi\right)$라 하자.
각의 크기 6θ를 나타내는 동경이 동경 OP와 일치할 때, θ의 값을 구하시오. (단, O는 원점이고, x축의 양의 방향을 시초선으로 한다.) [3점]

Tip 두 각의 동경이 일치하면 두 각의 차는 2π의 정수배이다.

풀이
두 각 θ와 6θ를 나타내는 두 동경이 일치하므로
$6\theta-\theta=2n\pi$ (n은 정수)
$5\theta=2n\pi$ $\quad\therefore \theta=\frac{2}{5}n\pi$
$\frac{\pi}{2}<\theta<\pi$에서 $n=$ ☐ 이므로
$\theta=\frac{☐}{5}\pi$

답 $\frac{4}{5}\pi$

1-2

$\pi<\theta<2\pi$이고 크기가 θ인 각을 나타내는 동경과 크기가 4θ인 각을 나타내는 동경이 서로 일치할 때, θ의 값을 구하시오.

1-3

$\pi<\theta<\frac{3}{2}\pi$이고 각 θ를 나타내는 동경과 각 5θ를 나타내는 동경이 원점에 대하여 대칭일 때, θ의 값을 구하시오.

2020 6월 실시
고2 교육청 3번

2-1

반지름의 길이가 8이고 호의 길이가 6π인 부채꼴의 중심각의 크기를 구하시오. [2점]

Tip 반지름의 길이가 r, 중심각의 크기가 θ(라디안)인 부채꼴의 호의 길이는 $l=r\theta$

풀이
부채꼴의 중심각의 크기를 θ라 하면
☐ $=8\theta$ $\quad\therefore \theta=\frac{3}{☐}\pi$

답 $\frac{3}{4}\pi$

2-2

반지름의 길이가 4이고 호의 길이가 $\frac{9}{4}\pi$인 부채꼴의 중심각의 크기를 구하시오.

정답 및 해설 19쪽

2015 11월 실시
고2 교육청 가형 4번

3-1

중심각의 크기가 2(라디안)이고 넓이가 36인 부채꼴의 호의 길이를 구하시오. [3점]

Tip 반지름의 길이가 r, 중심각의 크기가 θ(라디안)인 부채꼴의 넓이 S는 $S=\frac{1}{2}r^2\theta$

풀이

부채꼴의 반지름의 길이를 r, 호의 길이를 l이라 하면

$36=\frac{1}{2}\times r^2\times 2$, $r^2=36$ $\therefore r=\square$ ($\because r>0$)

$\therefore l=\square\times 2=\square$

답 12

쌍둥이 교과서 문제

3-2

넓이가 8π이고 중심각의 크기가 $\frac{\pi}{4}$인 부채꼴의 호의 길이를 구하시오.

3-3

호의 길이가 6π이고 넓이가 18π인 부채꼴의 반지름의 길이를 구하시오.

2020 3월 실시
고3 교육청 가형 23번

4-1

중심각의 크기가 1라디안이고 둘레의 길이가 24인 부채꼴의 넓이를 구하시오. [3점]

Tip 반지름의 길이가 r, 호의 길이가 l인 부채꼴의 둘레의 길이는 $2r+l$, 넓이는 $\frac{1}{2}rl$

풀이

부채꼴의 반지름의 길이를 r, 호의 길이를 l이라 하면

중심각의 크기가 1라디안이므로 $l=r$

둘레의 길이가 24이므로

$2r+l=24$, $3r=24$ $\therefore r=\square$

$r=8$이므로 $l=\square$

따라서 구하는 부채꼴의 넓이는

$\frac{1}{2}\times 8\times\square=32$

답 32

4-2

반지름의 길이가 5인 부채꼴의 둘레의 길이가 20일 때, 이 부채꼴의 중심각의 크기를 구하시오.

4-3

둘레의 길이가 52인 부채꼴 중에서 넓이가 최대인 부채꼴의 반지름의 길이를 구하시오.

2
주

4일 핵심 개념 | 삼각함수

일직선 위에 있는 편의점과 학원의 위치를 각각 A, B라 하고, 현재 위치를 C라 할 때, 삼각형 ABC는 직각삼각형이므로

$\tan 60^\circ = \dfrac{\overline{AB}}{\overline{BC}} = \dfrac{\overline{AB}}{10}$

$\therefore \overline{AB} = 10 \tan 60^\circ = 10\sqrt{3}\,(\text{m})$

따라서 편의점과 학원 사이의 거리는 $10\sqrt{3}\,\text{m}$이다.

개념 ① 삼각함수의 정의

01 동경 OP가 나타내는 일반각 θ에 대하여 다음 ☐ 안에 알맞은 것을 아래 보기에서 찾아 써넣으시오.

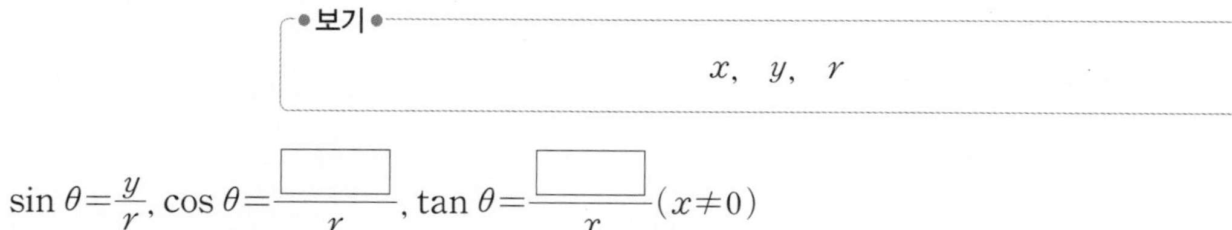

보기

$x,\ y,\ r$

$\sin\theta = \dfrac{y}{r}$, $\cos\theta = \dfrac{\square}{r}$, $\tan\theta = \dfrac{\square}{x}\,(x \neq 0)$

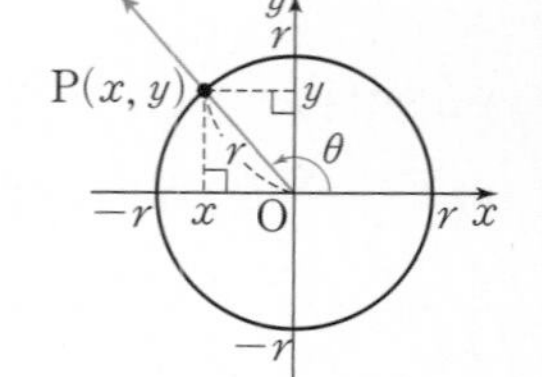

개념 ② 삼각함수의 값의 부호

02 다음 ( ) 안에 주어진 것 중 옳은 것을 고르시오.

각 θ가 제1사분면의 각이면 $\sin\theta$, $\cos\theta$, $\tan\theta$ 모두 (양수, 음수)이다.

각 θ가 제2사분면의 각이면 ($\sin\theta$, $\cos\theta$, $\tan\theta$)만 양수이다.

각 θ가 제3사분면의 각이면 ($\sin\theta$, $\cos\theta$, $\tan\theta$)만 양수이다.

각 θ가 제4사분면의 각이면 ($\sin\theta$, $\cos\theta$, $\tan\theta$)만 양수이다.

답 **01** x, y **02** 양수, $\sin\theta$, $\tan\theta$, $\cos\theta$

개념 확인 | 삼각함수(1)

정답 및 해설 20쪽

삼각함수의 값

원점 O와 점 P$(-3, 4)$를 지나는 동경 OP가 나타내는 각이 θ일 때, $\overline{OP}=\sqrt{(-3)^2+4^2}=5$이므로

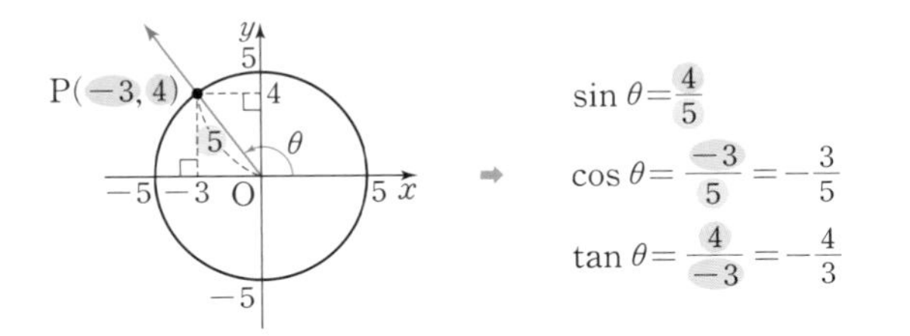

$\Rightarrow$ $\sin\theta=\frac{4}{5}$, $\cos\theta=\frac{-3}{5}=-\frac{3}{5}$, $\tan\theta=\frac{4}{-3}=-\frac{4}{3}$

삼각함수의 값의 부호

각 사분면에서 θ에 대한 삼각함수의 값의 부호를 구하여 표로 나타내면 다음과 같다.

사분면 / 삼각함수	1	2	3	4
$\sin\theta$	$+$	$+$	$-$	$-$
$\cos\theta$	$+$	$-$	$-$	$+$
$\tan\theta$	$+$	$-$	$+$	$-$

1-1 원점 O와 다음 점 P에 대하여 동경 OP가 나타내는 각을 θ라 할 때, $\sin\theta$, $\cos\theta$, $\tan\theta$의 값을 구하시오.

(1) P$(1, \sqrt{3})$　　(2) P$(-1, -1)$

1-2 원점 O와 다음 점 P에 대하여 동경 OP가 나타내는 각을 θ라 할 때, $\sin\theta$, $\cos\theta$, $\tan\theta$의 값을 구하시오.

(1) P$(3, -4)$　　(2) P$(-12, 5)$

2-1 다음 각 θ에 대하여 $\sin\theta$, $\cos\theta$, $\tan\theta$의 값을 구하시오.

(1) $\frac{2}{3}\pi$　　(2) $-\frac{\pi}{4}$

2-2 다음 각 θ에 대하여 $\sin\theta$, $\cos\theta$, $\tan\theta$의 값을 구하시오.

(1) $\frac{7}{6}\pi$　　(2) $-\frac{\pi}{3}$

3-1 다음을 만족시키는 각 θ는 제몇 사분면의 각인지 말하시오.

(1) $\sin\theta>0$, $\cos\theta<0$　　(2) $\cos\theta>0$, $\tan\theta<0$

(3) $\sin\theta\cos\theta>0$　　(4) $\sin\theta\tan\theta<0$

3-2 다음을 만족시키는 각 θ는 제몇 사분면의 각인지 말하시오.

(1) $\sin\theta<0$, $\cos\theta>0$　　(2) $\cos\theta<0$, $\tan\theta>0$

(3) $\sin\theta\tan\theta>0$　　(4) $\cos\theta\tan\theta>0$

2주

핵심 개념 | 삼각함수

피타고라스 정리에서

$\overline{AC}=\sqrt{10^2-8^2}=\sqrt{36}=6$ (cm)

$\sin\theta=\dfrac{\overline{AC}}{\overline{AB}}=\dfrac{6}{10}=\dfrac{3}{5}$, $\cos\theta=\dfrac{\overline{BC}}{\overline{AB}}=\dfrac{8}{10}=\dfrac{4}{5}$,

$\tan\theta=\dfrac{\overline{AC}}{\overline{BC}}=\dfrac{6}{8}=\dfrac{3}{4}$

이때 $\dfrac{\sin\theta}{\cos\theta}=\dfrac{3}{4}$ $\quad\therefore \dfrac{\sin\theta}{\cos\theta}=\tan\theta$

개념 3 삼각함수 사이의 관계

[03~06] 각 θ를 나타내는 동경과 단위원의 교점을 $\mathrm{P}(x, y)$라 할 때, 다음 ☐ 안에 알맞은 것을 아래 보기에서 찾아 써넣으시오.

> **보기**
> $1,\ \ 2,\ \ x,\ \ y,\ \ \sin\theta,\ \ \cos\theta,\ \ \tan\theta$

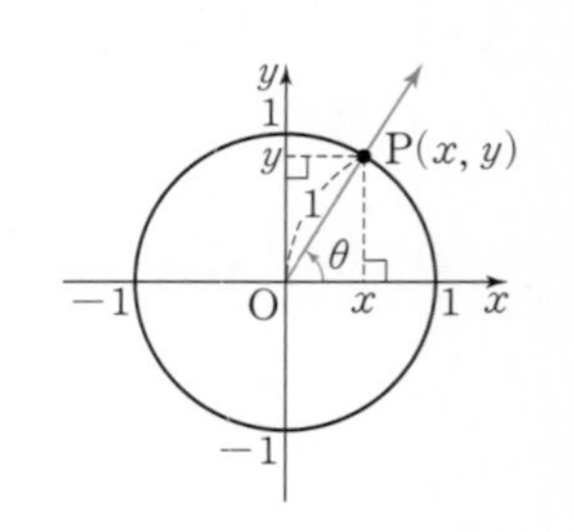

03 $\sin\theta=\dfrac{y}{1}=y$, $\cos\theta=\dfrac{x}{\square}=\square$, $\tan\theta=\dfrac{y}{x}=\dfrac{\sin\theta}{\square}$ $(x\neq0)$

04 점 $\mathrm{P}(x, y)$는 단위원 $x^2+y^2=1$ 위의 점이므로 $x=\cos\theta$, $y=\square$을(를) 대입하면 $\sin^2\theta+\cos^2\theta=\square$

05 $\sin\theta=\dfrac{\sqrt{2}}{2}$, $\cos\theta=\dfrac{\sqrt{2}}{2}$이면 $\tan\theta=\square$이다.

06 $\sin\theta+\cos\theta=\sqrt{2}$이면 $\sin\theta\cos\theta=\dfrac{1}{\square}$이다.

답 **03** 1, x, $\cos\theta$ **04** $\sin\theta$, 1 **05** 1 **06** 2

개념 확인 | 삼각함수(2)

정답 및 해설 21쪽

삼각함수 사이의 관계

$\sin\theta$, $\cos\theta$, $\tan\theta$의 값 중 어느 하나를 알고 나머지 삼각함수의 값을 구할 때는 삼각함수 사이의 관계식을 이용한다.

❶ $\tan\theta=\dfrac{\sin\theta}{\cos\theta}$ ❷ $\sin^2\theta+\cos^2\theta=1$

참고 ❶ $(\sin\theta)^2$, $(\cos\theta)^2$, $(\tan\theta)^2$을 각각 $\sin^2\theta$, $\cos^2\theta$, $\tan^2\theta$로 나타낸다.
❷ $\sin^2\theta+\cos^2\theta=(\sin\theta+\cos\theta)^2-2\sin\theta\cos\theta$
❸ $\sin^3\theta+\cos^3\theta=(\sin\theta+\cos\theta)^3-3\sin\theta\cos\theta(\sin\theta+\cos\theta)$
$=(\sin\theta+\cos\theta)(\sin^2\theta-\sin\theta\cos\theta+\cos^2\theta)$

4-1 다음을 구하시오.

(1) 각 θ가 제2사분면의 각이고 $\sin\theta=\dfrac{4}{5}$일 때, $\cos\theta$, $\tan\theta$의 값

(2) 각 θ가 제3사분면의 각이고 $\cos\theta=-\dfrac{3}{4}$일 때, $\sin\theta$, $\tan\theta$의 값

4-2 다음을 구하시오.

(1) 각 θ가 제1사분면의 각이고 $\cos\theta=\dfrac{5}{13}$일 때, $\sin\theta$, $\tan\theta$의 값

(2) 각 θ가 제4사분면의 각이고 $\sin\theta=-\dfrac{\sqrt{5}}{3}$일 때, $\cos\theta$, $\tan\theta$의 값

5-1 $\sin\theta-\cos\theta=\dfrac{1}{\sqrt{3}}$일 때, 다음 식의 값을 구하시오.

(1) $\sin\theta\cos\theta$ (2) $\sin\theta+\cos\theta$

(3) $\sin^3\theta-\cos^3\theta$ (4) $\tan\theta+\dfrac{1}{\tan\theta}$

5-2 $\sin\theta+\cos\theta=\dfrac{1}{2}$일 때, 다음 식의 값을 구하시오.

(1) $\sin\theta\cos\theta$ (2) $\sin\theta-\cos\theta$

(3) $\sin^3\theta+\cos^3\theta$ (4) $\tan\theta+\dfrac{1}{\tan\theta}$

2주

4일 기초 유형 | 삼각함수

2010 이전
고3 교육청

쌍둥이 교과서 문제

1-1

$\theta=\frac{5}{4}\pi$일 때, $2\sin\theta-2\cos\theta+3\tan\theta$의 값을 구하시오. [3점]

Tip $\theta=\frac{5}{4}\pi$일 때 $\sin\theta<0$, $\cos\theta<0$, $\tan\theta>0$

풀이

오른쪽 그림과 같이 각 $\theta=\frac{5}{4}\pi$를 나타내는 동경과 단위원의 교점을 P라 하고, 점 P에서 x축에 내린 수선의 발을 H라 하면

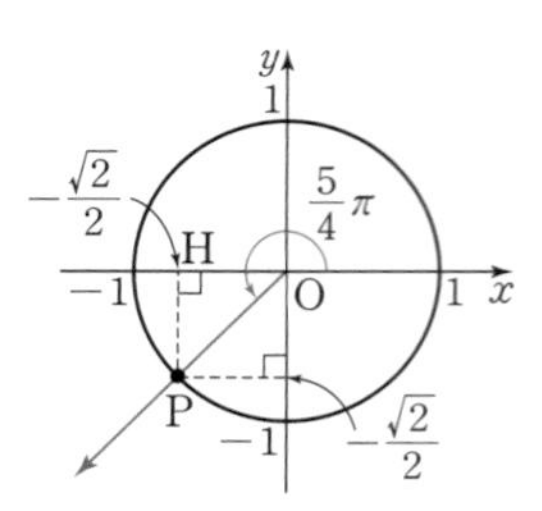

$\overline{OP}=1$이고, $\angle POH=\frac{\pi}{\square}$이므로 점 P의 좌표는 $P\left(-\frac{\sqrt{2}}{2}, -\frac{\square}{2}\right)$이다. 따라서

$2\sin\theta-2\cos\theta+3\tan\theta$

$=2\times\left(-\frac{\sqrt{2}}{2}\right)-2\times\left(-\frac{\sqrt{2}}{2}\right)+3\times1=\square$

답 3

1-2

$\theta=\frac{4}{3}\pi$일 때, $\sin\theta\cos\theta$의 값을 구하시오.

1-3

$\sin\frac{5}{6}\pi+\tan\frac{7}{4}\pi$의 값을 구하시오.

2019 6월 실시
고2 교육청 나형 12번

2-1

$\cos\theta=-\frac{1}{3}$일 때, $\tan\theta-\sin\theta$의 값을 구하시오.

$\left(\text{단, } \pi<\theta<\frac{3}{2}\pi\right)$ [3점]

Tip $\sin^2\theta+\cos^2\theta=1$에서 $\sin^2\theta=1-\cos^2\theta$

풀이

$\sin^2\theta=1-\cos^2\theta=1-\frac{1}{9}=\frac{8}{9}$

$\pi<\theta<\frac{3}{2}\pi$이므로 $\sin\theta<0$ $\quad\therefore \sin\theta=-\frac{2\sqrt{2}}{3}$

$\tan\theta=\frac{\sin\theta}{\cos\theta}$이므로 $\tan\theta=\square$

$\therefore \tan\theta-\sin\theta=\frac{\square}{3}$

답 $\frac{8\sqrt{2}}{3}$

2-2

θ가 제2사분면의 각이고 $\sin\theta=\frac{3}{5}$일 때, $20(\cos\theta-\tan\theta)$의 값을 구하시오.

2020 4월 실시
고3 교육청 가형 12번

쌍둥이 교과서 문제

3-1

$\pi<\theta<2\pi$인 θ에 대하여

$$\frac{\sin\theta\cos\theta}{1-\cos\theta}+\frac{1-\cos\theta}{\tan\theta}=1$$

일 때, $\cos\theta$의 값을 구하시오. [3점]

Tip $\tan\theta=\frac{\sin\theta}{\cos\theta}$, $\sin^2\theta+\cos^2\theta=1$

풀이

$$\frac{\sin\theta\cos\theta}{1-\cos\theta}+\frac{\cos\theta(1-\cos\theta)}{\sin\theta}=1$$

$$\frac{\sin^2\theta\cos\theta+(1-\cos\theta)^2\cos\theta}{(1-\cos\theta)\sin\theta}=1$$

$$\frac{2(1-\cos\theta)\square}{(1-\cos\theta)\sin\theta}=1,\ \sin\theta=2\cos\theta$$

$\sin^2\theta=4\cos^2\theta$, $1-\cos^2\theta=4\cos^2\theta$ $\quad\therefore \cos^2\theta=\frac{1}{5}$

$\pi<\theta<2\pi$에서 $\sin\theta=2\cos\theta$이므로 각 θ는 제3사분면의 각이다.

$\therefore \cos\theta=-\frac{\square}{5}$ 답 $-\frac{\sqrt{5}}{5}$

3-2

$\frac{1}{1+\sin\theta}+\frac{1}{1-\sin\theta}=\frac{5}{2}$일 때, $\cos^2\theta$의 값을 구하시오. $\left(단,\ 0<\theta<\frac{\pi}{2}\right)$

3-3

$0<\theta<\frac{\pi}{2}$이고 $\frac{\sin\theta}{1+\cos\theta}+\frac{1+\cos\theta}{\sin\theta}=4$일 때, $\cos\theta$의 값을 구하시오.

2010 이전
고3 교육청

4-1

이차방정식 $5x^2+x-a=0$의 두 근을 $\sin\theta$, $\cos\theta$라 할 때, 상수 a의 값을 구하시오. [3점]

Tip 이차방정식 $ax^2+bx+c=0$의 두 근을 α, β라 하면
$\alpha+\beta=-\frac{b}{a}$, $\alpha\beta=\frac{c}{a}$

풀이

이차방정식의 근과 계수의 관계에 의하여

$\sin\theta+\cos\theta=-\frac{1}{\square}$ ……㉠

$\sin\theta\cos\theta=-\frac{a}{5}$ ……㉡

㉠의 양변을 제곱하면 $1+2\sin\theta\cos\theta=\frac{1}{\square}$

㉡을 대입하면

$1+2\times\left(-\frac{a}{5}\right)=\frac{1}{\square}$ $\quad\therefore a=\frac{\square}{5}$ 답 $\frac{12}{5}$

4-2

x에 대한 이차방정식 $x^2-ax-a^2=0$의 두 근을 $\sin\theta$, $\cos\theta$라 할 때, 상수 a의 값을 모두 구하시오.

2주

5일 핵심 개념 | 삼각함수의 그래프

악기를 조율할 때, 바닷물의 높이를 예측할 때, 바이오리듬을 통해서 신체 주기를 예측할 때 등 삼각함수는 실생활에서 다양하게 이용되고 있다.

바이오리듬은 신체, 감정, 지성 리듬의 세 가지 리듬으로 조절된다는 이론이다. 신체 리듬은 23일, 감정 리듬은 28일, 지성 리듬은 33일의 주기별로 반복되는 삼각함수의 사인함수와 코사인함수 곡선을 이루는데 이를 통해 개인의 신체 리듬을 예측할 수 있다.

개념 ① 함수 $y=\sin x$, $y=\cos x$의 성질

[01~04] 다음 ☐ 안에 알맞은 것을 아래 보기에서 찾아 써넣으시오.

> **보기**
> 실수, 양의 실수, y축, 원점, π, 2π

01 정의역은 ☐ 전체의 집합이고, 치역은 $\{y \mid -1 \leq y \leq 1\}$이다.

02 $y=\sin x$의 그래프는 ☐에 대하여 대칭이다. 즉, $\sin(-x)=-\sin x$이다.

03 $y=\cos x$의 그래프는 ☐에 대하여 대칭이다. 즉, $\cos(-x)=\cos x$이다.

04 주기가 ☐인 주기함수이다. 즉, $\sin(x+2n\pi)=\sin x$, $\cos(x+2n\pi)=\cos x$ (n은 정수)이다.

답 **01** 실수 **02** 원점 **03** y축 **04** 2π

개념 확인 | 삼각함수의 그래프(1)

정답 및 해설 23쪽

함수 $y=\sin x$의 그래프

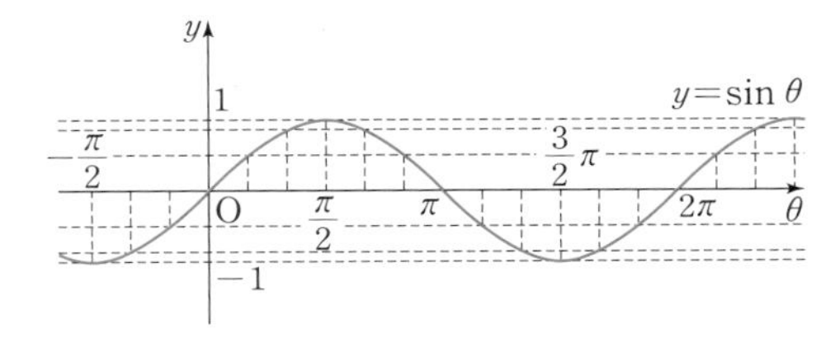

❶ $y=\sin x$

최댓값 : 1, 최솟값 : -1, 주기 : 2π

❷ $y=a\sin bx$

최댓값 : $|a|$, 최솟값 : $-|a|$, 주기 : $\dfrac{2\pi}{|b|}$

참고 일반적으로 함수 $y=\sin\theta$에서 θ를 x로 바꾸어 $y=\sin x$로 나타낸다.

함수 $y=\cos x$의 그래프

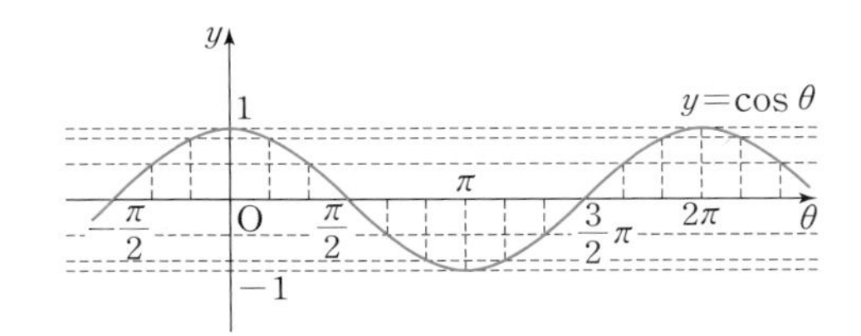

❶ $y=\cos x$

최댓값 : 1, 최솟값 : -1, 주기 : 2π

❷ $y=a\cos bx$

최댓값 : $|a|$, 최솟값 : $-|a|$, 주기 : $\dfrac{2\pi}{|b|}$

참고 일반적으로 함수 $y=\cos\theta$에서 θ를 x로 바꾸어 $y=\cos x$로 나타낸다.

2주

1-1 다음 함수의 주기와 치역을 구하시오.

(1) $y=\sin 3x$

(2) $y=2\sin x$

(3) $y=-\sin x$

(4) $y=2\sin\dfrac{x}{3}$

1-2 다음 함수의 주기와 치역을 구하시오.

(1) $y=\cos 2x$

(2) $y=3\cos x$

(3) $y=-\cos x$

(4) $y=3\cos\dfrac{x}{2}$

2-1 다음 함수의 최댓값, 최솟값, 주기를 구하시오.

(1) $y=\sin x+1$

(2) $y=2\sin 3x-1$

(3) $y=\sin\left(x+\dfrac{\pi}{2}\right)$

(4) $y=2\sin\left(x-\dfrac{\pi}{4}\right)$

2-2 다음 함수의 최댓값, 최솟값, 주기를 구하시오.

(1) $y=\cos x-1$

(2) $y=-\cos\dfrac{x}{2}+1$

(3) $y=\cos\left(x-\dfrac{\pi}{3}\right)$

(4) $y=\dfrac{1}{2}\cos(x+\pi)$

핵심 개념 | 삼각함수의 그래프

레이저는 전등 빛이나 태양 빛과는 다른 중요한 몇 가지 물리적 특성을 가진다. 단색이며, 직진성이 뛰어나다는 특성으로 인해 레이저는 특정한 세포에만 작용하는 치료 도구로 쓰이기도 하고, 빛으로 3차원 영상을 만들어 내는 홀로그램에 활용되기도 한다.
레이저 포인터의 빛살이 나오는 부분을 스크린의 가장 아랫단에 맞추고 빛살의 기울기 θ에 변화를 주면 스크린에 표시된 곳의 높이가 변하면서 탄젠트 함수를 그릴 수 있다.

개념 ② 함수 $y=\tan x$의 성질

[05~08] 다음 ( ) 안에 주어진 것 중 옳은 것을 고르시오.

05 정의역은 $\left(n\pi+\frac{\pi}{2},\ 2n\pi+\frac{\pi}{2} \right)$ (n은 정수)를 제외한 실수 전체의 집합이고, 치역은 실수 전체의 집합이다.

06 그래프의 점근선은 직선 $\left(x=n\pi+\frac{\pi}{2},\ x=2n\pi+\frac{\pi}{2} \right)$ (n은 정수)이다.

07 그래프는 (x축, y축, 원점)에 대하여 대칭이다. 즉, $\tan(-x)=-\tan x$이다.

08 주기가 (π, 2π)인 주기함수이다. 즉, $\tan(x+n\pi)=\tan x$ (n은 정수)이다.

답 **05** $n\pi+\frac{\pi}{2}$ **06** $x=n\pi+\frac{\pi}{2}$ **07** 원점 **08** π

개념 확인 | 삼각함수의 그래프(2)

정답 및 해설 24쪽

함수 $y=\tan x$의 그래프

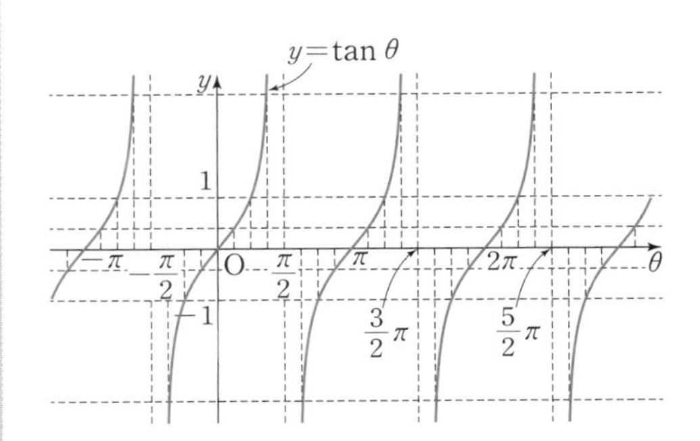

❶ $y=\tan x$

주기 : π, 점근선 : $x=n\pi+\frac{\pi}{2}$ (n은 정수)

❷ $y=a\tan bx$

주기 : $\frac{\pi}{|b|}$, 점근선 : $x=\frac{1}{b}\left(n\pi+\frac{\pi}{2}\right)$ (n은 정수)

참고 ❶ 일반적으로 함수 $y=\tan\theta$에서 θ를 x로 바꾸어 $y=\tan x$로 나타낸다.
❷ 함수 $y=\tan x$의 최댓값, 최솟값은 없다.

3-1 다음 함수의 주기와 점근선의 방정식을 구하시오.

(1) $y=\tan 2x$　　(2) $y=-\tan 2x$

(3) $y=\frac{1}{2}\tan x$　　(4) $y=\tan\frac{x}{3}$

3-2 다음 함수의 주기와 점근선의 방정식을 구하시오.

(1) $y=\tan 3x$　　(2) $y=-\tan x$

(3) $y=2\tan x$　　(4) $y=\tan\frac{x}{2}$

4-1 다음 함수의 주기와 점근선의 방정식을 구하시오.

(1) $y=\tan\left(x-\frac{\pi}{2}\right)$　　(2) $y=\tan\left(x+\frac{\pi}{2}\right)$

(3) $y=\tan(2x+\pi)$　　(4) $y=\tan\frac{1}{2}(x-\pi)$

4-2 다음 함수의 주기와 점근선의 방정식을 구하시오.

(1) $y=\tan\left(x+\frac{\pi}{4}\right)$　　(2) $y=-\tan\left(x-\frac{\pi}{4}\right)$

(3) $y=\tan 3\left(x-\frac{\pi}{2}\right)$　　(4) $y=\tan\frac{1}{3}(x+\pi)$

2 주

기초 유형 | 삼각함수의 그래프

2019 6월 실시
고2 교육청 나형 25번

1-1

상수 k에 대하여 함수 $f(x)=2\sqrt{3}\tan x+k$의 그래프가 점 $\left(\frac{\pi}{6}, 7\right)$을 지날 때, $f\left(\frac{\pi}{3}\right)$의 값을 구하시오. [3점]

Tip 함수 $y=f(x)$의 그래프가 점 (a, b)를 지나면 $f(a)=b$

풀이

$f(x)=2\sqrt{3}\tan x+k$의 그래프가 점 $\left(\frac{\pi}{6}, 7\right)$을 지나므로

$7=2\sqrt{3}\times\frac{1}{\square}+k$ $\quad\therefore k=\square$

따라서 $f(x)=2\sqrt{3}\tan x+5$이므로

$f\left(\frac{\pi}{3}\right)=2\sqrt{3}\times\sqrt{3}+5=\square$

답 11

쌍둥이 교과서 문제

1-2

함수 $y=\tan \pi x$의 그래프를 x축의 방향으로 1만큼, y축의 방향으로 $\sqrt{3}$만큼 평행이동한 그래프가 점 $\left(\frac{3}{4}, a\right)$를 지날 때, 실수 a의 값을 구하시오.

2017 3월 실시
고3 교육청 가형 6번

2-1

함수 $y=a\sin\frac{\pi}{2b}x$의 최댓값은 2이고 주기는 2이다. 두 양수 a, b의 합 $a+b$의 값을 구하시오. [3점]

Tip 함수 $y=a\sin bx$의 주기는 $\frac{2\pi}{|b|}$, 최댓값은 $|a|$, 최솟값은 $-|a|$이다.

풀이

$y=a\sin\frac{\pi}{2b}x$의 최댓값이 2이므로

$a=\square$ $(\because a>0)$

또 주기가 2이므로

$\frac{2\pi}{\frac{\pi}{2b}}=2,\ 4b=2$ $\quad\therefore b=\frac{1}{2}$

$\therefore a+b=\frac{\square}{2}$

답 $\frac{5}{2}$

2-2

함수 $y=3\sin 6x$의 주기를 a, 함수 $y=\cos\left(\frac{x}{2}+1\right)$의 주기를 b라 할 때, $\frac{b}{a}$의 값을 구하시오.

2-3

모든 실수 x에 대하여 $f\left(x+\frac{\pi}{2}\right)=f(x)$를 만족시키는 함수 $f(x)$만을 보기에서 있는 대로 고르시오.

보기

ㄱ. $f(x)=\frac{1}{2}\sin 4x$

ㄴ. $f(x)=2\cos\frac{x}{4}+1$

ㄷ. $f(x)=4\tan 2x+3$

2020 7월 실시
고3 교육청 가형 5번

쌍둥이 교과서 문제

3-1

두 양수 a, b에 대하여 함수 $f(x)=a\cos bx+3$이 있다. 함수 $f(x)$는 주기가 4π이고 최솟값이 -1일 때, $a+b$의 값을 구하시오. [3점]

Tip $y=a\cos bx+3$의 그래프는 $y=a\cos bx$의 그래프를 y축의 방향으로 3만큼 평행이동한 것이므로 최댓값은 $|a|+3$, 최솟값은 $-|a|+3$이다.

풀이

$f(x)=a\cos bx+3$의 주기가 4π, 최솟값이 -1이고 $a>0$, $b>0$이므로

$-a+3=-1$, $\frac{2\pi}{b}=4\pi$ $\therefore a=\square$, $b=\frac{1}{2}$

$\therefore a+b=\frac{\square}{2}$

답 $\frac{9}{2}$

3-2

함수 $f(x)=a\sin bx+1$의 최댓값이 6이고 주기가 $\frac{2}{3}\pi$일 때, 양수 a, b의 값을 구하시오.

3-3

함수 $f(x)=a\cos\left(x+\frac{\pi}{3}\right)+k$의 최댓값은 2이고 $f\left(\frac{\pi}{6}\right)=\frac{1}{2}$일 때, $f(x)$의 최솟값을 구하시오. (단, $a>0$)

2 주

2019 4월 실시
고3 교육청 가형 10번

4-1

두 상수 a, b에 대하여 함수 $f(x)=a\cos bx$의 그래프가 그림과 같다. 함수 $g(x)=b\sin x+a$의 최댓값을 구하시오. (단, $b>0$) [3점]

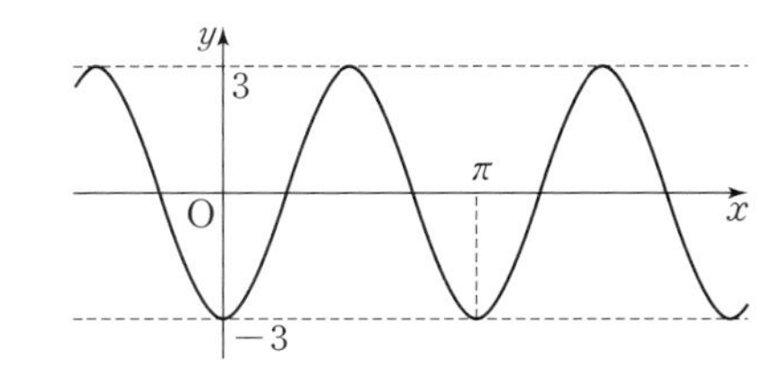

Tip $y=a\cos bx$의 주기는 $\frac{2\pi}{|b|}$, $y=b\sin x+a$의 최댓값은 $|b|+a$이다.

풀이

함수 $f(x)=a\cos bx$의 그래프가 점 $(0, -3)$을 지나므로

$-3=a\cos 0$ $\therefore a=\square$

또 $f(x)$의 주기가 $\square$이므로

$\frac{2\pi}{|b|}=\pi$, $|b|=2$ $\therefore b=2$ ($\because b>0$)

따라서 $g(x)=2\sin x-3$이므로 최댓값은 $\square$

답 -1

4-2

함수 $f(x)=a\cos b(x-\pi)+c$의 그래프가 다음 그림과 같을 때, 세 상수 a, b, c의 합 $a+b+c$의 값을 구하시오. (단, $a>0$, $b>0$)

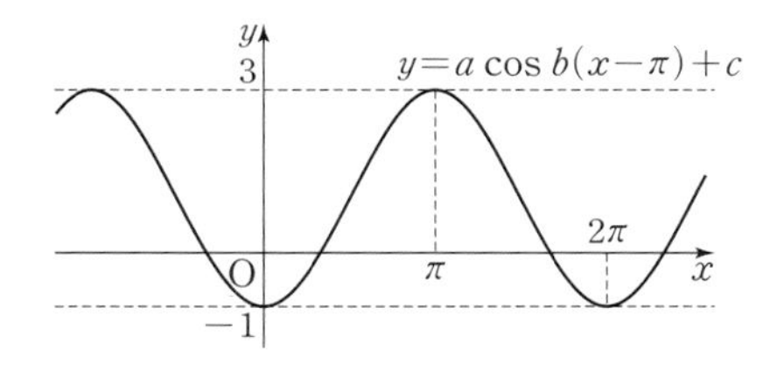

누구나 100점 테스트

1

| 2019 9월 실시 고2 교육청 가형 24번 |

방정식 $3^x-3^{4-x}=24$를 만족시키는 실수 x의 값을 구하시오.

2

| 2020 4월 실시 고3 교육청 가형 4번 |

부등식

$$2^{x-4}\le\left(\frac{1}{2}\right)^{x-2}$$

을 만족시키는 모든 자연수 x의 값의 합은?

① 6 ② 7 ③ 8 ④ 9 ⑤ 10

3

| 2019 9월 평가원 가형 23번 |

방정식 $2\log_4(5x+1)=1$의 실근을 α라 할 때, $\log_5\frac{1}{\alpha}$의 값을 구하시오.

4

| 2018 11월 실시 고2 교육청 가형 9번 |

부등식 $2-\log_{\frac{1}{2}}(x-2)<\log_2(3x+4)$를 만족시키는 정수 x의 개수는?

① 6 ② 7 ③ 8 ④ 9 ⑤ 10

5

| 2017 3월 실시 고3 교육청 가형 25번 |

그림과 같이 길이가 12인 선분 AB를 지름으로 하는 반원이 있다. 반원 위에서 호 BC의 길이가 4π인 점 C를 잡고 점 C에서 선분 AB에 내린 수선의 발을 H라 하자. $\overline{\mathrm{CH}}^2$의 값을 구하시오.

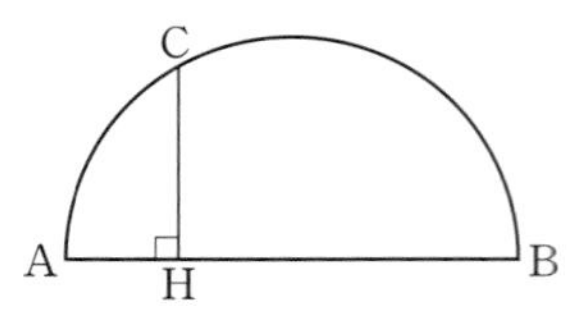

정답 및 해설 26쪽

6

| 2019 9월 실시 고2 교육청 가형 22번 |

$8\sin\frac{\pi}{6}+\tan\frac{\pi}{4}$의 값을 구하시오.

7

| 2020 3월 실시 고3 교육청 나형 3번 |

θ가 제3사분면의 각이고 $\cos\theta=-\frac{4}{5}$일 때, $\tan\theta$의 값을 구하시오.

8

| 2020 7월 실시 고3 교육청 나형 11번 |

$\sin\theta+\cos\theta=\frac{1}{2}$일 때, $\frac{1+\tan\theta}{\sin\theta}$의 값을 구하시오.

9

| 2016 3월 실시 고3 교육청 가형 5번 |

함수 $f(x)=a\sin x+1$의 최댓값을 M, 최솟값을 m이라 하자. $M-m=6$일 때, 양수 a의 값을 구하시오.

2
주

10

| 2019 6월 실시 고2 교육청 가형 10번 |

세 양수 a, b, c에 대하여 함수 $y=a\cos bx+c$의 그래프가 그림과 같을 때, $2a+b+c$의 값을 구하시오.

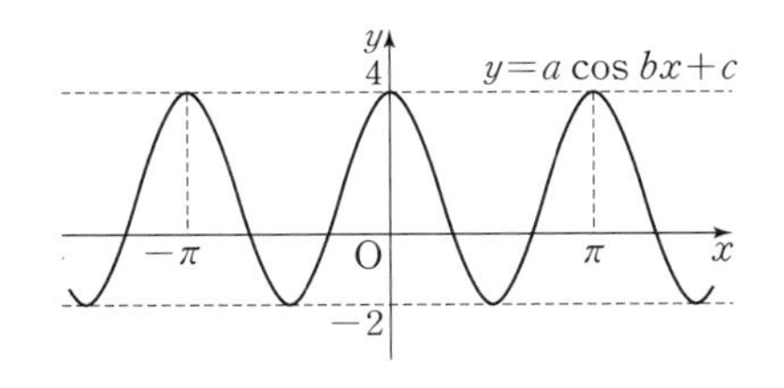

특강
창의 · 융합 · 코딩

30 %
50 %

정답 및 해설 27쪽

그림과 같이 가로줄 l_1, l_2, l_3과 세로줄 l_4, l_5, l_6이 만나는 곳에 있는 9개의 메모판에 모두 x에 대한 식이 하나씩 적혀 있고, 그중 4개의 메모판은 접착 메모지로 가려져 있다. $x=a$일 때, 각 줄 l_k $(k=1, 2, 3, 4, 5, 6)$에 있는 3개의 메모판에 적혀 있는 모든 식의 값의 합을 S_k라 하자. S_k $(k=1, 2, 3, 4, 5, 6)$의 값이 모두 같게 되는 모든 실수 a의 값의 합을 구하시오. [2019 11월 실시 고2 교육청 나형 18번]

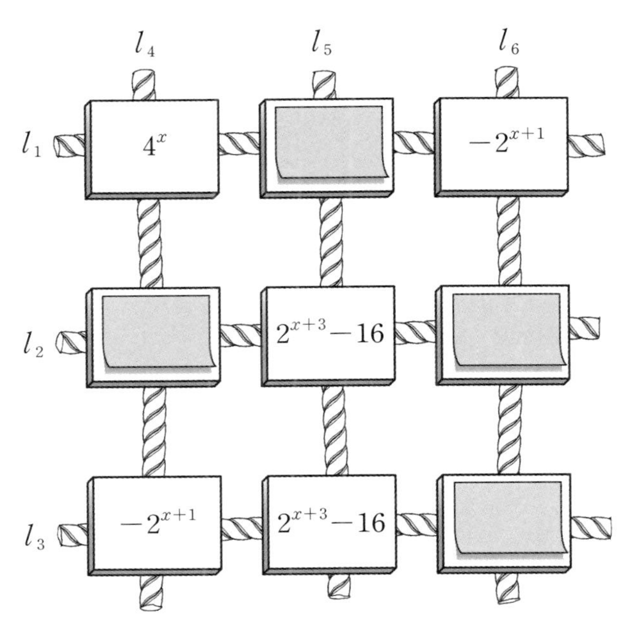

2
주

1

2020 6월 평가원 가형 24번

로그함수의 활용 ➕ 이차부등식

❷ 이차함수 $y=f(x)$의 그래프와 직선 $y=x-1$이 그림과 같을 때 부등식

❶ $\log_3 f(x)+\log_{\frac{1}{3}}(x-1)\le 0$

을 만족시키는 ❸ 모든 자연수 x의 값의 합을 구하시오. (단, $f(0)=f(7)=0$, $f(4)=3$)

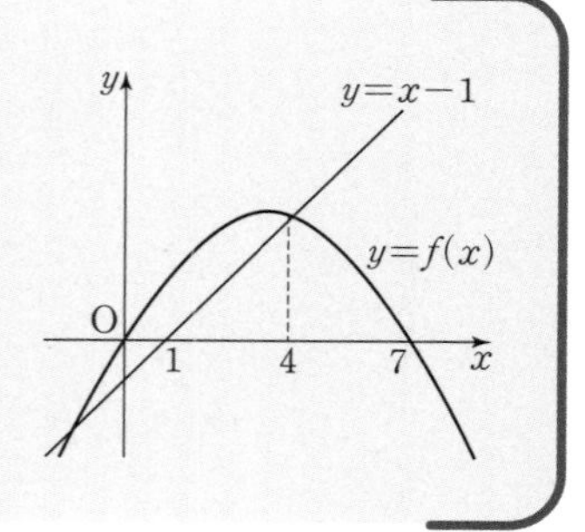

❶ **주어진 부등식을 푼다.**

> **로그의 진수에 미지수를 포함한 부등식**
> 로그의 진수에 미지수를 포함한 부등식을 풀 때는 밑을 같게 한 후 다음 성질을 이용한다.
> (단, $x_1>0$, $x_2>0$)
> ❶ $a>1$일 때, $\log_a x_1<\log_a x_2 \iff x_1<x_2$
> ❷ $0<a<1$일 때, $\log_a x_1<\log_a x_2 \iff x_1>x_2$

진수의 조건에서 $f(x)>0$, $x-1>0$ $\quad\therefore 1<x<\square$ ······㉠

$\log_3 f(x)+\log_{\frac{1}{3}}(x-1)\le 0$에서 $\log_3 f(x)-\log_3(x-1)\le 0$

$\therefore \log_3 f(x)\le\log_3(x-1)$

밑이 1보다 크므로 $f(x)\square x-1$

❷ **❶에서 구한 부등식의 해를 주어진 그림을 이용하여 x의 값의 범위를 구한다.**

> **그래프를 이용한 이차부등식의 풀이**
> ❶ $f(x)>g(x)$의 해
> ⇨ $y=f(x)$의 그래프가 $y=g(x)$의 그래프보다 위쪽에 있는 부분의 x의 값의 범위
> ❷ $f(x)<g(x)$의 해
> ⇨ $y=f(x)$의 그래프가 $y=g(x)$의 그래프보다 아래쪽에 있는 부분의 x의 값의 범위

방정식 $f(x)=x-1$의 4가 아닌 다른 실근을 α라 하면 부등식 $f(x)\le x-1$의 해는 $y=f(x)$의 그래프가 직선 $y=x-1$과 만나거나 직선 $y=x-1$보다 아래쪽에 있는 부분의 x의 값의 범위이므로

$x\le\alpha$ 또는 $x\ge\square$ ······㉡

㉠, ㉡을 모두 만족시키는 x의 값의 범위는 $\square\le x<\square$

❸ **자연수 x의 값의 합을 구한다.**

따라서 자연수 x는 4, 5, 6이므로 구하는 합은

$4+5+6=15$

답 15

정답 및 해설 28쪽

2 2019 4월 실시 고3 교육청 가형 12번

로그함수의 활용 + 집합

정수 전체의 집합의 두 부분집합

❶ $A=\{x\mid\log_2(x+1)\le k\}$, ❷ $B=\{x\mid\log_2(x-2)-\log_{\frac{1}{2}}(x+1)\ge 2\}$

에 대하여 ❸ $n(A\cap B)=5$를 만족시키는 자연수 k의 값을 구하시오.

길잡이

❶ 집합 A를 구한다.

❷ 집합 B를 구한다.

❸ $n(A\cap B)=5$를 만족시키는 k의 값을 구한다.

2 주

3 2016 수능 A형 16번

지수함수의 실생활에서의 활용 + 지수법칙

어느 금융상품에 초기자산 W_0을 투자하고 t년이 지난 시점에서의 기대자산 W가 다음과 같이 주어진다고 한다.

$$W=\frac{W_0}{2}10^{at}(1+10^{at})$$ (단, $W_0>0$, $t\ge 0$이고, a는 상수이다.)

❶ 이 금융상품에 초기자산 w_0을 투자하고 15년이 지난 시점에서의 기대자산은 초기자산의 3배이다. ❷ 이 금융상품에 초기자산 w_0을 투자하고 30년이 지난 시점에서의 기대자산이 초기자산의 k배일 때, 실수 k의 값을 구하시오. (단, $w_0>0$)

길잡이

❶ 주어진 조건을 관계식에 대입하여 10^{15a}의 값을 구한다.

❷ 주어진 조건을 관계식에 대입하고 10^{15a}의 값을 이용하여 k의 값을 구한다.

특강 **창의 · 융합 · 코딩**

4 2010 이전 고2 교육청

삼각함수 사이의 관계 ⊕ 이차함수의 최대, 최소

함수 ❶ $y=-4\cos^2 x+4\sin x+3$의 ❷ 최댓값을 M, 최솟값을 m이라 할 때, ❸ $M+m$의 값을 구하시오.

❶ **주어진 함수를 $\sin x$의 함수로 정리한다.**

삼각함수 사이의 관계

각 θ를 나타내는 동경과 단위원의 교점을 $\mathrm{P}(x, y)$라 하면

$\sin\theta=y$, $\cos\theta=x$, $\tan\theta=\dfrac{y}{x}=\dfrac{\sin\theta}{\cos\theta}$ (단, $x\neq0$)

점 $\mathrm{P}(x, y)$는 단위원 위의 점이므로 $x^2+y^2=1$

$\therefore \sin^2\theta+\cos^2\theta=1$

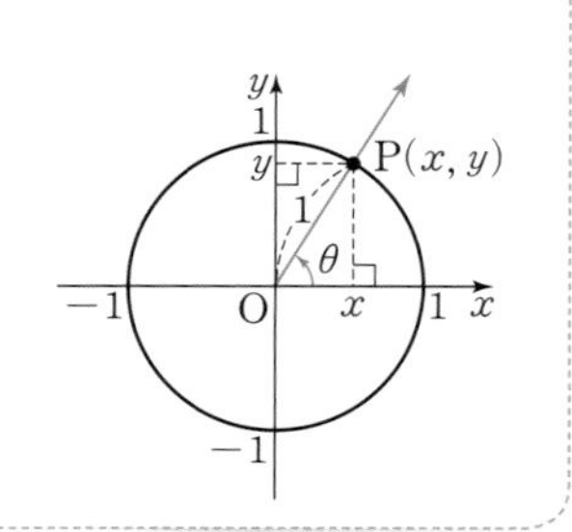

$$y=-4\cos^2 x+4\sin x+3$$
$$=-4(\boxed{}-\sin^2 x)+4\sin x+3$$
$$=4\sin^2 x+4\sin x-1$$

❷ **$\sin x=t$ $(-1\le t\le 1)$로 놓고 최댓값, 최솟값을 구한다.**

제한된 범위에서 이차함수의 최대, 최소

$\alpha\le x\le\beta$일 때, 이차함수 $f(x)=a(x-p)^2+q$의 최대, 최소는 다음과 같다.

$\alpha\le p\le\beta$일 때		$p<\alpha$ 또는 $p>\beta$일 때	
$a>0$ / y / $y=f(x)$ / $f(\alpha)$ / $f(\beta)$ / 최대 / 최소 / q / O / α / p / β / x	$a<0$ / y / $y=f(x)$ / 최대 / q / 최소 / $f(\alpha)$ / $f(\beta)$ / O / α / p / β / x	$a>0$ / y / $y=f(x)$ / $f(\beta)$ / 최대 / $f(\alpha)$ / q / 최소 / O / p / α / β / x	$a<0$ / y / 최대 / $y=f(x)$ / q / $f(\beta)$ / $f(\alpha)$ / 최소 / O / α / β / p / x
➡ $f(p)$, $f(\alpha)$, $f(\beta)$ 중 가장 큰 값이 최댓값, 가장 작은 값이 최솟값이다.		➡ $f(\alpha)$, $f(\beta)$ 중 큰 값이 최댓값, 작은 값이 최솟값이다.	

$\sin x=t(-1\le t\le 1)$로 놓으면

$$y=4t^2+4t-1=4\left(t+\frac{1}{2}\right)^2-2$$

$t=\boxed{}$일 때 최댓값 $M=7$, $t=-\dfrac{1}{2}$일 때 최솟값 $m=-2$

❸ $\therefore M+m=\boxed{}$ **답 5**

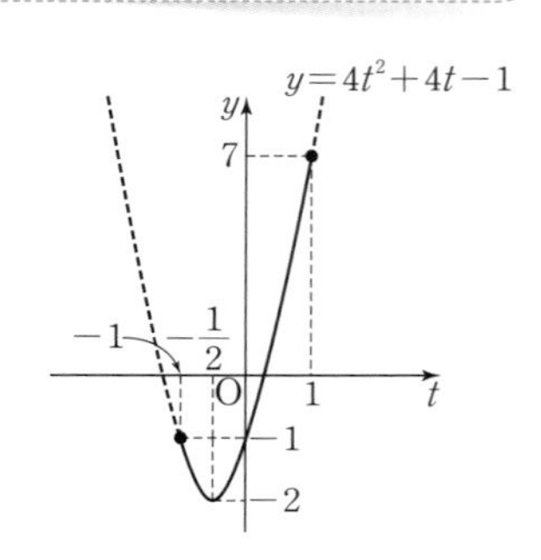

정답 및 해설 28쪽

5 2010 이전 수능

삼각함수의 값 + 이차방정식의 근과 계수의 관계

❶ 이차방정식 $x^2-2\sqrt{3}x+2=0$의 두 근을 $\alpha, \beta(\alpha>\beta)$라고 할 때, ❷ $\tan\theta=\frac{\alpha-\beta}{\alpha+\beta}$를 만족하는 ❸ θ의 크기를 구하시오. $\left(단, -\frac{\pi}{2}<\theta<\frac{\pi}{2}\right)$

길잡이

❶ 이차방정식의 근과 계수의 관계를 이용하여 $\alpha+\beta$, $\alpha\beta$의 값을 구한다.
❷ $\alpha-\beta$의 값을 구하여 $\tan\theta$의 값을 구한다.
❸ θ의 크기를 구한다.

2주

6 2010 9월 실시 고2 교육청 나형 25번

삼각함수 사이의 관계 + 로그의 성질

❶ $\log_2\sin\theta+\log_2\cos\theta=-4$일 때,
❷ $\log_2(\sin\theta+\cos\theta)=\frac{1}{2}(\log_2 x-4)$
를 만족하는 ❸ x의 값을 구하시오.

길잡이

❶ $\sin\theta\cos\theta$의 값을 구한다.
❷ 로그의 성질을 이용하여 주어진 등식을 간단히 한다.
❸ x의 값을 구한다.

Week 3

3주에는 무엇을 공부할까? ①

공부할 내용
❶ 삼각함수의 성질 이해하기
❷ 사인법칙과 코사인법칙 이해하기
❸ 등차수열의 일반항과 합 구하기

3 주

배운 내용 다시보기

1 **함수 $y=\sin x$, $y=\cos x$에 대한 설명이다. 다음 □ 안에 알맞은 것을 써넣으시오.**

(1) 정의역은 실수 전체의 집합이고, 치역은 $\{y|$ □ $\le y \le$ □ $\}$이다.

(2) $y=\sin x$의 그래프는 □ 에 대하여 대칭이고, $y=\cos x$의 그래프는 □ 에 대하여 대칭이다.

(3) 주기가 □ 인 주기함수이다.

2 **함수 $y=\tan x$에 대한 설명이다. 다음 □ 안에 알맞은 것을 써넣으시오.**

(1) 정의역은 $x=n\pi+\dfrac{\pi}{\square}$ (n은 정수)를 제외한 실수 전체의 집합이고, 치역은 실수 전체의 집합이다.

(2) 그래프의 점근선은 직선 $x=n\pi+\dfrac{\pi}{\square}$ (n은 정수)이다.

(3) 그래프는 □ 에 대하여 대칭이다.

(4) 주기가 □ 인 주기함수이다.

답 **1** (1) -1, 1 (2) 원점, y축 (3) 2π **2** (1) 2 (2) 2 (3) 원점 (4) π

와~ 옛날 방식으로
고구마를 굽네!
빨리 가서 줄서야겠어!
하루 Restaurant
4일
등차수열
스페셜 메뉴가 나오는
스시집이 옆에 있으니 너무
배부르게 먹으면
안 되는데......
3일
사인법칙과 코사인법칙

3
주

배운 내용 다시보기

3 다음은 일정한 규칙에 따라 수를 나열한 것이다. ☐ 안에 알맞은 수를 써넣으시오.

(1) 2, ☐, 6, ☐, 10, 12

(2) 1, $\sqrt{2}$, ☐, 2, $\sqrt{5}$, ☐

4 함수 $f(x)=3x+2$에 대하여 다음을 구하시오.

(1) $f(1)$

(2) $f(2)$

(3) $f(3)$

(4) $f(4)$

5 다음 연립방정식의 해를 구하시오.

(1) $\begin{cases} x+y=-2 \\ 2x-y=5 \end{cases}$

(2) $\begin{cases} x-y=1 \\ 3x-2y=4 \end{cases}$

답 **3** (1) 4, 8 (2) $\sqrt{3}$, $\sqrt{6}$ **4** (1) 5 (2) 8 (3) 11 (4) 14 **5** (1) $\begin{cases} x=1 \\ y=-3 \end{cases}$ (2) $\begin{cases} x=2 \\ y=1 \end{cases}$

1일 핵심 개념 | 삼각함수의 성질

$\pi+x$의 삼각함수를 알아보자.

두 함수 $y=\sin x$, $y=\cos x$의 그래프를 x축의 방향으로 $-\pi$만큼 평행이동하면 각각 $y=-\sin x$, $y=-\cos x$의 그래프와 일치하므로

$\sin(\pi+x)=-\sin x$, $\cos(\pi+x)=-\cos x$

함수 $y=\tan x$의 주기는 π이므로 $\tan(\pi+x)=\tan x$

개념 ① $2n\pi+x$ (n은 정수)의 삼각함수, $-x$의 삼각함수

[01~02] 다음 ☐ 안에 알맞은 것을 아래 보기에서 찾아 써넣으시오.

보기
$\sin x$, $-\sin x$, $\cos x$, $-\cos x$, $\tan x$, $-\tan x$

01 $\sin(2n\pi+x)=\sin x$, $\cos(2n\pi+x)=$ ☐, $\tan(2n\pi+x)=\tan x$

02 $\sin(-x)=$ ☐, $\cos(-x)=\cos x$, $\tan(-x)=$ ☐

개념 ② $\pi+x$의 삼각함수

03 다음 ( ) 안에 주어진 것 중 옳은 것을 고르시오.

$\sin(\pi+x)=-\sin x$, $\cos(\pi+x)=(\cos x,\ -\cos x)$, $\tan(\pi+x)=(\tan x,\ -\tan x)$

답 **01** $\cos x$ **02** $-\sin x$, $-\tan x$ **03** $-\cos x$, $\tan x$

개념 확인 | 삼각함수의 성질(1)

정답 및 해설 29쪽

$2n\pi+x$ (n은 정수)의 삼각함수

두 함수 $y=\sin x$, $y=\cos x$의 주기는 2π, 함수 $y=\tan x$의 주기는 π이므로

$\sin(2n\pi+x)=\sin x$, $\cos(2n\pi+x)=\cos x$
$\tan(2n\pi+x)=\tan x$

$-x$의 삼각함수

두 함수 $y=\sin x$, $y=\tan x$의 그래프는 각각 원점에 대하여 대칭이고, 함수 $y=\cos x$의 그래프는 y축에 대하여 대칭이므로

$\sin(-x)=-\sin x$, $\tan(-x)=-\tan x$
$\cos(-x)=\cos x$

$\pi+x$의 삼각함수

두 함수 $y=\sin x$, $y=\cos x$의 그래프를 x축의 방향으로 $-\pi$만큼 평행이동하면 각각 $y=-\sin x$, $y=-\cos x$의 그래프와 일치하고, 함수 $y=\tan x$의 주기는 π이므로

$\sin(\pi+x)=-\sin x$, $\cos(\pi+x)=-\cos x$
$\tan(\pi+x)=\tan x$

참고 위의 정리에서 x 대신 $-x$를 대입하면
$\sin(\pi-x)=-\sin(-x)=\sin x$
$\cos(\pi-x)=-\cos(-x)=-\cos x$
$\tan(\pi-x)=\tan(-x)=-\tan x$

1-1 다음 삼각함수의 값을 구하시오.

(1) $\sin\frac{7}{3}\pi$ (2) $\cos\frac{25}{6}\pi$

(3) $\tan\frac{21}{4}\pi$ (4) $\sin\left(-\frac{\pi}{4}\right)$

(5) $\cos\left(-\frac{7}{3}\pi\right)$ (6) $\tan\left(-\frac{13}{6}\pi\right)$

1-2 다음 삼각함수의 값을 구하시오.

(1) $\sin\frac{13}{6}\pi$ (2) $\cos\frac{13}{3}\pi$

(3) $\tan\frac{19}{3}\pi$ (4) $\sin\left(-\frac{\pi}{6}\right)$

(5) $\cos\left(-\frac{\pi}{3}\right)$ (6) $\tan\left(-\frac{9}{4}\pi\right)$

2-1 다음 삼각함수의 값을 구하시오.

(1) $\sin\frac{5}{4}\pi$ (2) $\cos\frac{7}{6}\pi$

(3) $\tan\left(-\frac{4}{3}\pi\right)$ (4) $\sin\left(-\frac{5}{6}\pi\right)$

2-2 다음 삼각함수의 값을 구하시오.

(1) $\sin\frac{4}{3}\pi$ (2) $\cos\frac{5}{4}\pi$

(3) $\tan\frac{5}{6}\pi$ (4) $\cos\left(-\frac{4}{3}\pi\right)$

1 일

핵심 개념 | 삼각함수의 성질

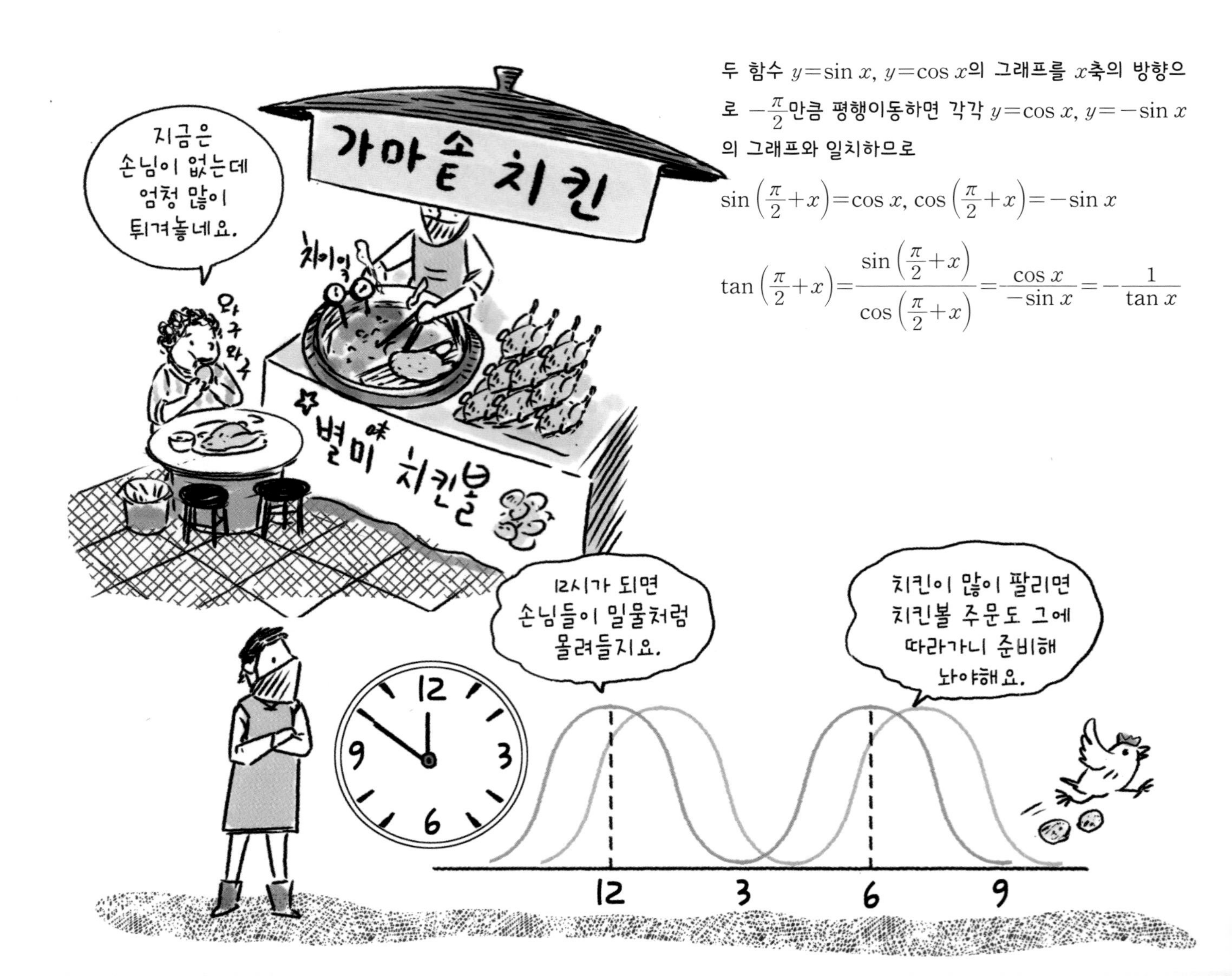

두 함수 $y=\sin x$, $y=\cos x$의 그래프를 x축의 방향으로 $-\frac{\pi}{2}$만큼 평행이동하면 각각 $y=\cos x$, $y=-\sin x$의 그래프와 일치하므로

$$\sin\left(\frac{\pi}{2}+x\right)=\cos x,\ \cos\left(\frac{\pi}{2}+x\right)=-\sin x$$

$$\tan\left(\frac{\pi}{2}+x\right)=\frac{\sin\left(\frac{\pi}{2}+x\right)}{\cos\left(\frac{\pi}{2}+x\right)}=\frac{\cos x}{-\sin x}=-\frac{1}{\tan x}$$

개념 3 $\frac{\pi}{2}+x$의 삼각함수

04 다음 ( ) 안에 주어진 것 중 옳은 것을 고르시오.

$\sin\left(\frac{\pi}{2}+x\right)=$($\sin x$, $\cos x$), $\cos\left(\frac{\pi}{2}+x\right)=$($-\sin x$, $-\cos x$), $\tan\left(\frac{\pi}{2}+x\right)=-\frac{1}{\tan x}$

개념 4 삼각함수의 각의 변환

05 다음 ( ) 안에 주어진 것 중 옳은 것을 고르시오.

1 모든 각을 $\frac{\pi}{2}\times n\pm\theta$ (n은 정수) 꼴로 나타낸다.

2 n이 짝수 ⇨ sin은 sin, cos은 cos, tan는 tan 그대로 둔다.

n이 홀수 ⇨ sin은 (sin, cos), cos은 (sin, cos), tan는 $\frac{1}{\tan}$로 바꾼다.

3 원래 주어진 삼각함수의 값이 양수이면 +, 음수이면 −를 붙인다. (단, θ는 항상 예각으로 간주한다.)

답 **04** $\cos x$, $-\sin x$ **05** cos, sin

개념 확인 | 삼각함수의 성질(2)

■ 정답 및 해설 29쪽

$\frac{\pi}{2}+x$의 삼각함수

두 함수 $y=\sin x$, $y=\cos x$의 그래프를 x축의 방향으로 $-\frac{\pi}{2}$만큼 평행이동하면 각각 $y=\cos x$, $y=-\sin x$의 그래프와 일치하고, $\tan x=\frac{\sin x}{\cos x}$이므로

$$\sin\left(\frac{\pi}{2}+x\right)=\cos x,\ \cos\left(\frac{\pi}{2}+x\right)=-\sin x,\ \tan\left(\frac{\pi}{2}+x\right)=-\frac{1}{\tan x}$$

참고 위의 정리에서 x 대신 $-x$를 대입하면
$\sin\left(\frac{\pi}{2}-x\right)=\cos(-x)=\cos x$, $\cos\left(\frac{\pi}{2}-x\right)=-\sin(-x)=\sin x$, $\tan\left(\frac{\pi}{2}-x\right)=-\frac{1}{\tan(-x)}=\frac{1}{\tan x}$

3-1 다음 삼각함수의 값을 구하시오.

(1) $\sin\frac{5}{6}\pi$

(2) $\cos\frac{3}{4}\pi$

(3) $\tan\frac{2}{3}\pi$

(4) $\sin\left(-\frac{2}{3}\pi\right)$

3-2 다음 삼각함수의 값을 구하시오.

(1) $\sin\frac{3}{4}\pi$

(2) $\cos\frac{5}{6}\pi$

(3) $\tan\left(-\frac{3}{4}\pi\right)$

(4) $\cos\left(-\frac{2}{3}\pi\right)$

4-1 다음 식을 간단히 하시오.

(1) $\sin\left(\frac{\pi}{2}-\theta\right)+\cos(\pi+\theta)$

(2) $\cos\left(\frac{\pi}{2}+\theta\right)+\cos\left(\frac{3}{2}\pi+\theta\right)$

(3) $\tan\left(\frac{\pi}{2}+\theta\right)\tan(\pi+\theta)$

(4) $\sin^2\left(\frac{\pi}{2}-\theta\right)+\cos^2\left(\frac{\pi}{2}+\theta\right)$

4-2 다음 식을 간단히 하시오.

(1) $\sin\left(\frac{\pi}{2}+\theta\right)-\sin\left(\frac{\pi}{2}-\theta\right)$

(2) $\sin\left(\frac{3}{2}\pi+\theta\right)-\cos(\pi+\theta)$

(3) $\tan(\pi-\theta)\tan\left(\frac{\pi}{2}-\theta\right)$

(4) $\sin^2\left(\frac{\pi}{2}+\theta\right)+\sin^2(\pi+\theta)$

3 주

1일 기초 유형 | 삼각함수의 성질

2019 6월 실시
고2 교육청 나형 8번

1-1

$\sin \frac{5}{6}\pi + \cos\left(-\frac{8}{3}\pi\right)$의 값을 구하시오. [3점]

Tip $\sin(\pi-\theta)=\sin\theta$, $\cos(\pi-\theta)=-\cos\theta$

풀이

$\sin\frac{5}{6}\pi=\sin\left(\pi-\frac{\pi}{6}\right)=\sin\frac{\pi}{6}=\frac{\square}{2}$

$\cos\left(-\frac{8}{3}\pi\right)=\cos\frac{8}{3}\pi=\cos\left(2\pi+\frac{2}{3}\pi\right)$

$=\cos\frac{2}{3}\pi=\cos\left(\pi-\frac{\pi}{3}\right)$

$=-\cos\frac{\pi}{3}=-\frac{1}{2}$

$\therefore$ (주어진 식)$=\frac{\square}{2}-\frac{1}{2}=\square$

답 0

쌍둥이 교과서 문제

1-2

다음 식의 값을 구하시오.

$$\sin\left(-\frac{5}{6}\pi\right)+\cos\frac{7}{3}\pi-\tan\frac{5}{4}\pi$$

1-3

다음 식의 값을 구하시오.

$$2\sin\frac{5}{3}\pi-\sqrt{3}\tan\frac{7}{3}\pi-3\sin\frac{3}{2}\pi$$

2020 9월 실시
고2 교육청 25번

2-1

$\frac{\pi}{2}<\theta<\pi$인 θ에 대하여 $\tan\theta=-\frac{4}{3}$일 때,
$5\sin(\pi+\theta)+10\cos\left(\frac{\pi}{2}-\theta\right)$의 값을 구하시오. [3점]

Tip $\sin(\pi+\theta)=-\sin\theta$, $\cos\left(\frac{\pi}{2}-\theta\right)=\sin\theta$

풀이

θ가 제2사분면의 각이므로 각 θ를 나타내는 동경을 OP라 할 때, $\tan\theta=-\frac{4}{3}$에서 점 P의 좌표는 $\mathrm{P}(-3, 4)$이다.

이때 $\overline{\mathrm{OP}}=\sqrt{(-3)^2+4^2}=5$이므로 $\sin\theta=\frac{4}{\square}$

$\therefore$ (주어진 식)$=\square\sin\theta+10\sin\theta$

$=\square\sin\theta=\square$

답 4

2-2

$\tan\theta=-\frac{1}{2}$일 때, 다음 식의 값을 구하시오.

$$\frac{\sin\theta}{1+\cos\theta}+\frac{\sin(\pi+\theta)}{1+\cos(\pi+\theta)}$$

2019 9월 실시
고2 교육청 나형 6번

3-1

함수 $f(x)=2\cos\left(x+\frac{\pi}{2}\right)+3$의 최솟값을 구하시오.

[3점]

Tip $y=a\sin bx+c$의 최댓값은 $|a|+c$, 최솟값은 $-|a|+c$임을 이용한다.

풀이

$f(x)=2\cos\left(x+\frac{\pi}{2}\right)+3=-2\sin x+3$

따라서 구하는 함수의 최솟값은 $\square+3=\square$ 답 1

다른 풀이

$f(x)=2\cos\left(x+\frac{\pi}{2}\right)+3$의 그래프는 함수 $y=2\cos x$의 그래프를 x축의 방향으로 $-\frac{\pi}{2}$만큼, y축의 방향으로 3만큼 평행이동한 것이다.

따라서 구하는 최솟값은 $\square+3=\square$

쌍둥이 교과서 문제

3-2

함수 $f(x)=3\cos\left(x-\frac{3}{2}\pi\right)+1$의 최댓값과 최솟값을 구하시오.

3-3

함수 $f(x)=3\cos(\pi+x)+\sin\left(x-\frac{\pi}{2}\right)+1$의 최댓값과 최솟값을 구하시오.

2018 3월 실시
고3 교육청 가형 25번

4-1

함수 $f(x)=\sin^2 x+\sin\left(x+\frac{\pi}{2}\right)+1$의 최댓값을 M이라 할 때, $4M$의 값을 구하시오. [3점]

Tip $\sin\left(\frac{\pi}{2}+x\right)=\cos x$, $\sin^2 x+\cos^2 x=1$임을 이용하여 주어진 함수를 $\cos x$의 함수로 정리한다.

풀이

$f(x)=\sin^2 x+\sin\left(x+\frac{\pi}{2}\right)+1$

$=(\square-\cos^2 x)+\cos x+1$

$=-\cos^2 x+\cos x+\square$

$\cos x=t$로 놓으면 $-1\leq t\leq 1$이고

$y=-t^2+t+2=-\left(t-\frac{1}{2}\right)^2+\frac{9}{4}$

오른쪽 그림에서 $t=\frac{1}{2}$일 때 최댓값은

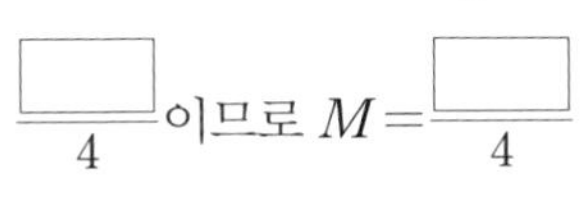

$\frac{\square}{4}$이므로 $M=\frac{\square}{4}$

$\therefore 4M=\square$

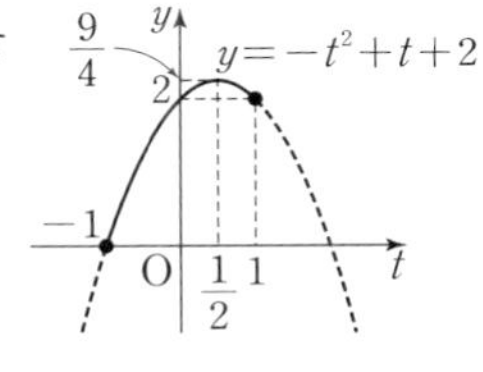

답 9

4-2

함수 $f(x)=\sin\left(x+\frac{\pi}{2}\right)-\cos^2(x+\pi)$의 최솟값을 구하시오.

4-3

$x+y=2\pi$일 때, $9\sin^2(\pi+x)+9\cos y$의 최댓값을 구하시오.

3주

2일 핵심 개념 | 삼각함수가 포함된 방정식과 부등식

기울어진 도로를 처음부터 끝까지 이동하였을 때, 수직으로 이동한 거리가 113.96 m라 한다. 이 도로가 지평면과 이루는 각의 크기를 θ라 할 때,

$\sin\theta=\frac{113.96}{350}=0.3256$

삼각함수표를 이용하면 $\theta=19^\circ$이다.

θ	$\sin\theta$
⋮	⋮
18°	0.3090
19°	0.3256
20°	0.3420
⋮	⋮

삼각함수의 표나 그래프를 이용하면 삼각함수의 각의 크기를 미지수로 하는 방정식을 풀 수 있다.

개념 ① 삼각함수가 포함된 방정식

[01~02] 다음 ☐ 안에 알맞은 것을 아래 보기에서 찾아 써넣으시오.

보기

$-k,\ \ k,\ \ kx,\ \ -1,\ \ 1$

01 일차식 꼴의 삼각함수가 포함된 방정식은 다음과 같은 순서로 푼다.

1. 주어진 방정식을 $\sin x=k$ (또는 $\cos x=k$, $\tan x=k$) 꼴로 고친다.
2. 함수 $y=\sin x$ (또는 $y=\cos x$, $y=\tan x$)의 그래프와 직선 $y=$ ☐ 를 그린다.
3. 주어진 범위에서 삼각함수의 그래프와 직선의 교점의 x좌표를 찾아 해를 구한다.

02 이차식 꼴의 삼각함수가 포함된 방정식은 다음과 같은 순서로 푼다.

1. $\sin^2 x=$ ☐ $-\cos^2 x$, $\cos^2 x=$ ☐ $-\sin^2 x$를 이용하여 한 종류의 삼각함수만 포함된 방정식으로 바꾼다.
2. 인수분해 등을 이용하여 방정식을 푼다.

답 **01** k **02** 1, 1

개념 확인 | 삼각함수가 포함된 방정식과 부등식(1)

정답 및 해설 31쪽

일차식 꼴의 삼각함수가 포함된 방정식

방정식 $\sin x=\frac{\sqrt{3}}{2}$을 푸시오. (단, $0\leq x<2\pi$)

$0\leq x<2\pi$의 범위에서 함수 $y=\sin x$의 그래프와 직선 $y=\frac{\sqrt{3}}{2}$의 교점의 x좌표를 구한다.

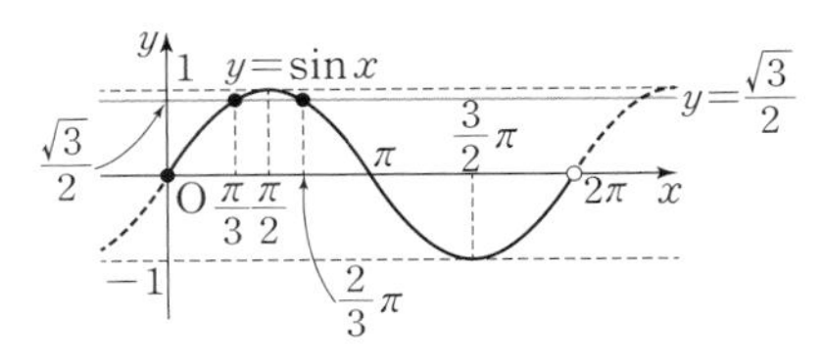

따라서 구하는 해는 $x=\frac{\pi}{3}$ 또는 $x=\frac{2}{3}\pi$

이차식 꼴의 삼각함수가 포함된 방정식

방정식 $2\sin^2 x-\cos x=1$을 푸시오. (단, $0\leq x<2\pi$)

$\sin^2 x=1-\cos^2 x$를 이용하여 $\cos x$만 포함된 방정식으로 바꾼 다음 일차식 꼴의 삼각함수가 포함된 방정식과 같이 푼다.

$2\sin^2 x-\cos x=1$

$2(1-\cos^2 x)-\cos x=1$ ← $\sin^2 x=1-\cos^2 x$

$2\cos^2 x+\cos x-1=0$

$(\cos x+1)(2\cos x-1)=0$ ← 인수분해

$\therefore \cos x=-1$ 또는 $\cos x=\frac{1}{2}$

따라서 구하는 해는 $x=\frac{\pi}{3}$ 또는 $x=\pi$ 또는 $x=\frac{5}{3}\pi$

1-1 다음 방정식을 푸시오. (단, $0\leq x<2\pi$)

(1) $\sin x=-\frac{\sqrt{3}}{2}$

(2) $\cos x=\frac{\sqrt{2}}{2}$

(3) $\tan x=-1$

1-2 다음 방정식을 푸시오. (단, $0\leq x<2\pi$)

(1) $2\sin x-\sqrt{2}=0$

(2) $2\cos x=\sqrt{3}$

(3) $\sqrt{3}\tan x+1=0$

2-1 다음 방정식을 푸시오. (단, $0\leq x<2\pi$)

(1) $2\sin^2 x+3\cos x=3$

(2) $6\cos^2 x-5\sin x=2$

2-2 다음 방정식을 푸시오. (단, $0\leq x<2\pi$)

(1) $2\cos^2 x-\sin x-2=0$

(2) $2\sin^2 x-5\cos x-4=0$

3주

2일 핵심 개념 | 삼각함수가 포함된 방정식과 부등식

용수철의 끝에 달려 있는 인형을 아래로 잡아당겼다 놓으면 용수철의 복원력에 의하여 규칙적으로 '삑'소리가 나는 인형이 있다. 이 인형은 정지 위치보다 10 cm만큼 위에 있을 때 '삑'소리가 난다고 한다. 인형을 잡아당겼다 놓은 후 4초 동안 '삑'소리가 나는 횟수는 그림에서 2번이다.
$\sin x=\frac{1}{2}$, $\cos x\le 1$과 같이 각의 크기가 미지수인 삼각함수가 포함된 방정식과 부등식은 그래프를 이용하여 구할 수 있다.

개념 ② 삼각함수가 포함된 부등식

[03~04] 다음 ☐ 안에 알맞은 것을 아래 보기에서 찾아 써넣으시오.

> **보기**
> $\sin^2 x$, $\cos^2 x$, $\tan^2 x$, 위쪽, 아래쪽

03 $\sin x>k$ (또는 $\cos x>k$, $\tan x>k$) 꼴의 부등식
⇨ 함수 $y=\sin x$ (또는 $y=\cos x$, $y=\tan x$)의 그래프가 직선 $y=k$보다 ☐ 에 있는 x의 값의 범위를 구한다.
$\sin x<k$ (또는 $\cos x<k$, $\tan x<k$) 꼴의 부등식
⇨ 함수 $y=\sin x$ (또는 $y=\cos x$, $y=\tan x$)의 그래프가 직선 $y=k$보다 ☐ 에 있는 x의 값의 범위를 구한다.

04 이차식 꼴의 삼각함수가 포함된 부등식은 다음과 같은 순서로 푼다.
[1] $\sin^2 x=1-$ ☐, $\cos^2 x=1-$ ☐ 를 이용하여 한 종류의 삼각함수만 포함된 부등식으로 바꾼다.
[2] 인수분해 등을 이용하여 부등식을 푼다.

답 **03** 위쪽, 아래쪽 **04** $\cos^2 x$, $\sin^2 x$

개념 확인 | 삼각함수가 포함된 방정식과 부등식 (2)

정답 및 해설 32쪽

일차식 꼴의 삼각함수가 포함된 부등식

부등식 $\cos x<\frac{1}{2}$을 푸시오. (단, $0\leq x<2\pi$)

$0\leq x<2\pi$의 범위에서 함수 $y=\cos x$의 그래프가 직선 $y=\frac{1}{2}$보다 아래쪽에 있는 부분의 x의 값의 범위를 구한다.

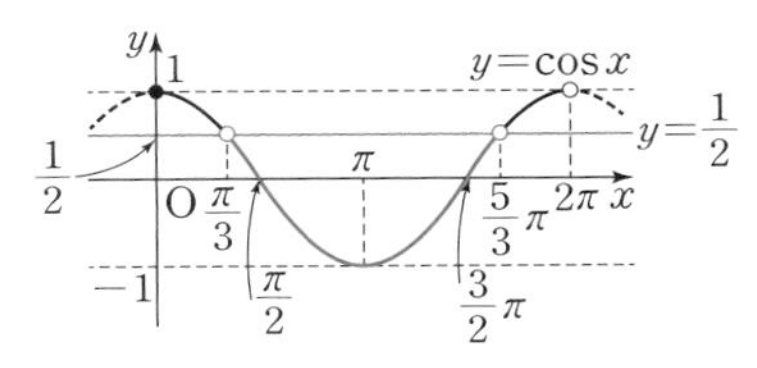

따라서 구하는 해는 $\frac{\pi}{3}<x<\frac{5}{3}\pi$

이차식 꼴의 삼각함수가 포함된 부등식

부등식 $2\sin^2 x+\cos x-2>0$을 푸시오. (단, $0\leq x<2\pi$)

$\sin^2 x=1-\cos^2 x$를 이용하여 $\cos x$만 포함된 부등식으로 바꾼 다음 일차식 꼴의 삼각함수가 포함된 부등식과 같이 푼다.

$2\sin^2 x+\cos x-2>0$

$2(1-\cos^2 x)+\cos x-2>0$ ← $\sin^2 x=1-\cos^2 x$

$2\cos^2 x-\cos x<0$

$\cos x(2\cos x-1)<0$ ← 인수분해

$\therefore 0<\cos x<\frac{1}{2}$

따라서 구하는 해는 $\frac{\pi}{3}<x<\frac{\pi}{2}$ 또는 $\frac{3}{2}\pi<x<\frac{5}{3}\pi$

3-1 다음 부등식을 푸시오. (단, $0\leq x<2\pi$)

(1) $\sin x>\frac{\sqrt{3}}{2}$

(2) $\cos x<-\frac{\sqrt{2}}{2}$

(3) $\tan x\geq\frac{\sqrt{3}}{3}$

3-2 다음 부등식을 푸시오. (단, $0\leq x<2\pi$)

(1) $2\sin x\geq 1$

(2) $2\cos x-\sqrt{3}\geq 0$

(3) $\tan x-1<0$

4-1 다음 부등식을 푸시오. (단, $0\leq x<2\pi$)

(1) $2\cos^2 x-\sqrt{3}\cos x<0$

(2) $2\sin^2 x-\cos x-1>0$

4-2 다음 부등식을 푸시오. (단, $0\leq x<2\pi$)

(1) $2\sin^2 x-\sin x\leq 0$

(2) $2\cos^2 x+3\sin x-3\geq 0$

3주

2일 기초 유형 | 삼각함수가 포함된 방정식과 부등식

2019 11월 실시
고2 교육청 나형 5번

1-1

$0 \le x \le \frac{\pi}{3}$일 때, 방정식 $\sin 3x=1$의 해를 구하시오. [3점]

Tip $\sin t=k$ (k는 상수) 꼴로 변형한다.

풀이

$3x=t$로 치환하면 $0 \le x \le \frac{\pi}{3}$에서 $0 \le t \le \pi$

$\sin t=1$에서 $t=\frac{\pi}{\square}$

$3x=\frac{\pi}{\square}$ $\quad \therefore x=\frac{\pi}{\square}$

답 $\frac{\pi}{6}$

쌍둥이 교과서 문제

1-2

$0 \le x < 2\pi$일 때, 방정식 $\sin\left(x-\frac{\pi}{3}\right)=\frac{1}{2}$을 만족시키는 모든 x의 값의 합을 구하시오.

2017 11월 실시
고2 교육청 가형 11번

2-1

$0 \le x < 2\pi$일 때, 방정식 $\sin x \cos\left(\frac{\pi}{2}-x\right)=\frac{1}{3}$의 모든 해의 합을 구하시오. [3점]

Tip 삼각함수의 주기와 그래프의 대칭성을 이용한다.

풀이

$\cos\left(\frac{\pi}{2}-x\right)=\sin x$이므로 주어진 방정식은

$\sin^2 x=\frac{1}{3}$ $\quad \therefore \sin x=-\frac{\sqrt{3}}{3}$ 또는 $\sin x=\frac{\sqrt{3}}{3}$

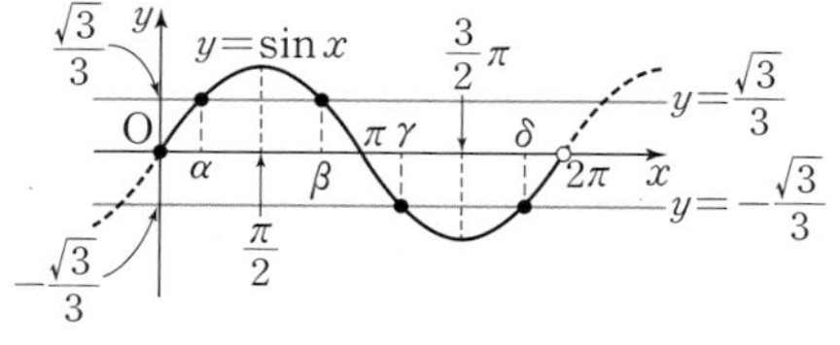

구하는 방정식의 해를 작은 것부터 차례대로 $\alpha, \beta, \gamma, \delta$라 하면 함수 $y=\sin x$의 그래프는 직선 $x=\frac{\pi}{2}$ 및 $x=\frac{3}{2}\pi$에 대하여 대칭이므로 $\frac{\alpha+\beta}{2}=\frac{\pi}{2}$ 또는 $\frac{\gamma+\delta}{2}=\frac{3}{2}\pi$

$\therefore \alpha+\beta=\square$, $\gamma+\delta=\square$

따라서 모든 해의 합은 $\square$

답 4π

2-2

$0 \le x < 2\pi$일 때, 방정식 $\sin x=-\frac{1}{3}$의 두 근을 α, β라 하자. $\sin\left(\alpha+\beta+\frac{\pi}{3}\right)$의 값을 구하시오.

2-3

$0 \le x \le 4\pi$일 때, 방정식 $\sin x=-\frac{3}{4}$의 모든 실근의 합을 구하시오.

2018
수능 가형 7번

쌍둥이 교과서 문제

3-1

$0 \le x < 2\pi$일 때, 방정식 $\cos^2 x = \sin^2 x - \sin x$의 모든 해의 합을 구하시오. [3점]

Tip $\cos^2 x = 1 - \sin^2 x$임을 이용하여 $\sin x$가 포함된 방정식을 푼다.

풀이

$1 - \sin^2 x = \sin^2 x - \sin x$, $2\sin^2 x - \sin x - 1 = 0$

$(2\sin x + 1)(\sin x - 1) = 0$

$\therefore \sin x = -\frac{1}{2}$ 또는 $\sin x = 1$

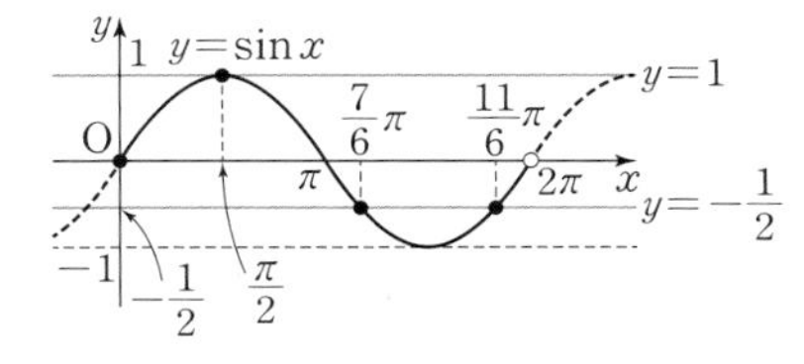

(i) $\sin x = -\frac{1}{2}$일 때, $x = \frac{7}{6}\pi$ 또는 $x = \frac{11}{6}\pi$

(ii) $\sin x = 1$일 때, $x = \frac{\pi}{\square}$

(i), (ii)에서 구하는 모든 해의 합은 $\frac{\square}{2}\pi$ 답 $\frac{7}{2}\pi$

3-2

$0 \le x < 2\pi$일 때, 방정식

$$4\sin^2 x - 1 = 0$$

을 푸시오.

3-3

$0 \le x < 2\pi$일 때, 부등식

$$\cos^2 x - \sin^2 x + 5\cos x + 3 \ge 0$$

의 해를 구하시오.

3주

2010 이전
수능 인문계

4-1

부등식 $\cos^2\theta - 3\cos\theta - a + 9 \ge 0$이 모든 θ에 대하여 항상 성립하는 실수 a의 값의 범위를 구하시오. [3점]

Tip $\cos\theta = t$로 치환한 다음 주어진 범위에서 최솟값을 구한다.

풀이

$\cos\theta = t$로 놓으면 $-1 \le t \le 1$이고, 주어진 부등식은

$t^2 - 3t - a + 9 \ge 0$

$y = t^2 - 3t - a + 9$라 하면 $y = \left(t - \frac{3}{2}\right)^2 - a + \frac{27}{4}$

$-1 \le t \le 1$에서 $t = 1$일 때 최솟값 $-a + \square$을(를) 가지므로 주어진 부등식이 항상 성립하려면

$-a + \square \ge 0$ $\quad \therefore a \le \square$ 답 $a \le 7$

4-2

모든 실수 x에 대하여 부등식

$$\cos^2 x + 3\sin x - a < 0$$

이 항상 성립하도록 하는 실수 a의 값의 범위를 구하시오.

3일 핵심 개념 | 사인법칙과 코사인법칙

개념 ① 사인법칙과 코사인법칙

[01~02] 삼각형 ABC에 대하여 다음 ☐ 안에 알맞은 것을 아래 보기에서 찾아 써넣으시오.

보기

$a,\ a^2,\ b,\ \sin C,\ \cos A,\ \cos C$

01 삼각형의 세 변의 길이와 세 각의 크기에 대한 사인함숫값 사이의 관계를 사인법칙이라 한다.
삼각형 ABC의 외접원의 반지름의 길이를 R라 하면

$$\frac{a}{\sin A} = \frac{\square}{\sin B} = \frac{c}{\square} = 2R$$

← 삼각형 ABC에서 ∠A, ∠B, ∠C의 크기를 각각 A, B, C로 나타내고, 이들의 대변의 길이를 각각 a, b, c로 나타내기로 한다.

02 삼각형의 세 변의 길이와 세 각의 크기에 대한 코사인함숫값 사이의 관계를 코사인법칙이라 한다.
$a^2 = b^2 + c^2 - 2bc\,\square$, $b^2 = c^2 + a^2 - 2ca\cos B$, $c^2 = \square + b^2 - 2ab\cos C$

답 **01** b, $\sin C$ **02** $\cos A$, a^2

개념 확인 | 사인법칙과 코사인법칙(1)

정답 및 해설 34쪽

사인법칙

삼각형 ABC의 외접원의 반지름의 길이를 R라 하면

$$\frac{a}{\sin A}=\frac{b}{\sin B}=\frac{c}{\sin C}=2R$$

참고 사인법칙의 변형

❶ $a=2R\sin A$, $b=2R\sin B$, $c=2R\sin C$

❷ $\sin A=\frac{a}{2R}$, $\sin B=\frac{b}{2R}$, $\sin C=\frac{c}{2R}$

❸ $a:b:c=\sin A:\sin B:\sin C$

코사인법칙

삼각형 ABC에서

$a^2=b^2+c^2-2bc\cos A$ ⇨ $\cos A=\frac{b^2+c^2-a^2}{2bc}$

$b^2=c^2+a^2-2ca\cos B$ ⇨ $\cos B=\frac{c^2+a^2-b^2}{2ca}$

$c^2=a^2+b^2-2ab\cos C$ ⇨ $\cos C=\frac{a^2+b^2-c^2}{2ab}$

1-1 삼각형 ABC에서 다음을 구하시오.

(1) $a=2$, $B=45^\circ$, $C=45^\circ$일 때, b의 값

(2) $b=\sqrt{3}$, $c=1$, $C=30^\circ$일 때, A의 크기

1-2 삼각형 ABC에서 다음을 구하시오.

(1) $a=8$, $B=75^\circ$, $C=60^\circ$일 때, c의 값

(2) $a=2\sqrt{3}$, $b=2$, $A=120^\circ$일 때, C의 크기

2-1 삼각형 ABC에서 다음을 구하시오.

(1) $b=4$, $c=6$, $A=60^\circ$일 때, a의 값

(2) $a=13$, $b=8$, $c=7$일 때, A의 크기

2-2 삼각형 ABC에서 다음을 구하시오.

(1) $a=5$, $c=8$, $B=60^\circ$일 때, b의 값

(2) $a=2\sqrt{3}$, $b=2$, $c=2$일 때, B의 크기

3-1 삼각형 ABC에서 다음 등식이 성립할 때, 이 삼각형은 어떤 삼각형인지 말하시오.

(1) $a\sin A=b\sin B$

(2) $a\cos A=b\cos B$

3-2 삼각형 ABC에서 다음 등식이 성립할 때, 이 삼각형은 어떤 삼각형인지 말하시오.

(1) $\sin^2 A=\sin^2 B+\sin^2 C$

(2) $a\cos B=b\cos A$

3주

3일 핵심 개념 | 사인법칙과 코사인법칙

삼각형 모양의 자투리땅의 두 변의 길이가 각각 10 m, 8 m이고 그 끼인각의 크기가 $60°$이므로 자투리땅의 넓이는

$\frac{1}{2}\times 10\times 8\times \sin 60° = 20\sqrt{3}\,(\text{m}^2)$

개념 ② 삼각형의 넓이

03 삼각형 ABC의 넓이를 S라 할 때, 다음 ☐ 안에 알맞은 것을 아래 보기에서 찾아 써넣으시오.

보기
$a,\ b,\ c,\ ab,\ bc,\ ca$

❶ 두 변의 길이와 그 끼인각의 크기를 알 때 ⇨ $S=\frac{1}{2}\square \sin C=\frac{1}{2}bc\sin A=\frac{1}{2}ca\sin B$

❷ 세 변의 길이를 알 때 ⇨ $S=\sqrt{s(s-a)(s-b)(s-\square)}$ $\left(\text{단, } s=\frac{a+b+c}{2}\right)$ ← 헤론의 공식이라 한다.

개념 ③ 사각형의 넓이

04 다음 (   ) 안에 주어진 것 중 옳은 것을 고르시오.

❶ 이웃하는 두 변의 길이가 a, b이고, 그 끼인각의 크기가 θ인 평행사변형의 넓이 S는

$S=(ab\sin\theta,\ 2ab\sin\theta)$

❷ 두 대각선의 길이가 p, q이고, 두 대각선이 이루는 각의 크기가 θ인 사각형의 넓이 S는

$S=\left(\frac{1}{2}pq\sin\theta,\ pq\sin\theta\right)$

답 **03** ab, c　**04** $ab\sin\theta$, $\frac{1}{2}pq\sin\theta$

개념 확인 | 사인법칙과 코사인법칙(2)

정답 및 해설 35쪽

삼각형의 넓이

삼각형 ABC의 넓이를 S라 하면

❶ $S=\frac{1}{2}ab\sin C=\frac{1}{2}bc\sin A=\frac{1}{2}ca\sin B$

❷ $S=\sqrt{s(s-a)(s-b)(s-c)}$ $\left(\text{단, } s=\frac{a+b+c}{2}\right)$

참고 ❶ 외접원의 반지름의 길이를 R라 하면

$S=\frac{abc}{4R}$

❷ 내접원의 반지름의 길이를 r라 하면

$S=rs$ $\left(\text{단, } s=\frac{a+b+c}{2}\right)$

사각형의 넓이

❶ 이웃하는 두 변의 길이가 a, b이고, 그 끼인각의 크기가 θ인 평행사변형의 넓이 S는

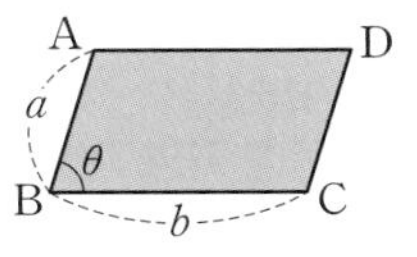

$S=ab\sin\theta$

❷ 두 대각선의 길이가 p, q이고 두 대각선이 이루는 각의 크기가 θ인 사각형의 넓이 S는

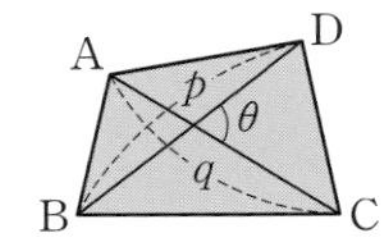

$S=\frac{1}{2}pq\sin\theta$

4-1 다음 삼각형 ABC의 넓이를 구하시오.

(1) $b=8$, $c=3$, $A=60°$

(2) $a=4\sqrt{3}$, $c=8$, $A=60°$

(3) $a=7$, $b=6$, $c=5$

4-2 다음 삼각형 ABC의 넓이를 구하시오.

(1) $a=5$, $b=3$, $C=120°$

(2) $b=2\sqrt{3}$, $c=2$, $B=120°$

(3) $a=4$, $b=5$, $c=6$

5-1 오른쪽 그림과 같은 사각형 ABCD의 넓이를 구하시오.

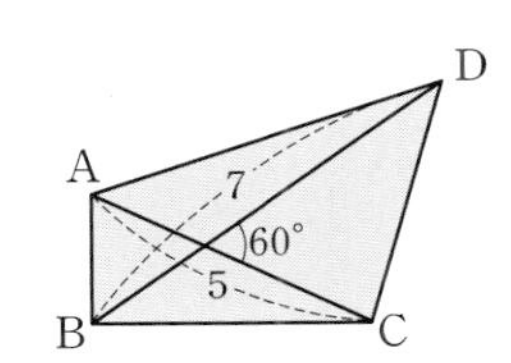

5-2 오른쪽 그림과 같은 사각형 ABCD의 넓이를 구하시오.

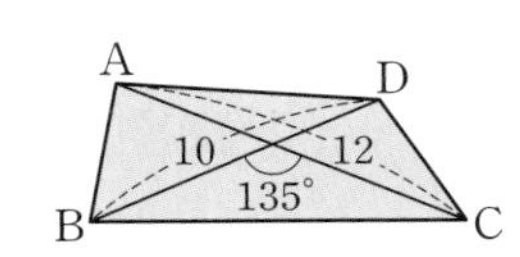

3
주

3일 기초 유형 | 사인법칙과 코사인법칙

2019 9월 실시
고2 교육청 가형 7번

쌍둥이 교과서 문제

1-1

반지름의 길이가 5인 원에 내접하는 삼각형 ABC에 대하여 $\angle BAC=\frac{\pi}{4}$일 때, 선분 BC의 길이를 구하시오. [3점]

Tip 삼각형 ABC의 외접원의 반지름의 길이를 R라 하면

$\frac{a}{\sin A}=\frac{b}{\sin B}=\frac{c}{\sin C}=2R$

풀이

사인법칙에 의하여 $\frac{\overline{BC}}{\sin\frac{\pi}{4}}=2\times\square$

$\therefore \overline{BC}=2\times\square\times\sin\frac{\pi}{4}=\square$

답 $5\sqrt{2}$

1-2

삼각형 ABC의 외접원의 반지름의 길이가 4이고, $A=60°$, $b=4\sqrt{2}$일 때, C의 크기를 구하시오.

2010 이전
고2 교육청

2-1

오른쪽 그림과 같이 반지름의 길이가 R인 원 O에 내접하는 삼각형 ABC가 있다.

$\overline{AB}=5$, $\overline{AC}=6$, $\cos A=\frac{3}{5}$

일 때, $16R$의 값을 구하시오. [4점]

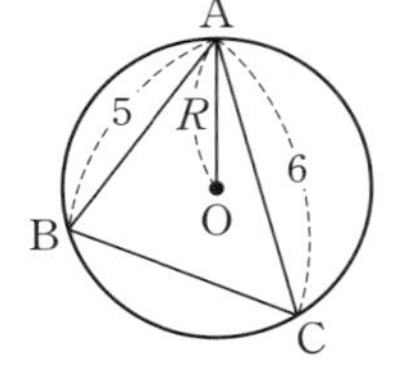

Tip 삼각형 ABC에서 $a^2=b^2+c^2-2bc\cos A$

풀이

코사인법칙에 의하여

$\overline{BC}^2=5^2+6^2-2\times5\times6\times\frac{3}{5}=25 \qquad \therefore \overline{BC}=5$

$\sin A>0$이므로

$\sin A=\sqrt{1-\cos^2 A}=\sqrt{1-\left(\frac{3}{5}\right)^2}=\frac{\square}{5}$

사인법칙에 의하여 $\frac{\overline{BC}}{\sin A}=2R$이므로

$\frac{5}{\frac{\square}{5}}=2R$, $2R=\frac{25}{\square} \qquad \therefore 16R=\square$

답 50

2-2

삼각형 ABC에서 $a=5$, $b=3$, $C=120°$일 때, 이 삼각형의 외접원의 반지름의 길이를 구하시오.

2-3

반지름의 길이가 R인 원에 내접하는 삼각형 ABC에서 $b=3$, $c=4$, $\cos A=\frac{2}{3}$일 때, $10R$의 값을 구하시오.

2020 9월 실시
고2 교육청 10번

쌍둥이 교과서 문제

3-1

삼각형 ABC에서

$$\frac{2}{\sin A}=\frac{3}{\sin B}=\frac{4}{\sin C}$$

일 때, $\cos C$의 값을 구하시오. [3점]

Tip 삼각형 ABC에서 $a:b:c=\sin A:\sin B:\sin C$

풀이

사인법칙에 의하여

$a:b:c=\sin A:\sin B:\sin C=2:3:4$이므로

$a=2k,\ b=3k,\ c=4k\ (k>0)$로 놓으면 코사인법칙으로부터

$$\cos C=\frac{a^2+b^2-c^2}{\square}$$

$$=\frac{(2k)^2+(3k)^2-(4k)^2}{2\times 2k\times 3k}=-\frac{\square}{4}$$

답 $-\frac{1}{4}$

3-2

삼각형 ABC에서

$A:B:C=1:1:4$

일 때, $a:b:c$를 구하시오.

3-3

삼각형 ABC에서

$\sin A:\sin B:\sin C=4:5:6$

일 때, $\cos A$의 값을 구하시오.

2019 11월 실시
고2 교육청 나형 25번

4-1

$\overline{AB}=15$이고 넓이가 50인 삼각형 ABC에 대하여 $\angle ABC=\theta$라 할 때, $\cos\theta=\frac{\sqrt{5}}{3}$이다. 선분 BC의 길이를 구하시오. [3점]

Tip 삼각형 ABC의 넓이를 S라 하면

$S=\frac{1}{2}ab\sin C=\frac{1}{2}bc\sin A=\frac{1}{2}ca\sin B$

풀이

$\sin\theta>0$이므로

$$\sin\theta=\sqrt{1-\cos^2\theta}=\sqrt{1-\left(\frac{\sqrt{5}}{3}\right)^2}=\frac{2}{\square}$$

삼각형 ABC의 넓이를 S라 하면

$S=\frac{1}{2}\times\overline{AB}\times\overline{BC}\times\sin\theta$이므로

$$50=\frac{1}{2}\times 15\times\overline{BC}\times\frac{2}{\square}$$

$\square\ \overline{BC}=50 \qquad \therefore \overline{BC}=\square$

답 10

4-2

삼각형 ABC에서 $a=8,\ b=3,\ \cos C=\frac{1}{3}$일 때, 삼각형 ABC의 넓이를 구하시오.

4-3

삼각형 ABC에서 $c=2,\ A=120°$이고, 이 삼각형의 넓이가 $\frac{3\sqrt{3}}{2}$일 때, b의 값을 구하시오.

3 주

4일 핵심 개념 | 등차수열

차례로 늘어놓은 수의 열을 수열이라 하고, 수열을 이루는 각각의 수를 그 수열의 항이라 한다. 이때 앞에서부터 차례로 첫째항, 둘째항, 셋째항, …, n째항, … 또는 제1항, 제2항, 제3항, …, 제n항, …이라 한다. 수열 3, 5, 7, 9, …에서 첫째항은 3이고 제4항은 9이다.

개념 ① 수열의 뜻

[01~02] 다음 ( ) 안에 주어진 것 중 옳은 것을 고르시오.

01 차례로 늘어놓은 수의 열을 (수열, 항)이라 하고, 수열을 이루는 각각의 수를 그 수열의 (항, 일반항)이라 한다.

02 일반항이 a_n인 수열을 간단히 기호로 ($\{a_n\}$, $[a_n]$)과 같이 나타낸다.

[03~04] 다음 ☐ 안에 알맞은 것을 아래 보기에서 찾아 써넣으시오.

보기
2, 3, 4, 5, 7, 9

03 수열 1, 2, 3, 4, 5, 6, …의 제2항은 ☐이고, 제4항은 ☐이다.

04 수열 1, 3, 5, 7, 9, 11, …의 제3항은 ☐이고, 제5항은 ☐이다.

답 **01** 수열, 항 **02** $\{a_n\}$ **03** 2, 4 **04** 5, 9

개념 확인 | 등차수열(1)

정답 및 해설 37쪽

수열

❶ 차례로 늘어놓은 수의 열을 수열이라 한다.

❷ 수열을 이루는 각각의 수를 그 수열의 항이라 한다. 각 항은 앞에서부터 차례로 첫째항, 둘째항, 셋째항, $\cdots$, n째항, $\cdots$ 또는 제1항, 제2항, 제3항, $\cdots$, 제n항, $\cdots$이라 한다.

수열의 일반항

일반적으로 수열을 나타낼 때는 각 항에 번호를 붙여

$$a_1, a_2, a_3, \cdots, a_n, \cdots$$

과 같이 나타내고, 제n항 a_n을 그 수열의 일반항이라 한다. 또 일반항이 a_n인 수열을 간단히 기호로 $\{a_n\}$과 같이 나타낸다.

1-1 수열 $\{a_n\}$의 일반항이 다음과 같을 때, 첫째항부터 제4항까지 차례로 나열하시오.

(1) $a_n=n+2$

(2) $a_n=n^2-1$

(3) $a_n=(-1)^n$

1-2 수열 $\{a_n\}$의 일반항이 다음과 같을 때, 첫째항부터 제4항까지 차례로 나열하시오.

(1) $a_n=-3n$

(2) $a_n=n^3$

(3) $a_n=2^n-1$

2-1 다음 수열 $\{a_n\}$의 일반항을 추측하시오.

(1) $2, 3, 4, 5, \cdots$

(2) $4, 8, 12, 16, \cdots$

(3) $\frac{1}{3}, \frac{2}{3}, 1, \frac{4}{3}, \cdots$

2-2 다음 수열 $\{a_n\}$의 일반항을 추측하시오.

(1) $3, 5, 7, 9, \cdots$

(2) $1, 4, 9, 16, \cdots$

(3) $\frac{1}{2}, \frac{2}{3}, \frac{3}{4}, \frac{4}{5}, \cdots$

3주

4일 핵심 개념 | 등차수열

달력에서 같은 요일의 날짜들은 7일 간격으로 나열되어 있고, 국제 스포츠 대회인 올림픽은 4년마다 열린다. 또 어떤 지하철노선은 12분마다 한 대씩 출발한다고 한다. 이처럼 여러 가지 현상들에서 규칙을 찾아내면 이를 활용하여 다양한 문제를 해결할 수 있다.

개념 2 등차수열의 뜻

[05~06] 다음 (   ) 안에 주어진 것 중 옳은 것을 고르시오.

05 첫째항부터 차례로 일정한 수를 더하여 만든 수열을 (등차수열, 등비수열)이라 한다.

06 등차수열에서 더하는 일정한 수를 (공차, 공비)라 한다.

개념 3 등차수열의 일반항

[07~08] 수열 $\{a_n\}$의 일반항이 $a_n=3n-2$일 때, 다음 ☐ 안에 알맞은 것을 아래 보기에서 찾아 써넣으시오.

보기
1, 2, 3, 4, 7, 10

07 첫째항이 ☐, 공차가 ☐인 등차수열이다.

08 제2항은 ☐, 제4항은 ☐이다.

답 05 등차수열 06 공차 07 1, 3 08 4, 10

개념 확인 | 등차수열 (2)

정답 및 해설 37쪽

등차수열

❶ 첫째항부터 차례로 일정한 수를 더하여 만든 수열을 등차수열이라 하고, 더하는 일정한 수를 공차라 한다.

❷ 공차가 d인 등차수열 $\{a_n\}$에서 제n항에 공차 d를 더하면 제$(n+1)$항이 되므로

$$a_{n+1}=a_n+d\ (n=1, 2, 3, \cdots)$$

가 성립한다.

참고 $a_{n+1}-a_n=d\ (n=1, 2, 3, \cdots)$

등차수열의 일반항

첫째항이 a, 공차가 d인 등차수열 $\{a_n\}$의 일반항은

$$a_n=a+(n-1)d\ (n=1, 2, 3, \cdots)$$

등차중항

세 수 a, b, c가 이 순서대로 등차수열을 이룰 때, b를 a와 c의 등차중항이라 한다.

$$b-a=c-b \iff b=\frac{a+c}{2}$$

3-1 다음 등차수열 $\{a_n\}$의 일반항을 구하시오.

(1) 첫째항이 -1, 공차가 2인 수열

(2) 4, 9, 14, 19, $\cdots$

4-1 다음을 만족시키는 등차수열 $\{a_n\}$의 일반항을 구하시오.

(1) $a_1=3$, $a_3=-7$

(2) $a_4=14$, $a_7=23$

5-1 다음 세 수가 주어진 순서대로 등차수열을 이룰 때, x의 값을 구하시오.

(1) 4, x, 18

(2) 13, 9, x

3-2 다음 등차수열 $\{a_n\}$의 일반항을 구하시오.

(1) 첫째항이 2, 공차가 -3인 수열

(2) -2, 4, 10, 16, $\cdots$

4-2 다음을 만족시키는 등차수열 $\{a_n\}$의 일반항을 구하시오.

(1) $a_2=1$, $a_4=9$

(2) $a_5=-7$, $a_9=-15$

5-2 다음 세 수가 주어진 순서대로 등차수열을 이룰 때, x의 값을 구하시오.

(1) 7, x, -1

(2) x, 5, 11

4일 기초 유형 | 등차수열

2019 3월 실시
고3 교육청 나형 2번

1-1

첫째항이 7, 공차가 3인 등차수열의 제7항을 구하시오. [2점]

Tip 첫째항이 a, 공차가 d인 등차수열의 일반항 a_n은
$a_n=a+(n-1)d$ $(n=1, 2, 3, \cdots)$

풀이

주어진 등차수열의 일반항을 a_n이라 하면 첫째항이 7, 공차가 3이므로

$a_n=\square+(n-1)\times3=3n+\square$

$\therefore a_7=3\times7+4=\square$

답 25

쌍둥이 교과서 문제

1-2

첫째항이 2, 공차가 5인 등차수열 $\{a_n\}$에서 a_{10}의 값을 구하시오.

2019 6월
평가원 나형 24번

2-1

등차수열 $\{a_n\}$에 대하여

$a_5=5$, $a_{15}=25$

일 때, a_{20}의 값을 구하시오. [3점]

Tip 주어진 항을 첫째항 a와 공차 d에 대한 식으로 나타낸다.

풀이

등차수열 $\{a_n\}$의 첫째항을 a, 공차를 d라 하면

$a_5=a+4d=5$ ……㉠

$a_{15}=a+14d=25$ ……㉡

㉠, ㉡을 연립하여 풀면 $a=\square$, $d=2$

따라서 $a_n=\square+(n-1)\times2=2n-\square$이므로

$a_{20}=2\times20-\square=35$

답 35

2-2

제5항이 16, 제8항이 25인 등차수열 $\{a_n\}$의 제13항을 구하시오.

2-3

제31항이 85, 제45항이 127인 등차수열 $\{a_n\}$에서 175는 제몇 항인지 구하시오.

2017 3월 실시
고3 교육청 나형 23번

3-1

등차수열 $\{a_n\}$에 대하여

$a_2=2,\ a_5-a_3=6$

일 때, a_6의 값을 구하시오. [3점]

Tip 주어진 조건을 등차수열의 첫째항 a와 공차 d에 대한 식으로 나타낸다.

풀이

등차수열 $\{a_n\}$의 첫째항을 a, 공차를 d라 하면

$a_2=a+d=2$ ……㉠

$a_5-a_3=(a+4d)-(a+2d)=2d=6$ $\therefore d=$ ☐

$d=$ ☐ 을(를) ㉠에 대입하여 풀면 $a=$ ☐

따라서 $a_n=-1+(n-1)\times3=3n-4$이므로

$a_6=3\times6-4=$ ☐

답 14

쌍둥이 교과서 문제

3-2

등차수열 $\{a_n\}$에서 $a_3=10$, $a_2+a_5=24$일 때, a_7의 값을 구하시오.

3-3

등차수열 $\{a_n\}$에서 $a_3+a_5=26$, $a_4-a_7=-12$일 때, 93은 제몇 항인지 구하시오.

3주

2020 9월 실시
고2 교육청 23번

4-1

네 수 x, 7, y, 13이 이 순서대로 등차수열을 이룰 때, $x+2y$의 값을 구하시오. [3점]

Tip 세 수 a, b, c가 이 순서대로 등차수열을 이루면

$b=\frac{a+c}{2}$

풀이

7은 x와 y의 등차중항이므로

$7=\frac{x+y}{\square}$ $\therefore x+y=$ ☐ ……㉠

y는 7과 13의 등차중항이므로

$y=\frac{7+13}{2}=$ ☐

$y=10$을 ㉠에 대입하여 풀면 $x=$ ☐

$\therefore x+2y=24$

답 24

4-2

다섯 개의 수 2, x, 8, y, 14가 이 순서대로 등차수열일 때, $y-x$의 값을 구하시오.

일 핵심 개념 | 등차수열의 합

$1+2+3+\cdots+10$은 첫째항이 1, 공차가 1인 등차수열의 첫째항부터 제10항까지의 합과 같으므로

$1+2+3+\cdots+10=\dfrac{10\times(1+10)}{2}=55$

따라서 처음 초콜릿의 개수는 $55+2=57$이다.

개념 1 등차수열의 합

[01~03] 다음 ☐ 안에 알맞은 것을 아래 보기에서 찾아 써넣으시오.

> 보기
>
> a_n, S_n, $-a$, a, $2a$, n

01 수열 $\{a_n\}$에서 첫째항부터 제n항까지의 합은 기호로 ☐ 와(과) 같이 나타낸다.

02 첫째항이 a, 제n항이 l인 등차수열의 첫째항부터 제n항까지의 합 S_n은

$$S_n=\frac{n(\square+l)}{2}$$

03 첫째항이 a, 공차가 d인 등차수열의 첫째항부터 제n항까지의 합 S_n은

$$S_n=\frac{n\{\square+(n-1)d\}}{2}$$

답 01 S_n 02 a 03 $2a$

개념 확인 | 등차수열의 합(1)

정답 및 해설 38쪽

등차수열의 합

등차수열의 첫째항부터 제n항까지의 합 S_n은

❶ 첫째항이 a, 제n항이 l일 때 ⇨ $S_n=\frac{n(a+l)}{2}$ ← 제n항 l이 주어진 경우

❷ 첫째항이 a, 공차가 d일 때 ⇨ $S_n=\frac{n\{2a+(n-1)d\}}{2}$ ← 공차 d가 주어진 경우

1-1 첫째항 a, 제n항 l이 다음과 같은 등차수열 $\{a_n\}$에서 첫째항부터 주어진 제n항까지의 합 S_n을 구하시오.

(1) $a=-4$, $l=10$, $n=8$

(2) $a=5$, $l=35$, $n=11$

1-2 첫째항 a와 공차 d가 다음과 같은 등차수열 $\{a_n\}$에서 첫째항부터 주어진 제n항까지의 합 S_n을 구하시오.

(1) $a=1$, $d=-2$, $n=9$

(2) $a=-3$, $d=5$, $n=15$

2-1 다음 등차수열의 합을 구하시오.

(1) $-15, -11, -7, -3, \cdots, 37$

(2) $9, 12, 15, 18, \cdots, 66$

2-2 다음 등차수열의 합을 구하시오.

(1) $7, 2, -3, -8, \cdots, -38$

(2) $-26, -24, -22, -20, \cdots, 10$

3-1 다음 등차수열의 첫째항부터 제10항까지의 합을 구하시오.

(1) $10, 8, 6, 4, \cdots$

(2) $-1, 5, 11, 17, \cdots$

3-2 다음 등차수열의 첫째항부터 제20항까지의 합을 구하시오.

(1) $17, 10, 3, -4, \cdots$

(2) $2, 6, 10, 14, \cdots$

5일 핵심 개념 | 등차수열의 합

n번째 손님에게 나누어 줄 사탕의 개수를 a_n이라 하고, 수열 $\{a_n\}$의 첫째항부터 제n항까지의 합을 S_n이라 하면 $S_{30}=960$, $S_{29}=899$이므로

$a_{30}=S_{30}-S_{29}=960-899=61$

수열 $\{a_n\}$의 첫째항을 a, 공차를 d라 하면 $a_{30}=a+29d=61$

또 $S_{30}=960$에서 $\frac{30(2a+29d)}{2}=960$, $2a+29d=64$

두 식을 연립하여 풀면 $a=3$, $d=2$

따라서 등차수열 $\{a_n\}$의 첫째항은 3, 공차는 2이다.

개념 ② 등차수열의 합과 일반항 사이의 관계

[04~08] 수열 $\{a_n\}$의 첫째항부터 제n항까지의 합 S_n에 대하여 다음 $\square$ 안에 알맞은 것을 아래 보기에서 찾아 써넣으시오.

보기

$1,\ 2,\ S_1,\ S_4,\ S_{n-1},\ S_{n+1}$

04 $a_1=\square$

05 $a_5=S_5-\square$

06 $a_n=S_n-\square\ (n\geq 2)$

07 $a_n=S_n-S_{n-1}\ (n\geq 2)$을 이용하여 구한 a_n이 $n=\square$인 경우에도 성립하는지 반드시 확인해야 한다.

08 a_n이 $n=1$인 경우에 성립하지 않으면 수열 $\{a_n\}$의 일반항은 $n\geq\square$일 경우에 성립하므로 $n=1$인 경우는 따로 써 주어야 한다.

답 **04** S_1 **05** S_4 **06** S_{n-1} **07** 1 **08** 2

개념 확인 | 등차수열의 합(2)

정답 및 해설 39쪽

등차수열의 합과 일반항 사이의 관계

수열 $\{a_n\}$의 첫째항부터 제n항까지의 합을 S_n이라 하면

$a_1=S_1$, $a_n=S_n-S_{n-1}\,(n\geq 2)$

참고 ❶ 수열의 합과 일반항 사이의 관계는 등차수열뿐만 아니라 일반적인 수열에도 적용된다.

❷ $S_n=An^2+Bn+C$ (A, B, C는 상수)일 때

(i) $C=0$이면 수열 $\{a_n\}$은 첫째항부터 등차수열을 이룬다.

(ii) $C\neq 0$이면 수열 $\{a_n\}$은 제2항부터 등차수열을 이룬다.

4-1 수열 $\{a_n\}$의 첫째항부터 제n항까지의 합 S_n이 $S_n=2n^2+n$일 때, 다음을 구하시오.

(1) a_1

(2) a_3

(3) a_5

(4) a_{10}

4-2 수열 $\{a_n\}$의 첫째항부터 제n항까지의 합 S_n이 $S_n=n^2-3n+1$일 때, 다음을 구하시오.

(1) a_1

(2) a_2

(3) a_6

(4) a_9

5-1 수열 $\{a_n\}$의 첫째항부터 제n항까지의 합 S_n이 다음과 같을 때, 수열의 일반항을 구하시오.

(1) $S_n=3n^2-2n$

(2) $S_n=n^2+1$

5-2 수열 $\{a_n\}$의 첫째항부터 제n항까지의 합 S_n이 다음과 같을 때, 수열의 일반항을 구하시오.

(1) $S_n=n^2+2n$

(2) $S_n=2n^2-5n+1$

6-1 첫째항부터 제n항까지의 합 S_n이 $S_n=n^2+5n$인 등차수열 $\{a_n\}$의 첫째항과 공차를 구하시오.

6-2 첫째항부터 제n항까지의 합 S_n이 $S_n=2n^2-n$인 등차수열 $\{a_n\}$의 첫째항과 공차를 구하시오.

5일

기초 유형 | 등차수열의 합

2017 4월 실시
고3 교육청 나형 5번

쌍둥이 교과서 문제

1-1

첫째항이 3이고 공차가 2인 등차수열 $\{a_n\}$의 첫째항부터 제10항까지의 합을 구하시오. [3점]

Tip 첫째항이 a, 공차가 d인 등차수열의 합 S_n은
$S_n=\dfrac{n\{2a+(n-1)d\}}{2}$

풀이
등차수열 $\{a_n\}$의 첫째항부터 제10항까지의 합은
$\dfrac{\square(2\times3+9\times\square)}{2}=\square$

답 120

1-2

제4항이 7, 제11항이 21인 등차수열의 첫째항부터 제20항까지의 합을 구하시오.

2015 3월 실시
고3 교육청 B형 9번

2-1

등차수열 $\{a_n\}$에 대하여

$a_3=26,\ a_9=8$

일 때, 첫째항부터 제n항까지의 합이 최대가 되도록 하는 자연수 n의 값을 구하시오. [3점]

Tip 처음으로 음수가 되는 항이 제k항이면 첫째항부터 제$(k-1)$항까지의 합이 최대가 된다.

풀이
등차수열 $\{a_n\}$의 첫째항을 a, 공차를 d라 하면
$a_3=a+2d=26$ ······㉠
$a_9=a+8d=8$ ······㉡
㉠, ㉡을 연립하여 풀면 $a=\square$, $d=\square$
$a_n=32+(n-1)\times(-3)=-3n+35$
$-3n+35<0$에서 $n>\dfrac{35}{3}=11.666\cdots$
처음으로 음수가 되는 항은 제$\square$항이므로 첫째항부터 제$\square$항까지의 합이 최대가 된다.
따라서 구하는 자연수 n의 값은 11이다.

답 11

2-2

첫째항이 25, 공차가 -3인 등차수열 $\{a_n\}$의 첫째항부터 제n항까지의 합을 S_n이라 할 때, S_n의 값이 최대가 되도록 하는 자연수 n의 값을 구하시오.

2-3

제5항이 22, 제15항이 -18인 등차수열 $\{a_n\}$에 대하여 첫째항부터 제n항까지의 합을 S_n이라 할 때, S_n의 최댓값을 구하시오.

2019 11월 실시
고2 교육청 가형 24번

쌍둥이 교과서 문제

3-1

수열 $\{a_n\}$의 첫째항부터 제n항까지의 합을 S_n이라 하자.

$S_n=n^2+n+1$

일 때, a_1+a_4의 값을 구하시오. [3점]

Tip 수열 $\{a_n\}$의 첫째항부터 제n항까지의 합을 S_n이라 하면
$a_1=S_1$, $a_4=S_4-S_3$

풀이

$a_1=S_1=1+1+1=$ ☐

$a_4=S_4-S_3=(16+4+1)-(9+3+1)=$ ☐

$\therefore a_1+a_4=$ ☐

답 11

3-2

수열 $\{a_n\}$의 첫째항부터 제n항까지의 합을 S_n이라 하자.

$S_n=3n^2+n-1$

일 때, $a_1+a_3+a_5$의 값을 구하시오.

2020 3월 실시
고3 교육청 가형 5번

4-1

수열 $\{a_n\}$의 첫째항부터 제n항까지의 합을 S_n이라 할 때, $S_n=2n^2-3n$이다. $a_n>100$을 만족시키는 자연수 n의 최솟값을 구하시오. [3점]

Tip 수열 $\{a_n\}$의 첫째항부터 제n항까지의 합을 S_n이라 하면
$a_1=S_1$, $a_n=S_n-S_{n-1}$ $(n\geq 2)$

풀이

(i) $n\geq 2$일 때

$a_n=S_n-S_{n-1}$

$=(2n^2-3n)-\{2(n-1)^2-3(n-1)\}$

$=4n-$ ☐ ……㉠

(ii) $n=1$일 때

$a_1=S_1=2-3=$ ☐ ……㉡

이때 ㉠에 $n=1$을 대입하면 $a_1=-1$이므로 ㉡과 같다.

(i), (ii)에서 $a_n=4n-5$

$a_n>100$에서 $4n-5>100$ $\quad\therefore n>\frac{105}{4}=26.25$

따라서 구하는 자연수 n의 최솟값은 ☐ 이다.

답 27

4-2

수열 $\{a_n\}$의 첫째항부터 제n항까지의 합 S_n이 $S_n=3n^2-4n$일 때, 일반항을 구하시오.

4-3

수열 $\{a_n\}$의 첫째항부터 제n항까지의 합을 S_n이라 하자. $S_n=n^2-12n$일 때, $a_n<0$을 만족시키는 자연수 n의 개수를 구하시오.

누구나 100점 테스트

1

| 2017 3월 실시 고3 교육청 가형 1번 |

$\sin \frac{7}{6}\pi$의 값은?

① $-\frac{\sqrt{3}}{2}$　② $-\frac{\sqrt{2}}{2}$　③ $-\frac{1}{2}$

④ $\frac{1}{2}$　⑤ $\frac{\sqrt{2}}{2}$

2

| 2020 11월 실시 고2 교육청 12번 |

$\cos\theta=\frac{1}{4}$일 때, $3\sin\left(\frac{\pi}{2}+\theta\right)+\cos(\pi-\theta)$의 값은?

① 0　② $\frac{1}{4}$　③ $\frac{1}{2}$

④ $\frac{3}{4}$　⑤ 1

3

| 2019 6월 실시 고2 교육청 나형 3번 |

방정식 $\sin\left(x-\frac{\pi}{6}\right)=\frac{1}{2}$의 해는? $\left(단, 0\le x\le\frac{\pi}{2}\right)$

① 0　② $\frac{\pi}{6}$　③ $\frac{\pi}{4}$

④ $\frac{\pi}{3}$　⑤ $\frac{\pi}{2}$

4

| 2018 4월 실시 고3 교육청 가형 9번 |

$0\le x<2\pi$에서 부등식 $2\sin x+1<0$의 해가 $\alpha<x<\beta$일 때, $\cos(\beta-\alpha)$의 값은?

① $-\frac{\sqrt{3}}{2}$　② $-\frac{1}{2}$　③ 0

④ $\frac{1}{2}$　⑤ $\frac{\sqrt{3}}{2}$

$2\sin x+1<0$에서 $\sin x<-\frac{1}{2}$이므로 함수 $y=\sin x$의 그래프와 직선 $y=-\frac{1}{2}$을 그려 생각해 봐.

5

| 2021 9월 평가원 나형 25번 |

$\overline{AB}=6$, $\overline{AC}=10$인 삼각형 ABC가 있다. 선분 AC 위에 점 D를 $\overline{AB}=\overline{AD}$가 되도록 잡는다. $\overline{BD}=\sqrt{15}$일 때, 선분 BC의 길이를 k라 하자. k^2의 값을 구하시오.

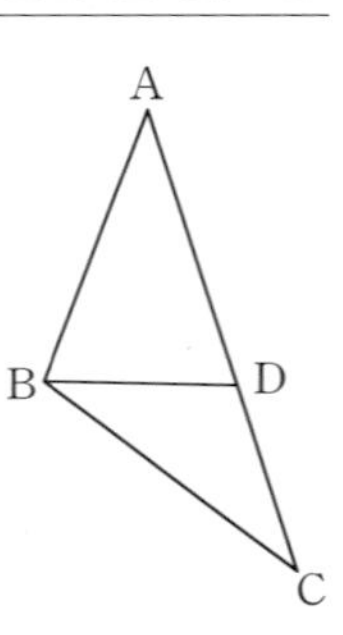

정답 및 해설 41쪽

6

| 2020 7월 실시 고3 교육청 가형 7번 |

$\overline{\mathrm{AB}}=2$, $\overline{\mathrm{AC}}=\sqrt{7}$인 예각삼각형 ABC의 넓이가 $\sqrt{6}$이다. $\angle \mathrm{A}=\theta$일 때, $\sin\left(\frac{\pi}{2}+\theta\right)$의 값은?

① $\frac{\sqrt{3}}{7}$ ② $\frac{2}{7}$ ③ $\frac{\sqrt{5}}{7}$
④ $\frac{\sqrt{6}}{7}$ ⑤ $\frac{\sqrt{7}}{7}$

7

| 2020 10월 실시 고3 교육청 나형 5번 |

등차수열 $\{a_n\}$에 대하여

$$a_1+a_2+a_3=15,\ a_3+a_4+a_5=39$$

일 때, 수열 $\{a_n\}$의 공차는?

① 1 ② 2 ③ 3
④ 4 ⑤ 5

8

| 2017 6월 실시 고2 교육청 나형 23번 |

네 수 3, a, b, 12가 이 순서대로 등차수열을 이룰 때, $a+b$의 값을 구하시오.

9

| 2015 3월 실시 고2 교육청 나형 25번 |

등차수열 $\{a_n\}$에서

$$a_1+2a_{10}=34,\ a_1-a_{10}=-14$$

일 때, 첫째항부터 제10항까지의 합을 구하시오.

10

| 2018 7월 실시 고3 교육청 나형 25번 |

등차수열 $\{a_n\}$의 첫째항부터 제n항까지의 합을 S_n이라 하자.

$$a_2=7,\ S_7-S_5=50$$

일 때, a_{11}의 값을 구하시오.

S_n과 a_n 사이의 관계를 생각해 봐.

3주

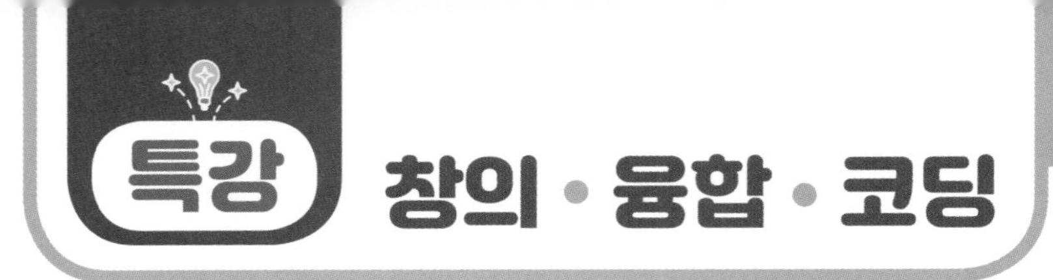
특강
창의 • 융합 • 코딩

정답 및 해설 42쪽

어느 공장에서 생산하는 직원뿔대 모양의 유리컵의 높이는 $a(\mathrm{cm})$이고 크기와 모양은 모두 일정하다. [그림 1]과 같이 유리컵 두 개를 밑면이 지면과 평행하도록 지면 위에 포개어 쌓으면 유리컵 한 개의 높이의 $\frac{2}{3}$만큼 항상 겹치게 된다. [그림 2]와 같이 유리컵 3개를 이와 같은 방법으로 쌓을 때, 지면으로부터 마지막으로 쌓은 유리컵의 밑면까지의 높이가 $20(\mathrm{cm})$이다. 유리컵 6개를 이와 같은 방법으로 쌓을 때, 지면으로부터 마지막으로 쌓은 유리컵의 밑면까지의 높이는 $k(\mathrm{cm})$이다. k의 값을 구하시오. (단, 유리컵을 쌓은 지면은 평평하다.)

[2015 6월 실시 고2 교육청 가형 10번]

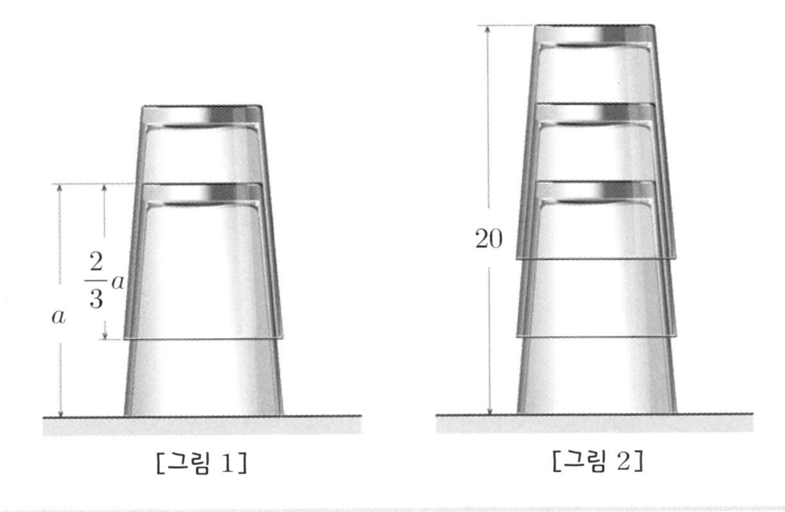

[그림 1] [그림 2]

3 주

1 2010 이전 고2 교육청

삼각함수의 성질 ⊕ 로그의 성질

❶ $\theta=15^\circ$일 때, ❷ $\log_3 \tan\theta+\log_3 \tan 3\theta+\log_3 \tan 5\theta$를 간단히 하시오.

❶ $\theta=15^\circ$를 이용하여 $\log_3 \tan\theta$, $\log_3 \tan 3\theta$, $\log_3 \tan 5\theta$를 각각 간단히 한다.

> **$\frac{\pi}{2}-x$의 삼각함수**
>
> ❶ $\sin\left(\frac{\pi}{2}-x\right)=\cos x$
>
> ❷ $\cos\left(\frac{\pi}{2}-x\right)=\sin x$
>
> ❸ $\tan\left(\frac{\pi}{2}-x\right)=\frac{1}{\tan x}$

$\theta=15^\circ$이므로

$\log_3 \tan\theta=\log_3 \tan 15^\circ$

$\log_3 \tan 3\theta=\log_3 \tan 45^\circ=\log_3 1=\boxed{}$

$\log_3 \tan 5\theta=\log_3 \tan 75^\circ=\log_3 \tan(90^\circ-15^\circ)=\log_3 \frac{1}{\boxed{}}$

❷ $\log_3 \tan\theta+\log_3 \tan 3\theta+\log_3 \tan 5\theta$를 간단히 한다.

> **로그의 성질**
>
> $a>0$, $a\neq1$, $M>0$, $N>0$일 때
>
> ❶ $\log_a MN=\log_a M+\log_a N$
>
> ❷ $\log_a \frac{M}{N}=\log_a M-\log_a N$

$\therefore \log_3 \tan\theta+\log_3 \tan 3\theta+\log_3 \tan 5\theta$

$=\log_3 \tan 15^\circ+\log_3 \frac{1}{\boxed{}}$

$=\log_3\left(\tan 15^\circ\times\frac{1}{\boxed{}}\right)$

$=\log_3 \boxed{}=0$

답 0

정답 및 해설 42쪽

2 2020 9월 실시 고2 교육청 12번

삼각함수가 포함된 부등식 ⊕ 이차부등식

❶, ❷ $0 \le x < 2\pi$일 때, x에 대한 부등식

$\sin^2 x - 4\sin x - 5k + 5 \ge 0$

이 ❸ 항상 성립하도록 하는 ❹ 실수 k의 최댓값을 구하시오.

길잡이

❶ $\sin x = t$로 놓고 주어진 부등식을 t에 대한 식으로 치환한다.

❷ ❶의 부등식의 좌변을 $f(t)$라 하고, $f(t)$의 최솟값을 구한다.

❸ $f(t) \ge 0$이 항상 성립하려면 ($f(t)$의 최솟값)≥ 0이어야 함을 이용하여 k의 값의 범위를 구한다.

❹ 실수 k의 최댓값을 구한다.

3 주

3 2019 수능 가형 11번

삼각함수가 포함된 방정식 ⊕ 이차방정식의 근의 판별

$0 \le \theta < 2\pi$일 때, x에 대한 ❶ 이차방정식 $6x^2 + (4\cos\theta)x + \sin\theta = 0$이 실근을 갖지 않도록 하는 ❷ 모든 θ의 값의 범위는 $\alpha < \theta < \beta$이다. ❸ $3\alpha + \beta$의 값을 구하시오.

길잡이

❶ 주어진 이차방정식이 실근을 갖지 않으려면 (이차방정식의 판별식)<0임을 이용하여 부등식을 세운다.

❷ ❶의 부등식의 해를 구하여 α, β의 값을 구한다.

❸ $3\alpha + \beta$의 값을 구한다.

4 2013년 4월 실시 고3 교육청 B형 23번

등차수열의 일반항 ⊕ 일차방정식의 해

❶ 공차가 2인 등차수열 $\{a_n\}$이
❷ $|a_3-1|=|a_6-3|$
을 만족시킨다. 이때 ❸ $a_n>92$를 만족시키는 자연수 n의 최솟값을 구하시오.

❶ a_3, a_6을 첫째항 a에 대한 식으로 나타낸다.

> **등차수열의 일반항**
> 첫째항이 a, 공차가 d인 등차수열의 일반항 a_n은
> $a_n=a+(n-1)d\ (n=1, 2, 3, \cdots)$

공차가 2인 등차수열 $\{a_n\}$의 첫째항을 a라 하면

$a_3=a+2\times2=a+4$, $a_6=a+\square\times2=a+\square$

❷ 첫째항 a의 값을 구하여 일반항 a_n을 구한다.

> **절댓값을 포함한 일차방정식의 풀이**
> 절댓값을 포함한 방정식은 다음 절댓값의 성질을 이용하여 절댓값 기호를 없앤 후 푼다.
> $|A|=\begin{cases} A & (A\geq0) \\ -A & (A<0) \end{cases}$

$|a_3-1|=|a_6-3|$에서 $|a+4-1|=|a+10-3|$

$|a+3|=|a+7|$ $\quad\therefore a+3=a+7$ 또는 $a+3=-(a+7)$

(i) $a+3=a+7$일 때

$0=4$가 되어 성립하지 않는다.

(ii) $a+3=-(a+7)$일 때

$a+3=-a-7$ $\quad\therefore a=\square$

(i), (ii)에서 $a=-5$이므로

$a_n=-5+(n-1)\times2=2n-7$

❸ 자연수 n의 최솟값을 구한다.

$2n-7>92$에서 $2n>99$ $\quad\therefore n>\frac{99}{2}=49.5$

따라서 구하는 자연수 n의 최솟값은 $\square$이다.

답 50

정답 및 해설 43쪽

5 2015 3월 실시 고3 교육청 A형 13번

등차중항 ⊕ 로그의 성질

양의 실수 x에 대하여 $f(x)$가 다음과 같다.

$$f(x)=\log x$$

❶ 세 실수 $f(3)$, $f(3^t+3)$, $f(12)$가 ❷ 이 순서대로 등차수열을 이룰 때, ❸ 실수 t의 값을 구하시오.

길잡이

❶ 세 실수 $f(3)$, $f(3^t+3)$, $f(12)$의 값을 구한다.
❷ 등차중항을 이용하여 $f(3)$, $f(3^t+3)$, $f(12)$ 사이의 관계를 식으로 나타낸다.
❸ 실수 t의 값을 구한다.

3주

6 2020 6월 평가원 나형 13번

등차중항 ⊕ 이차방정식의 해

자연수 n에 대하여 x에 대한 ❶ 이차방정식 $x^2-nx+4(n-4)=0$이 서로 다른 두 실근 α, $\beta(\alpha<\beta)$를 갖고, ❷ 세 수 1, α, β가 이 순서대로 등차수열을 이룰 때, ❸ n의 값을 구하시오.

길잡이

❶ 이차방정식 $x^2-nx+4(n-4)=0$의 해를 구한다.
❷ 등차중항을 이용하여 1, α, β 사이의 관계를 식으로 나타낸다.
❸ 자연수 n의 값을 구한다.

Week 4

4주에는 무엇을 공부할까? ①

공부할 내용

❶ 등비수열의 일반항과 합 구하기
❷ $\sum$의 뜻을 알고 그 성질 이해하기
❸ 여러 가지 수열의 합 구하기
❹ 수열의 귀납적 정의와 수학적 귀납법 이해하기

4
주

배운 내용 다시보기

1 다음 ☐ 안에 알맞은 수를 써넣으시오. (단, $a \neq 0$)

(1) $a^2 \times a^3 = a^{\square}$　　(2) $a^3 \times a^{\square} = a^{10}$

(3) $(a^2)^3 = a^{\square}$　　(4) $a^6 \div a^{\square} = a^4$

2 다음 수열의 일반항 a_n을 추측해 보시오.

(1) $2, 4, 6, 8, 10, \cdots$

(2) $\frac{1}{1\times2}, \frac{1}{2\times3}, \frac{1}{3\times4}, \frac{1}{4\times5}, \frac{1}{5\times6}, \cdots$

3 다음 등차수열의 일반항 a_n을 구하시오.

(1) 첫째항 5, 공차 2　　(2) 첫째항 10, 공차 -3

답 **1** (1) 5 (2) 7 (3) 6 (4) 2　**2** (1) $a_n=2n$ (2) $a_n=\frac{1}{n(n+1)}$　**3** (1) $a_n=2n+3$ (2) $a_n=-3n+13$

천연 효모빵
4일
수열의 귀납적 정의
100%
천연주스
먹거리도 많고
도미노 게임 같은 놀이도
즐길 수 있네!

4
주

배운 내용 다시보기

4 다음을 간단히 하시오.

(1) $\frac{1}{x(x+1)}+\frac{1}{(x+1)(x+2)}$ (2) $\frac{1}{1+\sqrt{2}}+\frac{1}{\sqrt{2}+\sqrt{3}}$

5 다음 다항식을 전개하시오.

(1) $(a+1)^2$ (2) $(a+1)^3$

6 다음 명제의 참, 거짓을 판별하시오.

(1) 모든 자연수 n에 대하여 n이 짝수이면 n^2도 짝수이다.

(2) 모든 자연수 n에 대하여 n^2+3n은 4의 배수이다.

답 **4** (1) $\frac{2}{x(x+2)}$ (2) $\sqrt{3}-1$ **5** (1) a^2+2a+1 (2) a^3+3a^2+3a+1 **6** (1) 참 (2) 거짓

1일

핵심 개념 | 등비수열

개념 ① 등비수열의 뜻

[01~02] 다음 (　　) 안에 주어진 것 중 옳은 것을 고르시오.

01 첫째항에 차례로 일정한 수를 곱하여 만든 수열을 (등차수열, 등비수열)이라 한다.

02 등비수열에서 곱하는 일정한 수를 (공차, 공비)라 한다.

개념 ② 등비수열의 일반항

[03~04] 수열 $\{a_n\}$의 일반항이 $a_n=2^n$일 때, 다음 ☐ 안에 알맞은 것을 아래 보기에서 찾아 써넣으시오.

• 보기 •

2, 6, 8, 10, 16, 32

03 첫째항이 ☐, 공비가 ☐인 등비수열이다.

04 제3항은 ☐, 제5항은 ☐이다.

답 **01** 등비수열 **02** 공비 **03** 2, 2 **04** 8, 32

개념 확인 | 등비수열(1)

정답 및 해설 44쪽

등비수열

❶ 첫째항에 차례로 일정한 수를 곱하여 만든 수열을 등비수열이라 하고, 곱하는 일정한 수를 공비라 한다.

❷ 공비가 r $(r\neq0)$인 등비수열 $\{a_n\}$에서 제n항에 공비 r를 곱하면 제$(n+1)$항이 되므로

$$a_{n+1}=ra_n \ (n=1, 2, 3, \cdots)$$

이 성립한다.

참고 $\dfrac{a_{n+1}}{a_n}=r \ (n=1, 2, 3, \cdots)$

등비수열의 일반항

첫째항이 a, 공비가 r $(r\neq0)$인 등비수열 $\{a_n\}$의 일반항은

$$a_n=ar^{n-1} \ (n=1, 2, 3, \cdots)$$

등비중항

0이 아닌 세 수 a, b, c가 이 순서대로 등비수열을 이룰 때, b를 a와 c의 등비중항이라 한다.

$$\frac{b}{a}=\frac{c}{b} \iff b^2=ac$$

1-1 다음 등비수열 $\{a_n\}$의 일반항을 구하시오.

(1) 첫째항이 4, 공비가 2인 수열

(2) $1, 2, 4, 8, \cdots$

2-1 다음을 만족시키는 등비수열 $\{a_n\}$의 일반항을 구하시오.

(1) $a_1=2$, $a_4=54$

(2) $a_3=1$, $a_6=\dfrac{1}{64}$

3-1 다음 세 수가 주어진 순서대로 등비수열을 이룰 때, x의 값을 구하시오.

(1) $2, x, 32$

(2) $-\dfrac{1}{3}, x, -\dfrac{1}{27}$

1-2 다음 등비수열 $\{a_n\}$의 일반항을 구하시오.

(1) 첫째항이 -25, 공비가 4인 수열

(2) $5, -5, 5, -5, \cdots$

2-2 다음을 만족시키는 등비수열 $\{a_n\}$의 일반항을 구하시오.

(1) $a_2=-2$, $a_5=16$

(2) $a_4=5$, $a_7=625$

3-2 다음 세 수가 주어진 순서대로 등비수열을 이룰 때, x의 값을 구하시오.

(1) $1, x, 121$

(2) $\dfrac{\sqrt{2}}{2}, x, \sqrt{2}$

4주

핵심 개념 | 등비수열

한 명이 두 명을 지목하는 것을 [1단계], [1단계]에서 지목을 받은 사람이 각자 다른 두 명을 지목하는 것을 [2단계]라 하자. 이와 같은 방법으로 계속할 때, [10단계]까지 지목 받은 사람 수의 총합을 S라 하면

$S=2+2^2+2^3+\cdots+2^{10}$

양변에 2를 곱하면

$2S=2^2+2^3+2^4+\cdots+2^{11}$

두 식을 변끼리 빼면 $S=2^{11}-2=2046$(명)

개념 3 등비수열의 합

[05~07] 다음 $\square$ 안에 알맞은 것을 아래 보기에서 찾아 써넣으시오.

보기
$1-r,\quad r-1,\quad r,\quad (n-1)a,\quad na$

05 첫째항이 a, 공비가 r $(r<1)$인 등비수열의 첫째항부터 제n항까지의 합 S_n은 $S_n=\dfrac{a(1-r^n)}{\square}$

06 첫째항이 a, 공비가 r $(r>1)$인 등비수열의 첫째항부터 제n항까지의 합 S_n은 $S_n=\dfrac{a(r^n-1)}{\square}$

07 첫째항이 a, 공비가 1인 등비수열의 첫째항부터 제n항까지의 합 S_n은 $S_n=\square$

답 **05** $1-r$ **06** $r-1$ **07** na

개념 확인 | 등비수열(2)

정답 및 해설 44쪽

등비수열의 합

첫째항이 a, 공비가 r인 등비수열의 첫째항부터 제n항까지의 합 S_n은

❶ $r\neq1$일 때 ⇨ $S_n=\frac{a(1-r^n)}{1-r}=\frac{a(r^n-1)}{r-1}$

❷ $r=1$일 때 ⇨ $S_n=na$

참고 $r<1$일 때는 $S_n=\frac{a(1-r^n)}{1-r}$, $r>1$일 때는 $S_n=\frac{a(r^n-1)}{r-1}$을 이용하면 편리하다.

등비수열의 합과 일반항 사이의 관계

등비수열 $\{a_n\}$의 첫째항부터 제n항까지의 합을 S_n이라 하면

$$a_1=S_1,\ a_n=S_n-S_{n-1}\ (n\geq2)$$

참고 등비수열 $\{a_n\}$에서 상수 p, q에 대하여 $S_n=pr^n+q$일 때

❶ $p+q=0$이면 수열 $\{a_n\}$은 첫째항부터 등비수열을 이룬다.

❷ $p+q\neq0$이면 수열 $\{a_n\}$은 제2항부터 등비수열을 이룬다.

4-1 첫째항 a와 공비 r가 다음과 같은 등비수열 $\{a_n\}$의 첫째항부터 제n항까지의 합 S_n을 구하시오.

(1) $a=3,\ r=4$

(2) $a=2,\ r=\frac{1}{5}$

4-2 첫째항 a와 공비 r가 다음과 같은 등비수열 $\{a_n\}$의 첫째항부터 제n항까지의 합 S_n을 구하시오.

(1) $a=\sqrt{2},\ r=-3$

(2) $a=-\frac{3}{2},\ r=2$

5-1 다음 등비수열의 첫째항부터 제n항까지의 합을 구하시오.

(1) $3,\ 9,\ 27,\ 81,\ \cdots$

(2) $4,\ 3,\ \frac{9}{4},\ \frac{27}{16},\ \cdots$

5-2 다음 등비수열의 첫째항부터 제n항까지의 합을 구하시오.

(1) $-3,\ 12,\ -48,\ 192,\ \cdots$

(2) $5,\ 5,\ 5,\ 5,\ \cdots$

6-1 수열 $\{a_n\}$의 첫째항부터 제n항까지의 합 S_n이 $S_n=2\times3^n-2$일 때, 일반항을 구하시오.

6-2 수열 $\{a_n\}$의 첫째항부터 제n항까지의 합 S_n이 $S_n=2^n+1$일 때, 일반항을 구하시오.

1일 기초 유형 | 등비수열

2020 7월 실시
고3 교육청 가형 22번

쌍둥이 교과서 문제

1-1

등비수열 $\{a_n\}$에서 $a_2=6$, $a_5=48$이다. a_6의 값을 구하시오. [3점]

Tip 첫째항이 a, 공비가 r $(r\neq0)$인 등비수열의 일반항 a_n은
$a_n=ar^{n-1}$ $(n=1, 2, 3, \cdots)$

풀이

등비수열 $\{a_n\}$의 첫째항을 a, 공비를 r라 하면

$a_2=ar=6$ ······㉠

$a_5=ar^4=48$ ······㉡

㉡÷㉠을 하면 $r^3=$ ☐

이때 r는 실수이므로 $r=$ ☐

$r=2$를 ㉠에 대입하여 풀면 $a=$ ☐

$\therefore$ $a_6=ar^5=3\times2^5=96$

답 96

1-2

첫째항이 a, 공비가 r인 등비수열 $\{a_n\}$의 제3항이 12, 제7항이 972일 때, ar의 값을 구하시오. (단, $r>0$)

$r>0$이므로 모든 항이 양수인 등비수열이야.

2020 9월 실시
고2 교육청 9번

2-1

모든 항이 양수인 등비수열 $\{a_n\}$에 대하여

$$a_3=4a_1+3a_2$$

일 때, $\frac{a_6}{a_4}$의 값을 구하시오. [3점]

Tip 주어진 등식을 첫째항 a와 공비 r에 대한 식으로 나타낸다.

풀이

등비수열 $\{a_n\}$의 첫째항을 a, 공비를 r라 하면

$a_3=4a_1+3a_2$에서 $ar^2=4a+3ar$

$r^2-3r-4=0$, $(r+$ ☐ $)(r-4)=0$

이때 모든 항이 양수이므로 $r=$ ☐

$\therefore$ $\frac{a_6}{a_4}=\frac{ar^5}{ar^3}=r^2=$ ☐

답 16

2-2

모든 항이 양수인 등비수열 $\{a_n\}$에 대하여

$$a_4=4a_2,\ a_5=a_3+6$$

일 때, a_8의 값을 구하시오.

2-3

등비수열 $\{a_n\}$에서

$$\frac{a_5}{a_2}=2,\ a_4+a_7=12$$

일 때, a_{10}의 값을 구하시오.

2018 10월 실시
고3 교육청 나형 23번

쌍둥이 교과서 문제

3-1

세 수 $a+3$, a, 4가 이 순서대로 등비수열을 이룰 때, 양수 a의 값을 구하시오. [3점]

Tip 0이 아닌 세 수 a, b, c가 이 순서대로 등비수열을 이루면 $b^2=ac$

풀이

a는 $a+3$과 4의 등비중항이므로

$a^2=(a+3)\times 4$, $a^2=4a+$ ☐

a^2-4a- ☐ $=0$, $(a+2)(a-6)=0$

$\therefore a=$ ☐ $(\because a>0)$

답 6

3-2

세 수 $a-9$, 6, $a+7$이 이 순서대로 등비수열을 이루도록 하는 a의 값을 모두 구하시오.

2017 6월 실시
고2 교육청 나형 13번

4-1

등비수열 $\{a_n\}$의 첫째항부터 제n항까지의 합 S_n에 대하여 $S_3=21$, $S_6=189$일 때, a_5의 값을 구하시오. [3점]

Tip 첫째항이 a, 공비가 r $(r\neq 1)$인 등비수열의 첫째항부터 제n항까지의 합 S_n은

$$S_n=\frac{a(1-r^n)}{1-r}=\frac{a(r^n-1)}{r-1}$$

풀이

등비수열 $\{a_n\}$의 첫째항을 a, 공비를 r라 하면

$$S_3=\frac{a(r^3-1)}{r-1}=21 \quad \cdots\cdots ㉠$$

$$S_6=\frac{a(r^6-1)}{r-1}=\frac{a(r^3-1)(r^3+1)}{r-1}=189 \quad \cdots\cdots ㉡$$

㉡÷㉠을 하면 $r^3+1=9$, $r^3=8$

이때 r는 실수이므로 $r=$ ☐

$r=2$를 ㉠에 대입하면 $7a=21$ $\quad\therefore a=$ ☐

$\therefore a_5=ar^4=3\times 2^4=$ ☐

답 48

4-2

등비수열 $\{a_n\}$의 첫째항부터 제n항까지의 합 S_n에 대하여 $\frac{S_4}{S_2}=9$일 때, $\frac{a_5}{a_3}$의 값을 구하시오.

4-3

등비수열 $\{a_n\}$의 첫째항부터 제n항까지의 합을 S_n이라 하자. $S_2=2$, $S_6=26$일 때, S_4의 값을 구하시오.

4주

핵심 개념 | 합의 기호 $\sum$

픽토그램(Pictogram)은 그림을 뜻하는 picto와 전보를 뜻하는 telegram의 합성어로 사물, 시설, 행위 등을 누가 보더라도 그 의미를 쉽게 알 수 있도록 만들어진 그림문자이다.
수학에서도 대부분의 나라에서 공통된 수학 기호를 사용하고 있다. 합의 기호 $\sum$는 자동합계 기능으로 이 기능을 이용하면 계산을 쉽게 할 수 있다.

개념 ① 합의 기호 $\sum$의 뜻

[01~04] 다음 (　　) 안에 주어진 것 중 옳은 것을 고르시오.

01 $\left(\sum_{k=1}^{n} a_k,\ \sum_{k=n}^{1} a_k\right)$는 수열 $\{a_n\}$의 첫째항부터 제n항까지의 합을 합의 기호 $\sum$를 사용하여 나타낸 것이다.

02 $\left(\sum_{k=1}^{m} a_k,\ \sum_{k=m}^{n} a_k\right)$는 $m \le n$일 때, 수열 $\{a_n\}$의 제m항부터 제n항까지의 합을 합의 기호 $\sum$를 사용하여 나타낸 것이다.

03 $\sum_{k=1}^{n} a_k$는 수열의 일반항 a_k의 k에 $1, 2, 3, \cdots, n$을 차례로 대입하여 얻은 항 $a_1, a_2, a_3, \cdots, a_n$의 (곱, 합)을 뜻한다.

04 수열 $\{a_n\}$의 첫째항부터 제n항까지의 합을 S_n이라 하면 $S_n = \left(\sum_{k=1}^{n-1} a_k,\ \sum_{k=1}^{n} a_k\right)$이다.

답 **01** $\sum_{k=1}^{n} a_k$　**02** $\sum_{k=m}^{n} a_k$　**03** 합　**04** $\sum_{k=1}^{n} a_k$

개념 확인 | 합의 기호 $\sum$(1)

■ 정답 및 해설 46쪽

합의 기호 $\sum$의 뜻

수열 $\{a_n\}$의 첫째항부터 제n항까지의 합을 합의 기호 $\sum$를 사용하여

$$a_1+a_2+a_3+\cdots+a_n=\sum_{k=1}^{n}a_k$$

와 같이 나타낸다.

$\sum_{k=1}^{n} a_k$ ← 제n항까지 / 일반항 / 첫째항부터

참고 $\sum_{k=1}^{n}a_k$는 k 대신 다른 문자를 사용하여 $\sum_{i=1}^{n}a_i$, $\sum_{j=1}^{n}a_j$ 등과 같이 나타낼 수 있다.

1-1 다음을 합의 기호 $\sum$를 사용하여 나타내시오.

(1) $1+2+3+\cdots+12$

(2) $2+5+8+\cdots+59$

(3) $3+3^2+3^3+\cdots+3^{14}$

1-2 다음을 합의 기호 $\sum$를 사용하여 나타내시오.

(1) $1^2+3^2+5^2+\cdots+19^2$

(2) $1+2+4+\cdots+512$

(3) $\dfrac{1}{1\times2}+\dfrac{1}{2\times3}+\dfrac{1}{3\times4}+\cdots+\dfrac{1}{99\times100}$

2-1 다음을 합의 기호 $\sum$를 사용하지 않은 합의 꼴로 나타내시오.

(1) $\sum_{k=1}^{7}3k$

(2) $\sum_{k=1}^{5}4$

(3) $\sum_{k=5}^{20}4^{k-2}$

2-2 다음을 합의 기호 $\sum$를 사용하지 않은 합의 꼴로 나타내시오.

(1) $\sum_{k=1}^{9}(4k-3)$

(2) $\sum_{k=1}^{10}k^3$

(3) $\sum_{k=3}^{17}\dfrac{1}{k-2}$

4주

2일

핵심 개념 | 합의 기호 $\sum$

$\sum_{k=1}^{15} 2a_k$의 값은 합의 기호 $\sum$의 성질 중에서

$$\sum_{k=1}^{n} ca_k = c\sum_{k=1}^{n} a_k \text{ (단, } c\text{는 상수)}$$

를 이용하면 쉽게 계산할 수 있다. 즉,

$$\sum_{k=1}^{15} 2a_k = 2\sum_{k=1}^{15} a_k$$

개념 ② 합의 기호 $\sum$의 성질

[05~07] 두 수열 $\{a_n\}$, $\{b_n\}$에 대하여 다음 □ 안에 알맞은 것을 아래 보기에서 찾아 써넣으시오.

보기

$+,\ -,\ \times,\ c,\ n,\ cn$

05 $\sum_{k=1}^{n} (a_k+b_k) = (a_1+b_1)+(a_2+b_2)+(a_3+b_3)+\cdots+(a_n+b_n) = (a_1+a_2+a_3+\cdots+a_n)+(b_1+b_2+b_3+\cdots+b_n)$

$= \sum_{k=1}^{n} a_k \square \sum_{k=1}^{n} b_k$

06 $\sum_{k=1}^{n} ca_k = ca_1+ca_2+ca_3+\cdots+ca_n = c(a_1+a_2+a_3+\cdots+a_n) = \square \sum_{k=1}^{n} a_k$ (단, c는 상수)

07 $\sum_{k=1}^{n} c = \underbrace{c+c+c+\cdots+c}_{n\text{개}} = \square$ (단, c는 상수)

답 05 $+$ 06 c 07 cn

개념 확인 | 합의 기호 Σ(2)

■ 정답 및 해설 46쪽

합의 기호 Σ의 성질

두 수열 $\{a_n\}$, $\{b_n\}$에 대하여

❶ $\sum_{k=1}^{n}(a_k+b_k)=\sum_{k=1}^{n}a_k+\sum_{k=1}^{n}b_k$

❷ $\sum_{k=1}^{n}(a_k-b_k)=\sum_{k=1}^{n}a_k-\sum_{k=1}^{n}b_k$

❸ $\sum_{k=1}^{n}ca_k=c\sum_{k=1}^{n}a_k$ (단, c는 상수)

❹ $\sum_{k=1}^{n}c=cn$ (단, c는 상수)

3-1 $\sum_{k=1}^{5}a_k=3$, $\sum_{k=1}^{5}b_k=8$일 때, 다음 식의 값을 구하시오.

(1) $\sum_{k=1}^{5}(a_k+2b_k)$

(2) $\sum_{k=1}^{5}(7a_k-3b_k)$

(3) $\sum_{k=1}^{5}(2a_k-b_k+4)$

3-2 $\sum_{k=1}^{10}a_k=7$, $\sum_{k=1}^{10}b_k=-2$일 때, 다음 식의 값을 구하시오.

(1) $\sum_{k=1}^{10}(2a_k-b_k)$

(2) $\sum_{k=1}^{10}(3a_k-2b_k)$

(3) $\sum_{k=1}^{10}(-a_k+4b_k+2)$

4-1 $\sum_{k=1}^{4}a_k=9$, $\sum_{k=1}^{4}a_k^2=15$일 때, 다음 식의 값을 구하시오.

(1) $\sum_{k=1}^{4}(a_k^2+a_k-3)$

(2) $\sum_{k=1}^{4}(a_k+1)^2$

(3) $\sum_{k=1}^{4}(a_k+2)(a_k-2)$

4-2 $\sum_{k=1}^{15}a_k=-3$, $\sum_{k=1}^{15}a_k^2=6$일 때, 다음 식의 값을 구하시오.

(1) $\sum_{k=1}^{15}a_k(a_k-5)$

(2) $\sum_{k=1}^{15}(2a_k+3)^2$

(3) $\sum_{k=1}^{15}(a_k-2)(a_k+1)$

4주

2일 기초 유형 | 합의 기호 $\sum$

2021
수능 나형 12번

쌍둥이 교과서 문제

1-1

수열 $\{a_n\}$은 $a_1=1$이고, 모든 자연수 n에 대하여

$$\sum_{k=1}^{n}(a_k-a_{k+1})=-n^2+n$$

을 만족시킨다. a_{11}의 값을 구하시오. [3점]

Tip 수열 $\{a_n\}$의 첫째항부터 제n항까지의 합은
$a_1+a_2+a_3+\cdots+a_n=\sum_{k=1}^{n}a_k$

풀이

$\sum_{k=1}^{n}(a_k-a_{k+1})$
$=(a_1-a_2)+(a_2-a_3)+(a_3-a_4)+\cdots+(a_n-a_{n+1})$
$=a_1-a_{n+1}$
$=\square-a_{n+1}$
$1-a_{n+1}=-n^2+n$에서 $a_{n+1}=n^2-n+1$
$\therefore a_{11}=10^2-10+1=\square$

답 91

1-2

수열 $\{a_n\}$에 대하여 $a_1=10$, $a_{20}=30$일 때,
$\sum_{k=1}^{19}a_{k+1}-\sum_{k=2}^{20}a_{k-1}$의 값을 구하시오.

합의 기호 $\sum$의 뜻을 생각해 봐.

2018 6월 실시
고2 교육청 가형 4번

2-1

$\sum_{k=1}^{10}a_k=7$, $\sum_{k=1}^{10}(2a_k+b_k)=38$일 때, $\sum_{k=1}^{10}b_k$의 값을 구하시오. [3점]

Tip 두 수열 $\{a_n\}$, $\{b_n\}$에 대하여
$\sum_{k=1}^{n}(a_k+b_k)=\sum_{k=1}^{n}a_k+\sum_{k=1}^{n}b_k$

풀이

$\sum_{k=1}^{10}(2a_k+b_k)=\square\sum_{k=1}^{10}a_k+\sum_{k=1}^{10}b_k$
$=2\times\square+\sum_{k=1}^{10}b_k$
$=14+\sum_{k=1}^{10}b_k=38$
$\therefore \sum_{k=1}^{10}b_k=\square$

답 24

2-2

두 수열 $\{a_n\}$, $\{b_n\}$에 대하여

$$\sum_{k=1}^{10}(a_k-2)=8,\ \sum_{k=1}^{10}(2a_k-b_k)=8$$

일 때, $\sum_{k=1}^{10}(a_k+b_k)$의 값을 구하시오.

2020 4월 실시
고3 교육청 가형 5번

3-1

수열 $\{a_n\}$에 대하여 $\sum_{k=1}^{10} a_k=4$, $\sum_{k=1}^{10}(a_k+2)^2=67$일 때, $\sum_{k=1}^{10} a_k^{\,2}$의 값을 구하시오. [3점]

Tip 두 수열 $\{a_n\}$, $\{b_n\}$에 대하여
$\sum_{k=1}^{n}(pa_k+qb_k+r)=p\sum_{k=1}^{n}a_k+q\sum_{k=1}^{n}b_k+rn$ (단, p, q, r는 상수)

풀이

$$\begin{aligned}\sum_{k=1}^{10}(a_k+2)^2&=\sum_{k=1}^{10}(a_k^{\,2}+4a_k+4)\\&=\sum_{k=1}^{10}a_k^{\,2}+4\sum_{k=1}^{10}a_k+\sum_{k=1}^{10}4\\&=\sum_{k=1}^{10}a_k^{\,2}+4\times4+\square=67\end{aligned}$$

$\therefore \sum_{k=1}^{10}a_k^{\,2}=\square$

답 11

쌍둥이 교과서 문제

3-2

$\sum_{k=1}^{5}a_k=8$일 때, $\sum_{k=1}^{5}(a_k+1)^2-\sum_{k=1}^{5}(a_k-1)^2$의 값을 구하시오.

3-3

수열 $\{a_n\}$에서

$$\sum_{k=1}^{10}a_k^{\,2}=10,\ \sum_{k=1}^{10}(2a_k-1)^2=34$$

일 때, $\sum_{k=1}^{10}a_k$의 값을 구하시오.

2018 9월 실시
고2 교육청 가형 6번

4-1

수열 $\{a_n\}$이 모든 자연수 n에 대하여 $\sum_{k=1}^{n}a_k=n^2+5n$을 만족시킬 때, a_6의 값을 구하시오. [3점]

Tip 수열의 합과 일반항 사이의 관계에 의하여
$a_n=S_n-S_{n-1}\ (n\ge2)$, 즉 $a_n=\sum_{k=1}^{n}a_k-\sum_{k=1}^{n-1}a_k\ (n\ge2)$

풀이

$$\begin{aligned}a_6&=\sum_{k=1}^{6}a_k-\sum_{k=1}^{5}a_k\\&=(6^2+5\times\square)-(5^2+5\times\square)\\&=66-50=\square\end{aligned}$$

답 16

4-2

수열 $\{a_n\}$에서 $\sum_{k=1}^{n}a_k=n^2-2n+5$일 때, a_{51}의 값을 구하시오.

4주

3일 핵심 개념 | 수열의 합

이집트 가자 지구에 있는 쿠푸 왕의 피라미드는 기원전 2650년경 만들어진 것으로, 이집트의 피라미드 중에서 가장 커다란 것이다. 이것은 정육면체 모양의 석재만을 이용하여 제일 아랫단에 210^2, 그 윗단에 209^2, $\cdots$ 이렇게 쌓아서 만든 것이라 알려져 있다.

이 피라미드와 같은 방법으로 10단 케이크를 만들기 위해 필요한 조각 케이크의 개수는

$$1^2+2^2+3^2+\cdots+10^2=\sum_{k=1}^{10} k^2=\frac{10\times 11\times 21}{6}=385$$

개념 ① 자연수의 거듭제곱의 합

[01~03] 다음 ☐ 안에 알맞은 것을 아래 보기에서 찾아 써넣으시오.

보기

10, 11, 12, 21

01 $1+2+3+\cdots+10=\sum_{k=1}^{10} k=\frac{\square\times 11}{2}=55$

02 $1^2+2^2+3^2+\cdots+10^2=\sum_{k=1}^{10} k^2=\frac{10\times 11\times \square}{6}=385$

03 $1^3+2^3+3^3+\cdots+10^3=\sum_{k=1}^{10} k^3=\left\{\frac{10\times \square}{2}\right\}^2=3025$

답 **01** 10 **02** 21 **03** 11

개념 확인 | 수열의 합(1)

정답 및 해설 48쪽

자연수의 거듭제곱의 합

❶ $1+2+3+\cdots+n=\sum_{k=1}^{n} k=\frac{n(n+1)}{2}$ ← 1부터 n까지의 자연수의 합

❷ $1^2+2^2+3^2+\cdots+n^2=\sum_{k=1}^{n} k^2=\frac{n(n+1)(2n+1)}{6}$ ← 1부터 n까지의 자연수의 제곱의 합

❸ $1^3+2^3+3^3+\cdots+n^3=\sum_{k=1}^{n} k^3=\left\{\frac{n(n+1)}{2}\right\}^2$ ← 1부터 n까지의 자연수의 세제곱의 합

1-1 다음 식의 값을 구하시오.

(1) $\sum_{k=1}^{8}(k+3)$

(2) $\sum_{k=1}^{10}(2k^2-5k)$

(3) $\sum_{k=1}^{6}(k^3-4k+5)$

1-2 다음 식의 값을 구하시오.

(1) $\sum_{k=1}^{9}(1-3k)$

(2) $\sum_{k=1}^{12}(k-1)^2$

(3) $\sum_{k=1}^{5}k(k+1)(k-2)$

2-1 다음 합을 구하시오.

(1) $1+3+5+\cdots+39$

(2) $1\times10+2\times9+3\times8+\cdots+10\times1$

2-2 다음 합을 구하시오.

(1) $3^2+4^2+5^2+\cdots+12^2$

(2) $1^2\times2+2^2\times3+3^2\times4+\cdots+8^2\times9$

3-1 수열 $1, 1+2, 1+2+3, 1+2+3+4, \cdots$의 첫째항부터 제$10$항까지의 합을 구하시오.

3-2 수열 $1, 1+3, 1+3+5, 1+3+5+7, \cdots$의 첫째항부터 제$20$항까지의 합을 구하시오.

4 주

핵심 개념 | 수열의 합

일반항이 분수 꼴인 수열의 합을 구할 때는 일반항을 두 식의 차로 나타내어 구할 수 있다.

$\frac{1}{k(k+1)}=\frac{1}{k}-\frac{1}{k+1}$이므로

$1+\frac{1}{2}+\frac{1}{6}+\frac{1}{12}+\frac{1}{20}+\frac{1}{30}$

$=1+\sum_{k=1}^{5}\frac{1}{k(k+1)}=1+\sum_{k=1}^{5}\left(\frac{1}{k}-\frac{1}{k+1}\right)$

$=1+\left(1-\frac{1}{2}\right)+\left(\frac{1}{2}-\frac{1}{3}\right)+\left(\frac{1}{3}-\frac{1}{4}\right)+\left(\frac{1}{4}-\frac{1}{5}\right)+\left(\frac{1}{5}-\frac{1}{6}\right)$

$=1+\left(1-\frac{1}{6}\right)=\frac{11}{6}$

개념 ② 분수 꼴로 주어진 수열의 합

[04~06] 다음 □ 안에 알맞은 것을 아래 보기에서 찾아 써넣으시오.

> 보기
> $A-B,\ \ B-A,\ \ n-1,\ \ n,\ \ n+1$

04 분모가 두 개 이상의 인수의 곱이면 다음과 같이 부분분수로 변형한다.

$\frac{1}{AB}=\frac{1}{\square}\left(\frac{1}{A}-\frac{1}{B}\right)$ (단, $A\neq B$)

05 $\sum_{k=1}^{n}\frac{1}{k(k+1)}=\sum_{k=1}^{n}\left(\frac{1}{k}-\frac{1}{k+1}\right)=\left(1-\frac{1}{2}\right)+\left(\frac{1}{2}-\frac{1}{3}\right)+\cdots+\left(\frac{1}{n}-\frac{1}{n+1}\right)=1-\frac{1}{\square}$

06 $\sum_{k=1}^{n}\frac{1}{\sqrt{k+1}+\sqrt{k}}=\sum_{k=1}^{n}(\sqrt{k+1}-\sqrt{k})=(\sqrt{2}-\sqrt{1})+(\sqrt{3}-\sqrt{2})+\cdots+(\sqrt{n+1}-\sqrt{n})=\sqrt{\square}-1$

답 **04** $B-A$ **05** $n+1$ **06** $n+1$

개념 확인 | 수열의 합(2)

정답 및 해설 49쪽

분모가 곱으로 표현된 수열의 합

분모가 두 수의 곱으로 주어진 수열은 다음과 같이 부분분수로 변형하여 합을 구한다.

❶ $\sum_{k=1}^{n}\frac{1}{k(k+a)}=\frac{1}{a}\sum_{k=1}^{n}\left(\frac{1}{k}-\frac{1}{k+a}\right)$

❷ $\sum_{k=1}^{n}\frac{1}{(k+a)(k+b)}=\frac{1}{b-a}\sum_{k=1}^{n}\left(\frac{1}{k+a}-\frac{1}{k+b}\right)$

분모에 근호가 포함된 수열의 합

일반항이 무리수 꼴이고, 분모가 무리식인 수열의 합을 구할 때는 분모를 유리화하여 합을 구한다.

$$\sum_{k=1}^{n}\frac{1}{\sqrt{k+1}+\sqrt{k}}=\sum_{k=1}^{n}\frac{\sqrt{k+1}-\sqrt{k}}{(\sqrt{k+1}+\sqrt{k})(\sqrt{k+1}-\sqrt{k})}$$
$$=\sum_{k=1}^{n}(\sqrt{k+1}-\sqrt{k})$$

4-1 다음 식의 값을 구하시오.

(1) $\sum_{k=1}^{8}\frac{1}{k(k+1)}$

(2) $\sum_{k=1}^{10}\frac{1}{(2k-1)(2k+1)}$

5-1 다음 식의 값을 구하시오.

(1) $\sum_{k=1}^{7}\frac{1}{\sqrt{k+2}+\sqrt{k+1}}$

(2) $\sum_{k=1}^{16}\frac{1}{\sqrt{3k+2}+\sqrt{3k-1}}$

6-1 다음 합을 구하시오.

$$\frac{2}{2^2-1}+\frac{2}{3^2-1}+\frac{2}{4^2-1}+\cdots+\frac{2}{11^2-1}$$

4-2 다음 식의 값을 구하시오.

(1) $\sum_{k=1}^{10}\frac{2}{(k+1)(k+3)}$

(2) $\sum_{k=1}^{12}\frac{1}{(3k-1)(3k+2)}$

5-2 다음 식의 값을 구하시오.

(1) $\sum_{k=1}^{12}\frac{1}{\sqrt{2k+3}+\sqrt{2k+1}}$

(2) $\sum_{k=1}^{48}\frac{1}{\sqrt{k+2}+\sqrt{k}}$

6-2 다음 합을 구하시오.

$$\frac{1}{\sqrt{4}+\sqrt{2}}+\frac{1}{\sqrt{6}+\sqrt{4}}+\frac{1}{\sqrt{8}+\sqrt{6}}+\cdots+\frac{1}{\sqrt{32}+\sqrt{30}}$$

3일 기초 유형 | 수열의 합

2017 11월 실시
고2 교육형 나형 24번

1-1

$\sum_{k=1}^{10}(k+1)^2-\sum_{k=1}^{10}(k-1)^2$의 값을 구하시오. [3점]

Tip 1부터 n까지의 자연수의 합은
$\sum_{k=1}^{n}k=\frac{n(n+1)}{2}$

풀이

$\sum_{k=1}^{10}(k+1)^2-\sum_{k=1}^{10}(k-1)^2$

$=\sum_{k=1}^{10}\{(k+1)^2-(k-1)^2\}$

$=\sum_{k=1}^{10}\{(k^2+2k+1)-(k^2-2k+1)\}$

$=\sum_{k=1}^{10}\boxed{}$

$=\boxed{}\times\frac{10\times11}{2}=\boxed{}$

답 220

쌍둥이 교과서 문제

1-2

$\sum_{k=1}^{5}(2k^2+k+1)-\sum_{k=1}^{5}(k^2-k-1)$의 값을 구하시오.

1-3

$\sum_{k=1}^{5}(k+1)^2-\sum_{k=3}^{5}(k^2+1)$의 값을 구하시오.

2016 6월
평가원 A형 24번

2-1

$\sum_{k=1}^{10}(2k+a)=300$일 때, 상수 a의 값을 구하시오. [3점]

Tip 1부터 n까지의 자연수의 합을 이용하여 주어진 등식을 a에 대한 식으로 나타낸다.

풀이

$\sum_{k=1}^{10}(2k+a)=2\sum_{k=1}^{10}k+\sum_{k=1}^{10}a$

$=2\times\frac{10\times11}{2}+10a$

$=110+10a$

따라서 $110+10a=\boxed{}$이므로

$10a=190\qquad\therefore a=\boxed{}$

답 19

2-2

$\sum_{k=1}^{6}(k+a)=45$일 때, 상수 a의 값을 구하시오.

정답 및 해설 50쪽

2020 4월 실시
고3 교육청 가형 13번

쌍둥이 교과서 문제

3-1

$\sum_{n=1}^{20}(-1)^n n^2$의 값을 구하시오. [3점]

Tip n에 1, 2, 3, ⋯, 20을 차례로 대입하여 주어진 식을 합의 꼴로 나타낸다.

풀이

$\sum_{n=1}^{20}(-1)^n n^2$

$=-1^2+2^2-3^2+4^2-\cdots-19^2+20^2$

$=(2^2+4^2+\cdots+20^2)-(1^2+3^2+\cdots+19^2)$

$=\sum_{k=1}^{10}(2k)^2-\sum_{k=1}^{10}(2k-1)^2$

$=\sum_{k=1}^{10}\{4k^2-(4k^2-4k+1)\}$

$=\sum_{k=1}^{10}(4k-1)$

$=\square\times\frac{10\times11}{2}-\square$

$=220-10=\square$

답 210

3-2

$\sum_{k=1}^{20}(-1)^k(k+1)^2$의 값을 구하시오.

합의 꼴로 나타낸 수들 사이의 일반항을 구해 봐.

2020 7월 실시
고3 교육청 가형 8번

4-1

수열 $\{a_n\}$의 일반항이 $a_n=2n+1$일 때, $\sum_{n=1}^{12}\frac{1}{a_n a_{n+1}}$의 값을 구하시오. [3점]

Tip 분모가 두 수의 곱으로 주어진 수열은 부분분수로 변형하여 합을 구한다.

$\sum_{k=1}^{n}\frac{1}{(k+a)(k+b)}=\frac{1}{b-a}\sum_{k=1}^{n}\left(\frac{1}{k+a}-\frac{1}{k+b}\right)$

풀이

$\sum_{n=1}^{12}\frac{1}{a_n a_{n+1}}=\sum_{n=1}^{12}\frac{1}{(2n+1)(2n+3)}$

$=\frac{1}{\square}\sum_{n=1}^{12}\left(\frac{1}{2n+1}-\frac{1}{2n+3}\right)$

$=\frac{1}{2}\left\{\left(\frac{1}{3}-\frac{1}{5}\right)+\left(\frac{1}{5}-\frac{1}{7}\right)+\left(\frac{1}{7}-\frac{1}{9}\right)+\cdots+\left(\frac{1}{25}-\frac{1}{\square}\right)\right\}$

$=\frac{1}{2}\left(\frac{1}{3}-\frac{1}{27}\right)=\frac{\square}{27}$

답 $\frac{4}{27}$

4-2

$\sum_{k=1}^{10}\frac{3}{9k^2-3k-2}$의 값을 구하시오.

4-3

수열 $\{a_n\}$에 대하여 $a_n=\sum_{k=1}^{n}k$일 때, $\sum_{n=1}^{10}\frac{1}{a_n}$의 값을 구하시오.

4주

핵심 개념 | 수열의 귀납적 정의

시간당 부풀어 오른 반죽의 크기를 a_n이라 할 때,

a_n과 a_{n+1} 사이의 관계식은

$a_2=a_1\times(1+0.1)=1.1a_1$

$a_3=a_2\times(1+0.1)=1.1a_2$

$\vdots$

$a_{n+1}=a_n\times(1+0.1)=1.1a_n$

개념 ① **수열의 귀납적 정의**

[01~03] 다음 (　　) 안에 주어진 것 중 옳은 것을 고르시오.

01 수열 $\{a_n\}$에서 처음 몇 개의 항의 값과 이웃하는 여러 항 사이의 관계식으로 수열 $\{a_n\}$을 정의하는 것을 수열의 (귀납법, 귀납적 정의)(이)라 한다.

02 $n=1, 2, 3, \cdots$일 때, 수열 $\{a_n\}$에 대하여 다음은 모두 (등차수열, 등비수열)을 나타내는 관계식이다.

❶ $a_{n+1}-a_n=d$ (일정)　　❷ $a_{n+1}=a_n+d$

❸ $2a_{n+1}=a_n+a_{n+2}$　　❹ $a_{n+2}-a_{n+1}=a_{n+1}-a_n$

03 $n=1, 2, 3, \cdots$일 때, 수열 $\{a_n\}$에 대하여 다음은 모두 (등차수열, 등비수열)을 나타내는 관계식이다.

❶ $\dfrac{a_{n+1}}{a_n}=r$ (일정)　　❷ $a_{n+1}=ra_n$

❸ ${a_{n+1}}^2=a_na_{n+2}$　　❹ $\dfrac{a_{n+2}}{a_{n+1}}=\dfrac{a_{n+1}}{a_n}$

답 **01** 귀납적 정의　**02** 등차수열　**03** 등비수열

개념 확인 | 수열의 귀납적 정의(1)

정답 및 해설 51쪽

수열의 귀납적 정의

일반적으로

(i) 처음 몇 개의 항의 값

(ii) 이웃하는 여러 항 사이의 관계식

으로 수열 $\{a_n\}$을 정의하는 것을 수열의 귀납적 정의라 한다.

등차수열과 등비수열의 귀납적 정의

❶ 첫째항이 a, 공차가 d인 등차수열 $\{a_n\}$의 귀납적 정의는

$a_1=a,\ a_{n+1}=a_n+d\ (n=1, 2, 3, \cdots)$

❷ 첫째항이 a, 공비가 $r\ (r\neq0)$인 등비수열 $\{a_n\}$의 귀납적 정의는

$a_1=a,\ a_{n+1}=ra_n\ (n=1, 2, 3, \cdots)$

1-1 다음과 같이 귀납적으로 정의된 수열 $\{a_n\}$의 첫째항부터 제5항까지 차례로 나열하시오. (단, $n=1, 2, 3, \cdots$)

(1) $a_1=3,\ a_{n+1}=2a_n+1$

(2) $a_1=-1,\ a_{n+1}=-a_n-5$

1-2 다음과 같이 귀납적으로 정의된 수열 $\{a_n\}$의 첫째항부터 제5항까지 차례로 나열하시오. (단, $n=1, 2, 3, \cdots$)

(1) $a_1=4,\ a_{n+1}=a_n+(-1)^n$

(2) $a_1=2,\ a_{n+1}=-3a_n$

2-1 다음과 같이 귀납적으로 정의된 수열 $\{a_n\}$의 제10항을 구하시오. (단, $n=1, 2, 3, \cdots$)

(1) $a_1=1,\ a_{n+1}-a_n=2$

(2) $a_1=-2,\ \dfrac{a_{n+1}}{a_n}=4$

2-2 다음과 같이 귀납적으로 정의된 수열 $\{a_n\}$의 제10항을 구하시오. (단, $n=1, 2, 3, \cdots$)

(1) $a_1=2,\ a_2=5,\ 2a_{n+1}=a_n+a_{n+2}$

(2) $a_1=3,\ a_2=-1,\ {a_{n+1}}^2=a_na_{n+2}$

3-1 $a_1=1,\ a_2=5,\ a_{n+2}-a_{n+1}=a_{n+1}-a_n$과 같이 귀납적으로 정의된 수열 $\{a_n\}$에 대하여 $\sum_{k=1}^{10}a_k$의 값을 구하시오. (단, $n=1, 2, 3, \cdots$)

3-2 $a_1=1,\ a_2=-2,\ \dfrac{a_{n+2}}{a_{n+1}}=\dfrac{a_{n+1}}{a_n}$과 같이 귀납적으로 정의된 수열 $\{a_n\}$에 대하여 $\sum_{k=1}^{10}a_k$의 값을 구하시오. (단, $n=1, 2, 3, \cdots$)

핵심 개념 | 수열의 귀납적 정의

1000 mL의 주스가 들어 있는 천연 주스가 있다. 오늘부터 매일 주스 병에 들어 있던 주스의 $\frac{1}{5}$을 마시고, 150 mL의 물을 새로 넣으려고 한다. n번째 날에 주스 병에 남아 있는 주스의 양을 a_n mL라 할 때, a_n과 a_{n+1} 사이의 관계식은

$a_1=\frac{4}{5}\times1000+150=950$

$a_2=\frac{4}{5}a_1+150$

$a_3=\frac{4}{5}a_2+150$

$\vdots$

$a_{n+1}=\frac{4}{5}a_n+150$

개념 2 여러 가지 수열의 귀납적 정의

[04~05] 다음은 귀납적으로 정의된 수열 $\{a_n\}$의 제3항을 구하는 과정이다. ☐ 안에 알맞은 것을 아래 보기에서 찾아 써넣으시오.

• 보기 •

$-2,\quad -1,\quad 2,\quad 5,\quad 7,\quad 8$

04 $a_1=-1,\ a_{n+1}=a_n+2n+1$

⇨ $a_{n+1}=a_n+2n+1$의 n에 1을 대입하면 $a_2=a_1+2\times1+1=$ ☐

$a_{n+1}=a_n+2n+1$의 n에 2를 대입하면 $a_3=a_2+2\times2+1=$ ☐

05 $a_1=2,\ a_{n+1}=-3a_n+5$

⇨ $a_{n+1}=-3a_n+5$의 n에 1을 대입하면 $a_2=-3a_1+5=$ ☐

$a_{n+1}=-3a_n+5$의 n에 2를 대입하면 $a_3=-3a_2+5=$ ☐

답 **04** 2, 7 **05** -1, 8

개념 확인 | 수열의 귀납적 정의(2)

정답 및 해설 52쪽

여러 가지 수열의 귀납적 정의

❶ $a_{n+1}=a_n+f(n)$ 꼴로 정의된 수열

n에 1, 2, 3, ⋯을 차례로 대입한다.

$a_2=a_1+f(1)$

$a_3=a_2+f(2)=a_1+f(1)+f(2)$

$a_4=a_3+f(3)=a_1+f(1)+f(2)+f(3)$

⋮

❷ $a_{n+1}=a_nf(n)$ 꼴로 정의된 수열

n에 1, 2, 3, ⋯을 차례로 대입한다.

$a_2=a_1f(1)$

$a_3=a_2f(2)=a_1f(1)f(2)$

$a_4=a_3f(3)=a_1f(1)f(2)f(3)$

⋮

4-1 다음과 같이 귀납적으로 정의된 수열 $\{a_n\}$의 제5항을 구하시오. (단, $n=1, 2, 3, \cdots$)

(1) $a_1=2,\ a_{n+1}=a_n+3n$

(2) $a_1=3,\ a_{n+1}=a_n+3^{n-1}$

5-1 다음과 같이 귀납적으로 정의된 수열 $\{a_n\}$의 제6항을 구하시오. (단, $n=1, 2, 3, \cdots$)

(1) $a_1=2,\ a_{n+1}=\dfrac{n+1}{n}a_n$

(2) $a_1=1,\ 2^na_{n+1}=a_n$

6-1 다음과 같이 귀납적으로 정의된 수열 $\{a_n\}$의 제5항을 구하시오. (단, $n=1, 2, 3, \cdots$)

(1) $a_1=4,\ a_{n+1}=2a_n+6$

(2) $a_1=3,\ a_{n+1}=4a_n-7$

4-2 다음과 같이 귀납적으로 정의된 수열 $\{a_n\}$의 제10항을 구하시오. (단, $n=1, 2, 3, \cdots$)

(1) $a_1=-1,\ a_{n+1}=a_n+n^2$

(2) $a_1=1,\ a_{n+1}=a_n+2^n$

5-2 다음과 같이 귀납적으로 정의된 수열 $\{a_n\}$의 제12항을 구하시오. (단, $n=1, 2, 3, \cdots$)

(1) $a_1=\sqrt{3},\ \sqrt{n+1}a_{n+1}=\sqrt{n}a_n$

(2) $a_1=1,\ a_{n+1}=5^{n-1}a_n$

6-2 다음과 같이 귀납적으로 정의된 수열 $\{a_n\}$의 제5항을 구하시오. (단, $n=1, 2, 3, \cdots$)

(1) $a_1=-1,\ a_{n+1}=3a_n+4$

(2) $a_1=2,\ a_{n+1}=-2a_n+3$

4일 기초 유형 | 수열의 귀납적 정의

2019 11월 실시
고2 교육청 나형 8번

1-1

수열 $\{a_n\}$은 $a_1=1$이고, 모든 자연수 n에 대하여

$$a_{n+1}+a_n=n+3$$

을 만족시킨다. a_4의 값을 구하시오. [3점]

Tip 주어진 수열의 관계식의 n에 1, 2, 3을 차례로 대입한다.

풀이

$a_{n+1}+a_n=n+3$에서 $a_{n+1}=-a_n+n+3$

$a_{n+1}=-a_n+n+3$의 n에 1, 2, 3을 차례로 대입하면

$a_2=-a_1+1+3=$ ☐

$a_3=-a_2+2+3=$ ☐

$a_4=-a_3+3+3=$ ☐

답 4

쌍둥이 교과서 문제

1-2

수열 $\{a_n\}$이

$$a_1=0,\ a_n+a_{n+1}=n\ (n=1, 2, 3, \cdots)$$

일 때, a_5의 값을 구하시오.

1-3

수열 $\{a_n\}$이

$$a_1=1,\ a_{n+1}=a_n^2-3\ (n=1, 2, 3, \cdots)$$

일 때, $a_{11}+a_{12}$의 값을 구하시오.

2013 11월 실시
고2 교육청 A형 22번

2-1

수열 $\{a_n\}$은 $a_1=1$이고

$$a_{n+1}=a_n+3\ (n=1, 2, 3, \cdots)$$

을 만족시킨다. a_{30}의 값을 구하시오. [3점]

Tip $a_{n+1}=a_n+d\ (n=1, 2, 3, \cdots)$를 만족시키는 수열 $\{a_n\}$은 등차수열임을 이용한다.

풀이

$a_1=1$, $a_{n+1}=a_n+3$이므로 수열 $\{a_n\}$은 첫째항이 1, 공차가 ☐인 등차수열이다.

$\therefore a_{30}=$ ☐ $+29\times3=$ ☐

답 88

2-2

수열 $\{a_n\}$이

$$a_1=50,\ a_{n+1}-a_n=-3\ (n=1, 2, 3, \cdots)$$

일 때, $a_k=11$을 만족시키는 상수 k의 값을 구하시오.

2014
수능 A형 24번

3-1

수열 $\{a_n\}$이 다음 조건을 만족시킨다.

> (가) $a_1=a_2+3$
> (나) $a_{n+1}=-2a_n\ (n\geq 1)$

a_9의 값을 구하시오. [3점]

Tip $a_{n+1}=ra_n\ (n=1, 2, 3, \cdots)$을 만족시키는 수열 $\{a_n\}$은 등비수열임을 이용한다.

풀이
조건 (나)에 의하여 수열 $\{a_n\}$은 공비가 ☐인 등비수열이다.
$a_2=-2a_1$을 조건 (가)의 $a_1=a_2+3$에 대입하면
$a_1=-2a_1+3,\ 3a_1=3 \qquad \therefore a_1=1$
$\therefore a_9=1\times($☐$)^8=$☐

답 256

쌍둥이 교과서 문제

3-2

수열 $\{a_n\}$이 모든 자연수 n에 대하여 ${a_{n+1}}^2=a_na_{n+2}$를 만족시킨다. $a_2=2,\ a_3=4$일 때, a_6-a_1의 값을 구하시오.

${a_{n+1}}^2=a_na_{n+2}$는 등비수열의 귀납적 정의야.

2017 11월 실시
고2 교육청 나형 12번

4-1

수열 $\{a_n\}$이 모든 자연수 n에 대하여 $a_{n+1}=\frac{n+4}{2n-1}a_n$을 만족시킨다. $a_1=1$일 때, a_5의 값을 구하시오. [3점]

Tip $a_{n+1}=a_nf(n)$ 꼴로 정의된 수열의 n에 1, 2, 3, 4를 차례로 대입한다.

풀이
$a_{n+1}=\frac{n+4}{2n-1}a_n$의 n에 1, 2, 3, 4를 차례로 대입하면
$a_2=5a_1=5$
$a_3=\frac{6}{3}a_2=2\times 5=$☐
$a_4=\frac{7}{5}a_3=\frac{7}{5}\times$☐$=14$
$a_5=\frac{8}{7}a_4=\frac{8}{7}\times 14=$☐

답 16

4-2

수열 $\{a_n\}$이

$$a_1=2,\ a_{n+1}=\frac{2n+1}{2n-1}a_n\ (n=1, 2, 3, \cdots)$$

일 때, a_8의 값을 구하시오.

4-3

$a_1=1,\ a_{n+1}=\frac{n+2}{n}a_n\ (n=1, 2, 3, \cdots)$으로 정의된 수열 $\{a_n\}$의 제6항을 구하시오.

5일 핵심 개념 | 수학적 귀납법

도미노 놀이는 직사각형 모양의 작은 블록을 일정한 간격으로 세워놓고 블록 하나를 넘어뜨리면 다음 블록도 넘어지고, 그 다음 블록들도 차례로 넘어져서 결국은 모든 블록을 넘어지게 하는 놀이이다.
이와 같은 도미노의 원리는 어떤 명제가 모든 자연수에 대하여 성립함을 증명하는 방법인 수학적 귀납법에 이용된다.

개념 ① 수학적 귀납법

[01~04] 다음은 자연수 n에 대한 명제 $p(n)$이 두 조건

(가) $p(1)$이 성립한다. (나) $p(n)$이 성립하면 $p(2n)$이 성립한다.

를 만족시킬 때, 반드시 성립하는 명제를 구하는 과정이다. ☐ 안에 알맞은 것을 아래 보기에서 찾아 써넣으시오.

보기

$p(2)$, $p(4)$, $p(6)$, $p(8)$

01 조건 (가)에서 $p(1)$이 성립하므로 조건 (나)에 의하여 ☐이(가) 성립한다.

02 $p(2)$가 성립하므로 조건 (나)에 의하여 ☐이(가) 성립한다.

03 $p(4)$가 성립하므로 조건 (나)에 의하여 ☐이(가) 성립한다.

04 ☐이(가) 성립한다는 결론을 얻으려면 $p(3)$이 성립한다는 조건이 있어야 하는데 $p(3)$은 성립하는지 성립하지 않는지 알 수 없으므로 ☐도 성립하는지 성립하지 않는지 알 수 없다.

답 **01** $p(2)$ **02** $p(4)$ **03** $p(8)$ **04** $p(6)$, $p(6)$

개념 확인 | 수학적 귀납법(1)

정답 및 해설 54쪽

수학적 귀납법

자연수 n에 대한 명제 $p(n)$이 모든 자연수 n에 대하여 성립함을 증명하려면 다음 두 가지를 보이면 된다.

❶ $n=1$일 때, 명제 $p(n)$이 성립한다.

❷ $n=k$일 때, 명제 $p(n)$이 성립한다고 가정하면 $n=k+1$일 때도 명제 $p(n)$이 성립한다.

이와 같은 방법으로 모든 자연수 n에 대하여 명제 $p(n)$이 성립함을 증명하는 것을 수학적 귀납법이라 한다.

1-1 다음은 모든 자연수 n에 대하여 등식

$$1^2+2^2+3^2+\cdots+n^2=\frac{n(n+1)(2n+1)}{6}$$

이 성립함을 수학적 귀납법으로 증명한 것이다. (가), (나), (다)에 알맞은 것을 구하시오.

(i) $n=1$일 때

(좌변)$=1^2=1$, (우변)$=\frac{1\times2\times3}{6}=$ (가)

이므로 주어진 등식이 성립한다.

(ii) $n=k$일 때 주어진 등식이 성립한다고 가정하면

$$1^2+2^2+3^2+\cdots+k^2=\frac{k(k+1)(2k+1)}{6}$$

위 식의 양변에 (나) 을 더하면

$$1^2+2^2+3^2+\cdots+k^2+(k+1)^2$$
$$=\frac{k(k+1)(2k+1)}{6}+(k+1)^2$$
$$=\frac{(k+1)\{k(2k+1)+6(k+1)\}}{6}$$
$$=\frac{(k+1)(2k^2+7k+6)}{6}$$
$$=\frac{(k+1)(k+2)(\boxed{(다)})}{6}$$
$$=\frac{(k+1)\{(k+1)+1\}\{2(k+1)+1\}}{6}$$

따라서 $n=k+1$일 때도 주어진 등식이 성립한다.

(i), (ii)에서 모든 자연수 n에 대하여 주어진 등식이 성립한다.

1-2 다음은 모든 자연수 n에 대하여 등식

$$1\times2+2\times3+3\times4+\cdots+n(n+1)$$
$$=\frac{n(n+1)(n+2)}{3}$$

가 성립함을 수학적 귀납법으로 증명한 것이다. (가), (나), (다)에 알맞은 것을 구하시오.

(i) $n=1$일 때

(좌변)$=1\times2=$ (가) , (우변)$=\frac{1\times2\times3}{3}=2$

이므로 주어진 등식이 성립한다.

(ii) $n=k$일 때 주어진 등식이 성립한다고 가정하면

$$1\times2+2\times3+3\times4+\cdots+k(k+1)$$
$$=\frac{k(k+1)(k+2)}{3}$$

위 식의 양변에 (나) 를 더하면

$$1\times2+2\times3+3\times4+\cdots+k(k+1)$$
$$+(k+1)(k+2)$$
$$=\frac{k(k+1)(k+2)}{3}+(k+1)(k+2)$$
$$=\frac{(k+1)(k+2)(\boxed{(다)})}{3}$$
$$=\frac{(k+1)\{(k+1)+1\}\{(k+1)+2\}}{3}$$

따라서 $n=k+1$일 때도 주어진 등식이 성립한다.

(i), (ii)에서 모든 자연수 n에 대하여 주어진 등식이 성립한다.

4주

5일 핵심 개념 | 수학적 귀납법

'칭찬합시다.'는 칭찬받은 사람이 다음 사람을 칭찬하는 프로그램이다. 이러한 칭찬 이어가기는 지금도 학교, 공공단체, 기업, 종교단체 등에서 구성원들끼리 서로 격려하게 하며 활기찬 분위기를 만드는 데에 활용되고 있다.

수학적 귀납법을 이용하여 증명할 때, 각 단계별로 정확한 과정을 거치지 않으면 엉터리 결론에 이르게 된다.

개념 ② 수학적 귀납법을 이용한 부등식의 증명

05 다음은 $h>0$일 때, $n\geq 2$인 모든 자연수 n에 대하여 부등식 $(1+h)^n>1+nh$가 성립함을 수학적 귀납법으로 증명한 것이다. □ 안에 알맞은 것을 아래 보기에서 찾아 써넣으시오.

> 보기
>
> $1+h,\quad 1+2h,\quad 1+kh,\quad 1+(k+1)h$

(i) $n=2$일 때 (좌변)$=(1+h)^2=1+2h+h^2$, (우변)$=$□ 이므로 주어진 부등식이 성립한다.

(ii) $n=k\ (k\geq 2)$일 때 주어진 부등식이 성립한다고 가정하면 $(1+h)^k>$□

위 부등식의 양변에 $1+h$를 곱하면 $1+h>0$이므로 $(1+h)^{k+1}>(1+kh)(1+h)$

이때 $(1+kh)(1+h)=1+(k+1)h+kh^2>1+(k+1)h$이므로 $(1+h)^{k+1}>$□

따라서 $n=k+1$일 때도 주어진 부등식이 성립한다.

(i), (ii)에서 $n\geq 2$인 모든 자연수 n에 대하여 주어진 부등식이 성립한다.

답 **05** $1+2h,\ 1+kh,\ 1+(k+1)h$

개념 확인 | 수학적 귀납법 (2)

정답 및 해설 54쪽

수학적 귀납법을 이용한 부등식의 증명

$n \geq a$ (a는 자연수)인 모든 자연수 n에 대하여 명제 $p(n)$이 성립함을 증명하려면 다음 두 가지를 보이면 된다.

❶ $n=a$일 때, 명제 $p(n)$이 성립함을 보인다.

❷ $n=k$ $(k \geq a)$일 때, 명제 $p(n)$이 성립한다고 가정하면 $n=k+1$일 때도 명제 $p(n)$이 성립함을 보인다.

2-1 다음은 $n \geq 2$인 모든 자연수 n에 대하여 부등식

$$1+\frac{1}{2^2}+\frac{1}{3^2}+\cdots+\frac{1}{n^2}<2-\frac{1}{n}$$

이 성립함을 수학적 귀납법으로 증명한 것이다. (가), (나), (다)에 알맞은 것을 구하시오.

(i) $n=2$일 때

(좌변)$=1+\frac{1}{2^2}=$ $\boxed{\text{(가)}}$, (우변)$=2-\frac{1}{2}=\frac{3}{2}$

이므로 주어진 부등식이 성립한다.

(ii) $n=k$ $(k \geq 2)$일 때 주어진 부등식이 성립한다고 가정하면

$$1+\frac{1}{2^2}+\frac{1}{3^2}+\cdots+\frac{1}{k^2}<2-\frac{1}{k}$$

위 부등식의 양변에 $\boxed{\text{(나)}}$을 더하면

$$1+\frac{1}{2^2}+\frac{1}{3^2}+\cdots+\frac{1}{k^2}+\frac{1}{(k+1)^2}<2-\frac{1}{k}+\frac{1}{(k+1)^2}$$

이때

$$\left\{2-\frac{1}{k}+\frac{1}{(k+1)^2}\right\}-\left(2-\frac{1}{k+1}\right)=-\frac{\boxed{\text{(다)}}}{k(k+1)^2}<0$$

즉, $2-\frac{1}{k}+\frac{1}{(k+1)^2}<2-\frac{1}{k+1}$이므로

$$1+\frac{1}{2^2}+\frac{1}{3^2}+\cdots+\frac{1}{k^2}+\frac{1}{(k+1)^2}<2-\frac{1}{k+1}$$

따라서 $n=k+1$일 때도 주어진 부등식이 성립한다.

(i), (ii)에서 $n \geq 2$인 모든 자연수 n에 대하여 주어진 부등식이 성립한다.

2-2 다음은 $n \geq 5$인 모든 자연수 n에 대하여 부등식

$$2^n>n^2$$

이 성립함을 수학적 귀납법으로 증명한 것이다. (가), (나), (다)에 알맞은 것을 구하시오.

(i) $n=5$일 때

(좌변)$=2^5=$ $\boxed{\text{(가)}}$, (우변)$=5^2=25$

이므로 주어진 부등식이 성립한다.

(ii) $n=k$ $(k \geq 5)$일 때 주어진 부등식이 성립한다고 가정하면

$2^k>k^2$

위 부등식의 양변에 $\boxed{\text{(나)}}$를 곱하면

$2^{k+1}>2k^2$

이때 $k \geq 5$이면

$$\begin{aligned}2k^2-(k+1)^2&=2k^2-(k^2+2k+1)\\&=k^2-2k-1\\&=(k-1)^2-2>0\end{aligned}$$

즉, $2k^2>(k+1)^2$이므로

$2^{k+1}>$ $\boxed{\text{(다)}}$

따라서 $n=k+1$일 때도 주어진 부등식이 성립한다.

(i), (ii)에서 $n \geq 5$인 모든 자연수 n에 대하여 주어진 부등식이 성립한다.

4주

일 기초 유형 | 수학적 귀납법

2014 9월
평가원 A형 12번

1-1

수열 $\{a_n\}$은 $a_1=3$이고

$$na_{n+1}-2na_n+\frac{n+2}{n+1}=0\ (n\geq 1)$$

을 만족시킨다. 다음은 일반항 a_n이

$$a_n=2^n+\frac{1}{n} \qquad \cdots\cdots(*)$$

임을 수학적 귀납법으로 증명한 것이다.

> (i) $n=1$일 때
>
> (좌변)$=a_1=3$, (우변)$=2^1+\frac{1}{1}=3$
>
> 이므로 (*)이 성립한다.
>
> (ii) $n=k$일 때 (*)이 성립한다고 가정하면
>
> $a_k=2^k+\frac{1}{k}$이므로
>
> $ka_{k+1}=2ka_k-\frac{k+2}{k+1}$
>
> $=\boxed{(가)}-\frac{k+2}{k+1}$
>
> $=k2^{k+1}+\boxed{(나)}$
>
> 이다. 따라서 $a_{k+1}=2^{k+1}+\frac{1}{k+1}$이므로
>
> $n=k+1$일 때도 (*)이 성립한다.
>
> (i), (ii)에서 모든 자연수 n에 대하여 $a_n=2^n+\frac{1}{n}$이다.

위의 (가), (나)에 알맞은 식을 각각 $f(k)$, $g(k)$라 할 때, $f(3)\times g(4)$의 값을 구하시오. [3점]

Tip $n=k$일 때 등식이 성립한다고 가정하면 $n=k+1$일 때도 등식이 성립함을 보인다.

풀이

(i) $n=1$일 때

(좌변)$=a_1=3$, (우변)$=2^1+\frac{1}{1}=3$

이므로 (*)이 성립한다.

(ii) $n=k$일 때 (*)이 성립한다고 가정하면 $a_k=2^k+\frac{1}{k}$이므로

$ka_{k+1}=2ka_k-\frac{k+2}{k+1}$

$=2k\left(2^k+\frac{1}{k}\right)-\frac{k+2}{k+1}$

$=\boxed{k2^{k+1}+2}-\frac{k+2}{k+1}$

$=k2^{k+1}+\frac{2k+2-(k+2)}{k+1}$

$=k2^{k+1}+\boxed{\frac{k}{k+1}}$

이다. 따라서 $a_{k+1}=2^{k+1}+\frac{1}{k+1}$이므로 $n=k+1$일 때도 (*)이 성립한다.

(i), (ii)에서 모든 자연수 n에 대하여 $a_n=2^n+\frac{1}{n}$이다.

$f(k)=k2^{k+1}+\boxed{}$, $g(k)=\frac{\boxed{}}{k+1}$이므로

$f(3)\times g(4)=(3\times 2^4+2)\times\frac{4}{5}$

$=50\times\frac{4}{5}=\boxed{}$

답 40

1-2

다음은 모든 자연수 n에 대하여 부등식

$$1+\frac{1}{2}+\frac{1}{3}+\cdots+\frac{1}{n}\le\frac{n+1}{2} \quad \cdots\cdots(*)$$

이 성립함을 수학적 귀납법으로 증명한 것이다.

(i) $n=1$일 때

(좌변)$=$ (가) , (우변)$=\frac{1+1}{2}=1$

이므로 부등식 (*)이 성립한다.

(ii) $n=k$일 때 부등식 (*)이 성립한다고 가정하면

$$1+\frac{1}{2}+\frac{1}{3}+\cdots+\frac{1}{k}\le\frac{k+1}{2}$$

위 부등식의 양변에 $\frac{1}{k+1}$을 더하면

$$1+\frac{1}{2}+\frac{1}{3}+\cdots+\frac{1}{k}+\frac{1}{k+1}\le\frac{k+1}{2}+\frac{1}{k+1}$$

이때

$$\frac{k+2}{2}-\left(\frac{k+1}{2}+\frac{1}{k+1}\right)=\frac{\boxed{(나)}}{2(k+1)}\ge0$$

이므로

$$1+\frac{1}{2}+\frac{1}{3}+\cdots+\frac{1}{k}+\frac{1}{k+1}\le\boxed{(다)}$$

따라서 $n=k+1$일 때도 부등식 (*)이 성립한다.

(i), (ii)에서 모든 자연수 n에 대하여 부등식 (*)이 성립한다.

위의 (가)에 알맞은 수를 a, (나), (다)에 알맞은 식을 각각 $f(k)$, $g(k)$라 할 때, $a+f(5)+g(6)$의 값을 구하시오.

1-3

다음은 모든 자연수 n에 대하여 $3^{2n}-1$이 8의 배수임을 수학적 귀납법으로 증명한 것이다.

(i) $n=1$일 때 $3^2-1=8$은 8의 배수이다.

따라서 $n=1$일 때 $3^{2n}-1$은 8의 배수이다.

(ii) $n=k$일 때 $3^{2k}-1$이 8의 배수라 가정하면

$3^{2k}-1=8m$ (m은 자연수)

이므로 $3^{2k}=8m+1$

$n=k+1$일 때

$$3^{2(k+1)}-1=\boxed{(가)}\times3^{2k}-1$$
$$=\boxed{(나)}(9m+1)$$

따라서 $n=k+1$일 때도 $3^{2n}-1$은 8의 배수이다.

(i), (ii)에서 모든 자연수 n에 대하여 $3^{2n}-1$은 8의 배수이다.

위의 (가), (나)에 알맞은 수의 합을 구하시오.

배수의 증명도 등식, 부등식의 증명과 같은 방법으로 하면 돼.

누구나 100점 테스트

1
| 2016 4월 실시 고3 교육청 나형 5번 |

모든 항이 양수인 등비수열 $\{a_n\}$에 대하여 $a_2=5$, $a_{10}=80$일 때, $\frac{a_5}{a_1}$의 값은?

① $\sqrt{2}$　② 2　③ $2\sqrt{2}$　④ 4　⑤ $4\sqrt{2}$

2
| 2018 4월 실시 고3 교육청 나형 24번 |

두 양수 a, b에 대하여 세 수 a^2, 12, b^2이 이 순서대로 등비수열을 이룰 때, $a\times b$의 값을 구하시오.

3
| 2019 수능 나형 24번 |

첫째항이 7인 등비수열 $\{a_n\}$의 첫째항부터 제n항까지의 합을 S_n이라 하자.

$$\frac{S_9-S_5}{S_6-S_2}=3$$

일 때, a_7의 값을 구하시오.

4
| 2018 9월 평가원 나형 11번 |

두 수열 $\{a_n\}$, $\{b_n\}$이 모든 자연수 n에 대하여 $a_n+b_n=10$을 만족시킨다. $\sum_{k=1}^{10}(a_k+2b_k)=160$일 때, $\sum_{k=1}^{10}b_k$의 값은?

① 60　② 70　③ 80　④ 90　⑤ 100

5
| 2018 6월 실시 고2 교육청 나형 9번 |

수열 $\{a_n\}$에 대하여 $\sum_{k=1}^{n}a_k=2^{n+1}-2$일 때, a_5의 값은?

① 30　② 32　③ 34　④ 36　⑤ 38

6
| 2017 수능 나형 25번 |

함수 $f(x)=\frac{1}{2}x+2$에 대하여 $\sum_{k=1}^{15}f(2k)$의 값을 구하시오.

7

| 2017 6월 실시 고2 교육청 나형 14번 |

$\sum_{k=1}^{10}\frac{k^3}{k+1}+\sum_{k=1}^{10}\frac{1}{k+1}$의 값은?

① 340 ② 360 ③ 380
④ 400 ⑤ 420

8

| 2017 3월 실시 고3 교육청 나형 4번 |

수열 $\{a_n\}$이 모든 자연수 n에 대하여

$$a_{n+1}=3a_n$$

을 만족시킨다. $a_2=2$일 때, a_4의 값은?

① 6 ② 9 ③ 12
④ 15 ⑤ 18

9

| 2018 수능 나형 13번 |

수열 $\{a_n\}$은 $a_1=2$이고, 모든 자연수 n에 대하여

$$a_{n+1}=\begin{cases} a_n-1 & (a_n\text{이 짝수인 경우}) \\ a_n+n & (a_n\text{이 홀수인 경우}) \end{cases}$$

를 만족시킨다. a_7의 값은?

① 7 ② 9 ③ 11
④ 13 ⑤ 15

10

| 2016 4월 실시 고3 교육청 나형 18번 |

다음은 모든 자연수 n에 대하여

$$\frac{4}{3}+\frac{8}{3^2}+\frac{12}{3^3}+\cdots+\frac{4n}{3^n}=3-\frac{2n+3}{3^n} \quad \cdots\cdots(*)$$

이 성립함을 수학적 귀납법으로 증명한 것이다.

(i) $n=1$일 때

(좌변)$=\frac{4}{3}$, (우변)$=3-\frac{5}{3}=\frac{4}{3}$

이므로 (*)이 성립한다.

(ii) $n=k$일 때 (*)이 성립한다고 가정하면

$$\frac{4}{3}+\frac{8}{3^2}+\frac{12}{3^3}+\cdots+\frac{4k}{3^k}=3-\frac{2k+3}{3^k}$$

이다.

위 등식의 양변에 $\frac{4(k+1)}{3^{k+1}}$을 더하여 정리하면

$$\frac{4}{3}+\frac{8}{3^2}+\frac{12}{3^3}+\cdots+\frac{4k}{3^k}+\frac{4(k+1)}{3^{k+1}}$$
$$=3-\frac{1}{3^k}\{(2k+3)-(\boxed{(가)})\}$$
$$=3-\frac{\boxed{(나)}}{3^{k+1}}$$

따라서 $n=k+1$일 때도 (*)이 성립한다.

(i), (ii)에서 모든 자연수 n에 대하여 (*)이 성립한다.

위의 (가), (나)에 알맞은 식을 각각 $f(k)$, $g(k)$라 할 때, $f(3)\times g(2)$의 값은?

① 36 ② 39 ③ 42
④ 45 ⑤ 48

4주

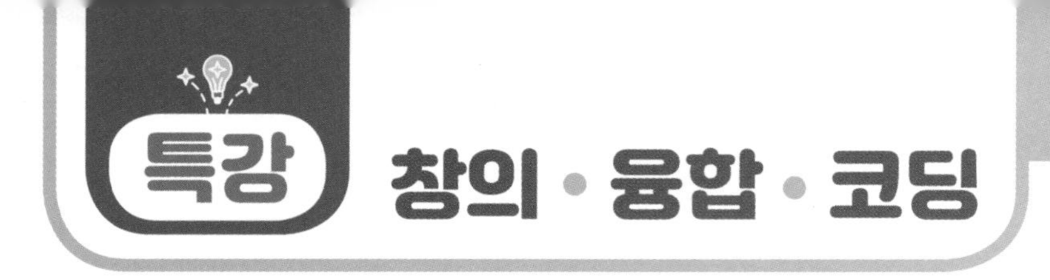
특강
창의 • 융합 • 코딩

정답 및 해설 56쪽

그림과 같이 나무에 55개의 전구가 맨 위 첫 번째 줄에는 1개, 두 번째 줄에는 2개, 세 번째 줄에는 3개, $\cdots$, 열 번째 줄에는 10개가 설치되어 있다. 전원을 넣으면 이 전구들은 다음 규칙에 따라 작동한다.

(가) n이 10 이하의 자연수일 때, n번째 줄에 있는 전구는 n초가 되는 순간 처음 켜진다.

(나) 모든 전구는 처음 켜진 후 1초 간격으로 꺼짐과 켜짐을 반복한다.

전원을 넣고 n초가 되는 순간 켜지는 모든 전구의 개수를 a_n이라고 하자. 예를 들어 $a_1=1$, $a_2=2$, $a_4=6$, $a_{11}=25$이다. $\sum_{n=1}^{14} a_n$의 값을 구하시오.

[2010 이전 평가원]

4주

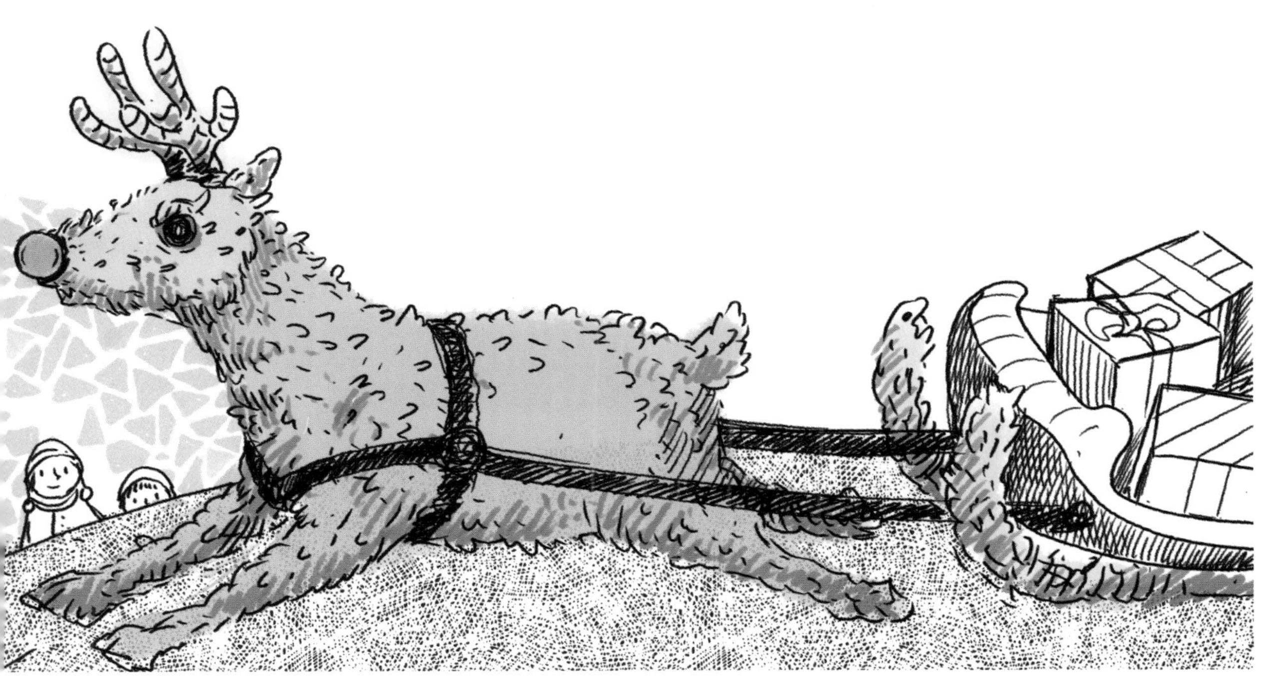

1

2020 3월 실시 고3 교육청 나형 11번

등비수열의 일반항 + 등차수열의 일반항

❶ 등차수열 $\{a_n\}$, 등비수열 $\{b_n\}$에 대하여 $a_1=b_1=3$이고

❷ $b_3=-a_2,\ a_2+b_2=a_3+b_3$

일 때, ❸ a_3의 값을 구하시오.

❶ **등차수열 $\{a_n\}$, 등비수열 $\{b_n\}$의 일반항을 각각 구한다.**

등차수열과 등비수열의 일반항

❶ 첫째항이 a, 공차가 d인 등차수열의 일반항 a_n은

$a_n=a+(n-1)d\ (n=1, 2, 3, \cdots)$

❷ 첫째항이 a, 공비가 $r\ (r\neq0)$인 등비수열의 일반항 a_n은

$a_n=ar^{n-1}\ (n=1, 2, 3, \cdots)$

등차수열 $\{a_n\}$의 공차를 d, 등비수열 $\{b_n\}$의 공비를 r라 하면

$a_n=a_1+(n-1)d=3+(n-1)d$

$b_n=b_1r^{n-1}=3r^{n-1}$

❷ **주어진 조건을 이용하여 공차 d와 공비 r의 값을 구한다.**

등차수열의 뜻

공차가 d인 등차수열에서 제n항에 공차 d를 더하면 제$(n+1)$항이 되므로

$a_{n+1}=a_n+d$, 즉 $a_{n+1}-a_n=d$

$b_3=-a_2$이므로 $a_2+b_2=a_3+b_3$에서 $a_2+b_2=a_3-a_2$

$3+d+3r=d,\ 3r=-3\qquad\therefore r=\square$

이때 $b_3=-a_2$에서 $3r^2=-(3+d)$

$r=-1$을 대입하면 $3\times(-1)^2=-3-d\qquad\therefore d=\square$

❸ **a_3의 값을 구하시오.**

따라서 $a_n=3+(n-1)\times(-6)=-6n+9$이므로

$a_3=-6\times3+9=\square$

답 -9

정답 및 해설 56쪽

2 2016 6월 실시 고2 교육청 나형 13번

등비중항 ⊕ 무리함수의 그래프

함수 $f(x)=\sqrt{x+2}$에 대하여 다음 물음에 답하시오.

양수 a에 대하여 ❶ 세 수 $f\left(\frac{5}{2}\right), a, f(16)$은 ❷ 이 순서대로 등비수열을 이룬다. ❸ a의 값을 구하시오. (단, O는 원점이다.)

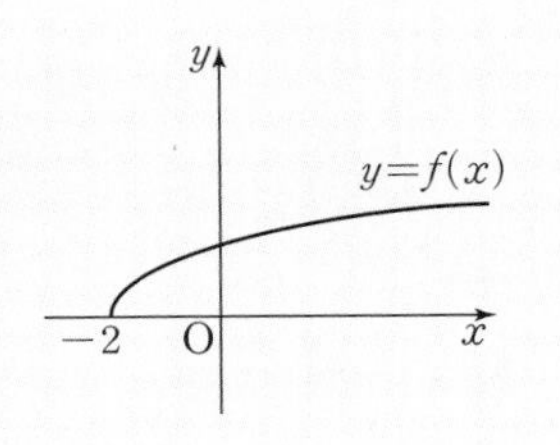

길잡이

❶ $f\left(\frac{5}{2}\right), f(16)$의 값을 구한다.

❷ 등비중항을 이용하여 a와 $f\left(\frac{5}{2}\right), f(16)$ 사이의 관계를 식으로 나타낸다.

❸ 양수 a의 값을 구한다.

3 2017 3월 실시 고3 교육청 가형 7번

합의 기호 $\sum$ ⊕ 로그함수의 그래프

좌표평면에서 자연수 n에 대하여 ❶ 두 곡선 $y=\log_2 x$, $y=\log_2(2^n-x)$가 만나는 점의 x좌표를 a_n이라 할 때, ❷ $\sum_{n=1}^{5} a_n$의 값을 구하시오.

길잡이

❶ 두 로그함수의 그래프가 만나는 점의 x좌표를 구하여 a_n을 구한다.

❷ $\sum_{n=1}^{5} a_n$의 값을 구한다.

4 2020 수능 나형 25번

여러 가지 수열의 합 + 나머지정리

자연수 n에 대하여 ❶ 다항식 $2x^2-3x+1$을 $x-n$으로 나누었을 때의 나머지를 a_n이라 할 때, ❷ $\sum_{n=1}^{7}(a_n-n^2+n)$의 값을 구하시오.

❶ 나머지정리를 이용하여 a_n을 구한다.

> **나머지정리**
> 다항식 $P(x)$를 일차식 $x-\alpha$로 나누었을 때의 나머지를 R라 하면
> $R=P(\alpha)$

다항식 $2x^2-3x+1$을 $x-n$으로 나누었을 때의 나머지 a_n은

$a_n=2n^2-3n+$ □

❷ $\sum_{n=1}^{7}(a_n-n^2+n)$의 값을 구한다.

> **자연수의 거듭제곱의 합**
>
> ❶ $1+2+3+\cdots+n=\sum_{k=1}^{n}k=\frac{n(n+1)}{2}$
>
> ❷ $1^2+2^2+3^2+\cdots+n^2=\sum_{k=1}^{n}k^2=\frac{n(n+1)(2n+1)}{6}$
>
> ❸ $1^3+2^3+3^3+\cdots+n^3=\sum_{k=1}^{n}k^3=\left\{\frac{n(n+1)}{2}\right\}^2$

$$\therefore \sum_{n=1}^{7}(a_n-n^2+n)=\sum_{n=1}^{7}\{(2n^2-3n+1)-n^2+n\}$$
$$=\sum_{n=1}^{7}(n^2-2n+1)$$
$$=\frac{7\times8\times15}{6}-2\times\frac{7\times8}{2}+7$$
$$=140-56+7=\square$$

답 91

다른 풀이

$$\sum_{n=1}^{7}(n^2-2n+1)=\sum_{n=1}^{7}(n-1)^2=\sum_{n=1}^{6}\square$$
$$=\frac{6\times7\times13}{6}=\square$$

정답 및 해설 56쪽

5 2020 9월 실시 고2 교육청 13번

여러 가지 수열의 합 + 원의 접선의 방정식

자연수 n에 대하여 좌표평면 위의 ❷ 점 $(n, 0)$을 중심으로 하고 반지름의 길이가 1인 원을 O_n이라 하자. ❶ 점 $(-1, 0)$을 지나고 원 O_n과 제1사분면에서 접하는 직선의 기울기를 a_n이라 할 때, ❸ $\sum_{n=1}^{5} {a_n}^2$의 값을 구하시오.

길잡이

❶ 점 $(-1, 0)$을 지나고 기울기가 a_n인 직선의 방정식을 구한다.

❷ 점 $(n, 0)$과 ❶에서 구한 직선 사이의 거리가 1임을 이용하여 ${a_n}^2$을 구한다.

❸ $\sum_{n=1}^{5} {a_n}^2$의 값을 구한다.

6 2020 7월 실시 고3 교육청 가형 11번

수열의 귀납적 정의 + 지수와 로그

수열 $\{a_n\}$이 $a_1=1$이고 모든 자연수 n에 대하여

❶ $$a_{n+1}=\begin{cases} 2^{a_n} & (a_n \le 1) \\ \log_{a_n} \sqrt{2} & (a_n > 1) \end{cases}$$

을 만족시킬 때, ❷ $a_{12} \times a_{13}$의 값을 구하시오.

길잡이

❶ n에 1, 2, 3, …을 차례로 대입하여 수열 $\{a_n\}$의 항 사이의 규칙을 찾는다.

❷ a_{12}, a_{13}을 각각 구하여 $a_{12} \times a_{13}$의 값을 구한다.

4주

상용로그표 ❶

수	0	1	2	3	4	5	6	7	8	9
1.0	.0000	.0043	.0086	.0128	.0170	.0212	.0253	.0294	.0334	.0374
1.1	.0414	.0453	.0492	.0531	.0569	.0607	.0645	.0682	.0719	.0755
1.2	.0792	.0828	.0864	.0899	.0934	.0969	.1004	.1038	.1072	.1106
1.3	.1139	.1173	.1206	.1239	.1271	.1303	.1335	.1367	.1399	.1430
1.4	.1461	.1492	.1523	.1553	.1584	.1614	.1644	.1673	.1703	.1732
1.5	.1761	.1790	.1818	.1847	.1875	.1903	.1931	.1959	.1987	.2014
1.6	.2041	.2068	.2095	.2122	.2148	.2175	.2201	.2227	.2253	.2279
1.7	.2304	.2330	.2355	.2380	.2405	.2430	.2455	.2480	.2504	.2529
1.8	.2553	.2577	.2601	.2625	.2648	.2672	.2695	.2718	.2742	.2765
1.9	.2788	.2810	.2833	.2856	.2878	.2900	.2923	.2945	.2967	.2989
2.0	.3010	.3032	.3054	.3075	.3096	.3118	.3139	.3160	.3181	.3201
2.1	.3222	.3243	.3263	.3284	.3304	.3324	.3345	.3365	.3385	.3404
2.2	.3424	.3444	.3464	.3483	.3502	.3522	.3541	.3560	.3579	.3598
2.3	.3617	.3636	.3655	.3674	.3692	.3711	.3729	.3747	.3766	.3784
2.4	.3802	.3820	.3838	.3856	.3874	.3892	.3909	.3927	.3945	.3962
2.5	.3979	.3997	.4014	.4031	.4048	.4065	.4082	.4099	.4116	.4133
2.6	.4150	.4166	.4183	.4200	.4216	.4232	.4249	.4265	.4281	.4298
2.7	.4314	.4330	.4346	.4362	.4378	.4393	.4409	.4425	.4440	.4456
2.8	.4472	.4487	.4502	.4518	.4533	.4548	.4564	.4579	.4594	.4609
2.9	.4624	.4639	.4654	.4669	.4683	.4698	.4713	.4728	.4742	.4757
3.0	.4771	.4786	.4800	.4814	.4829	.4843	.4857	.4871	.4886	.4900
3.1	.4914	.4928	.4942	.4955	.4969	.4983	.4997	.5011	.5024	.5038
3.2	.5051	.5065	.5079	.5092	.5105	.5119	.5132	.5145	.5159	.5172
3.3	.5185	.5198	.5211	.5224	.5237	.5250	.5263	.5276	.5289	.5302
3.4	.5315	.5328	.5340	.5353	.5366	.5378	.5391	.5403	.5416	.5428
3.5	.5441	.5453	.5465	.5478	.5490	.5502	.5514	.5527	.5539	.5551
3.6	.5563	.5575	.5587	.5599	.5611	.5623	.5635	.5647	.5658	.5670
3.7	.5682	.5694	.5705	.5717	.5729	.5740	.5752	.5763	.5775	.5786
3.8	.5798	.5809	.5821	.5832	.5843	.5855	.5866	.5877	.5888	.5899
3.9	.5911	.5922	.5933	.5944	.5955	.5966	.5977	.5988	.5999	.6010
4.0	.6021	.6031	.6042	.6053	.6064	.6075	.6085	.6096	.6107	.6117
4.1	.6128	.6138	.6149	.6160	.6170	.6180	.6191	.6201	.6212	.6222
4.2	.6232	.6243	.6253	.6263	.6274	.6284	.6294	.6304	.6314	.6325
4.3	.6335	.6345	.6355	.6365	.6375	.6385	.6395	.6405	.6415	.6425
4.4	.6435	.6444	.6454	.6464	.6474	.6484	.6493	.6503	.6513	.6522
4.5	.6532	.6542	.6551	.6561	.6571	.6580	.6590	.6599	.6609	.6618
4.6	.6628	.6637	.6646	.6656	.6665	.6675	.6684	.6693	.6702	.6712
4.7	.6721	.6730	.6739	.6749	.6758	.6767	.6776	.6785	.6794	.6803
4.8	.6812	.6821	.6830	.6839	.6848	.6857	.6866	.6875	.6884	.6893
4.9	.6902	.6911	.6920	.6928	.6937	.6946	.6955	.6964	.6972	.6981
5.0	.6990	.6998	.7007	.7016	.7024	.7033	.7042	.7050	.7059	.7067
5.1	.7076	.7084	.7093	.7101	.7110	.7118	.7126	.7135	.7143	.7152
5.2	.7160	.7168	.7177	.7185	.7193	.7202	.7210	.7218	.7226	.7235
5.3	.7243	.7251	.7259	.7267	.7275	.7284	.7292	.7300	.7308	.7316
5.4	.7324	.7332	.7340	.7348	.7356	.7364	.7372	.7380	.7388	.7396

상용로그표 ❷

수	0	1	2	3	4	5	6	7	8	9
5.5	.7404	.7412	.7419	.7427	.7435	.7443	.7451	.7459	.7466	.7474
5.6	.7482	.7490	.7497	.7505	.7513	.7520	.7528	.7536	.7543	.7551
5.7	.7559	.7566	.7574	.7582	.7589	.7597	.7604	.7612	.7619	.7627
5.8	.7634	.7642	.7649	.7657	.7664	.7672	.7679	.7686	.7694	.7701
5.9	.7709	.7716	.7723	.7731	.7738	.7745	.7752	.7760	.7767	.7774
6.0	.7782	.7789	.7796	.7803	.7810	.7818	.7825	.7832	.7839	.7846
6.1	.7853	.7860	.7868	.7875	.7882	.7889	.7896	.7903	.7910	.7917
6.2	.7924	.7931	.7938	.7945	.7952	.7959	.7966	.7973	.7980	.7987
6.3	.7993	.8000	.8007	.8014	.8021	.8028	.8035	.8041	.8048	.8055
6.4	.8062	.8069	.8075	.8082	.8089	.8096	.8102	.8109	.8116	.8122
6.5	.8129	.8136	.8142	.8149	.8156	.8162	.8169	.8176	.8182	.8189
6.6	.8195	.8202	.8209	.8215	.8222	.8228	.8235	.8241	.8248	.8254
6.7	.8261	.8267	.8274	.8280	.8287	.8293	.8299	.8306	.8312	.8319
6.8	.8325	.8331	.8338	.8344	.8351	.8357	.8363	.8370	.8376	.8382
6.9	.8388	.8395	.8401	.8407	.8414	.8420	.8426	.8432	.8439	.8445
7.0	.8451	.8457	.8463	.8470	.8476	.8482	.8488	.8494	.8500	.8506
7.1	.8513	.8519	.8525	.8531	.8537	.8543	.8549	.8555	.8561	.8567
7.2	.8573	.8579	.8585	.8591	.8597	.8603	.8609	.8615	.8621	.8627
7.3	.8633	.8639	.8645	.8651	.8657	.8663	.8669	.8675	.8681	.8686
7.4	.8692	.8698	.8704	.8710	.8716	.8722	.8727	.8733	.8739	.8745
7.5	.8751	.8756	.8762	.8768	.8774	.8779	.8785	.8791	.8797	.8802
7.6	.8808	.8814	.8820	.8825	.8831	.8837	.8842	.8848	.8854	.8859
7.7	.8865	.8871	.8876	.8882	.8887	.8893	.8899	.8904	.8910	.8915
7.8	.8921	.8927	.8932	.8938	.8943	.8949	.8954	.8960	.8965	.8971
7.9	.8976	.8982	.8987	.8993	.8998	.9004	.9009	.9015	.9020	.9025
8.0	.9031	.9036	.9042	.9047	.9053	.9058	.9063	.9069	.9074	.9079
8.1	.9085	.9090	.9096	.9101	.9106	.9112	.9117	.9122	.9128	.9133
8.2	.9138	.9143	.9149	.9154	.9159	.9165	.9170	.9175	.9180	.9186
8.3	.9191	.9196	.9201	.9206	.9212	.9217	.9222	.9227	.9232	.9238
8.4	.9243	.9248	.9253	.9258	.9263	.9269	.9274	.9279	.9284	.9289
8.5	.9294	.9299	.9304	.9309	.9315	.9320	.9325	.9330	.9335	.9340
8.6	.9345	.9350	.9355	.9360	.9365	.9370	.9375	.9380	.9385	.9390
8.7	.9395	.9400	.9405	.9410	.9415	.9420	.9425	.9430	.9435	.9440
8.8	.9445	.9450	.9455	.9460	.9465	.9469	.9474	.9479	.9484	.9489
8.9	.9494	.9499	.9504	.9509	.9513	.9518	.9523	.9528	.9533	.9538
9.0	.9542	.9547	.9552	.9557	.9562	.9566	.9571	.9576	.9581	.9586
9.1	.9590	.9595	.9600	.9605	.9609	.9614	.9619	.9624	.9628	.9633
9.2	.9638	.9643	.9647	.9652	.9657	.9661	.9666	.9671	.9675	.9680
9.3	.9685	.9689	.9694	.9699	.9703	.9708	.9713	.9717	.9722	.9727
9.4	.9731	.9736	.9741	.9745	.9750	.9754	.9759	.9763	.9768	.9773
9.5	.9777	.9782	.9786	.9791	.9795	.9800	.9805	.9809	.9814	.9818
9.6	.9823	.9827	.9832	.9836	.9841	.9845	.9850	.9854	.9859	.9863
9.7	.9868	.9872	.9877	.9881	.9886	.9890	.9894	.9899	.9903	.9908
9.8	.9912	.9917	.9921	.9926	.9930	.9934	.9939	.9943	.9948	.9952
9.9	.9956	.9961	.9965	.9969	.9974	.9978	.9983	.9987	.9991	.9996

삼각함수표

θ	$\sin\theta$	$\cos\theta$	$\tan\theta$	θ	$\sin\theta$	$\cos\theta$	$\tan\theta$
0°	0.0000	1.0000	0.0000	45°	0.7071	0.7071	1.0000
1°	0.0175	0.9998	0.0175	46°	0.7193	0.6947	1.0355
2°	0.0349	0.9994	0.0349	47°	0.7314	0.6820	1.0724
3°	0.0523	0.9986	0.0524	48°	0.7431	0.6691	1.1106
4°	0.0698	0.9976	0.0699	49°	0.7547	0.6561	1.1504
5°	0.0872	0.9962	0.0875	50°	0.7660	0.6428	1.1918
6°	0.1045	0.9945	0.1051	51°	0.7771	0.6293	1.2349
7°	0.1219	0.9925	0.1228	52°	0.7880	0.6157	1.2799
8°	0.1392	0.9903	0.1405	53°	0.7986	0.6018	1.3270
9°	0.1564	0.9877	0.1584	54°	0.8090	0.5878	1.3764
10°	0.1736	0.9848	0.1763	55°	0.8192	0.5736	1.4281
11°	0.1908	0.9816	0.1944	56°	0.8290	0.5592	1.4826
12°	0.2079	0.9781	0.2126	57°	0.8387	0.5446	1.5399
13°	0.2250	0.9744	0.2309	58°	0.8480	0.5299	1.6003
14°	0.2419	0.9703	0.2493	59°	0.8572	0.5150	1.6643
15°	0.2588	0.9659	0.2679	60°	0.8660	0.5000	1.7321
16°	0.2756	0.9613	0.2867	61°	0.8746	0.4848	1.8040
17°	0.2924	0.9563	0.3057	62°	0.8829	0.4695	1.8807
18°	0.3090	0.9511	0.3249	63°	0.8910	0.4540	1.9626
19°	0.3256	0.9455	0.3443	64°	0.8988	0.4384	2.0503
20°	0.3420	0.9397	0.3640	65°	0.9063	0.4226	2.1445
21°	0.3584	0.9336	0.3839	66°	0.9135	0.4067	2.2460
22°	0.3746	0.9272	0.4040	67°	0.9205	0.3907	2.3559
23°	0.3907	0.9205	0.4245	68°	0.9272	0.3746	2.4751
24°	0.4067	0.9135	0.4452	69°	0.9336	0.3584	2.6051
25°	0.4226	0.9063	0.4663	70°	0.9397	0.3420	2.7475
26°	0.4384	0.8988	0.4877	71°	0.9455	0.3256	2.9042
27°	0.4540	0.8910	0.5095	72°	0.9511	0.3090	3.0777
28°	0.4695	0.8829	0.5317	73°	0.9563	0.2924	3.2709
29°	0.4848	0.8746	0.5543	74°	0.9613	0.2756	3.4874
30°	0.5000	0.8660	0.5774	75°	0.9659	0.2588	3.7321
31°	0.5150	0.8572	0.6009	76°	0.9703	0.2419	4.0108
32°	0.5299	0.8480	0.6249	77°	0.9744	0.2250	4.3315
33°	0.5446	0.8387	0.6494	78°	0.9781	0.2079	4.7046
34°	0.5592	0.8290	0.6745	79°	0.9816	0.1908	5.1446
35°	0.5736	0.8192	0.7002	80°	0.9848	0.1736	5.6713
36°	0.5878	0.8090	0.7265	81°	0.9877	0.1564	6.3138
37°	0.6018	0.7986	0.7536	82°	0.9903	0.1392	7.1154
38°	0.6157	0.7880	0.7813	83°	0.9925	0.1219	8.1443
39°	0.6293	0.7771	0.8098	84°	0.9945	0.1045	9.5144
40°	0.6428	0.7660	0.8391	85°	0.9962	0.0872	11.4301
41°	0.6561	0.7547	0.8693	86°	0.9976	0.0698	14.3007
42°	0.6691	0.7431	0.9004	87°	0.9986	0.0523	19.0811
43°	0.6820	0.7314	0.9325	88°	0.9994	0.0349	28.6363
44°	0.6947	0.7193	0.9657	89°	0.9998	0.0175	52.2900
45°	0.7071	0.7071	1.0000	90°	1.0000	0.0000	∞

시작은

하루 수능

정답과 해설

천재교육

정답과 해설
포인트 3가지

- 혼자서도 이해할 수 있는 친절한 문제 풀이
- 다양한 풀이 방법을 제시한 다른 풀이
- 깊이 있는 설명이 필요한 부분에는 참고로!

정답과 해설

1주 1일 지수

개념 확인

| 본문 11, 13쪽 |

1-1

(1) 64의 세제곱근을 x라 하면

$x^3=64$, $x^3-64=0$, $(x-4)(x^2+4x+16)=0$

$\therefore x=4$ 또는 $x=-2\pm2\sqrt{3}i$

따라서 64의 세제곱근 중에서 실수인 것은 **4**이다.

(2) 81의 네제곱근을 x라 하면

$x^4=81$, $x^4-81=0$, $(x^2+9)(x^2-9)=0$

$(x+3i)(x-3i)(x+3)(x-3)=0$

$\therefore x=\pm3i$ 또는 $x=\pm3$

따라서 81의 네제곱근 중에서 실수인 것은 **±3**이다.

1-2

(1) -125의 세제곱근을 x라 하면

$x^3=-125$, $x^3+125=0$, $(x+5)(x^2-5x+25)=0$

$\therefore x=-5$ 또는 $x=\dfrac{5\pm5\sqrt{3}i}{2}$

따라서 -125의 세제곱근 중에서 실수인 것은 $\mathbf{-5}$이다.

(2) 16의 네제곱근을 x라 하면

$x^4=16$, $x^4-16=0$, $(x^2+4)(x^2-4)=0$

$(x+2i)(x-2i)(x+2)(x-2)=0$

$\therefore x=\pm2i$ 또는 $x=\pm2$

따라서 16의 네제곱근 중에서 실수인 것은 **±2**이다.

2-1

(1) 0.027의 세제곱근 중에서 실수인 것은 0.3이다. 즉,

$\sqrt[3]{0.027}=\mathbf{0.3}$

(2) 256의 네제곱근 중에서 양의 실수인 것은 4이다. 즉,

$\sqrt[4]{256}=\mathbf{4}$

2-2

(1) -243의 다섯제곱근 중에서 실수인 것은 -3이다. 즉,

$\sqrt[5]{-243}=\mathbf{-3}$

(2) $(-2)^6=64$의 여섯제곱근 중에서 음의 실수인 것은 -2이다. 즉,

$-\sqrt[6]{(-2)^6}=\mathbf{-2}$

3-1

(1) $\sqrt[3]{4}\times\sqrt[3]{16}=\sqrt[3]{4\times16}=\sqrt[3]{64}=\sqrt[3]{4^3}=\mathbf{4}$

(2) $\dfrac{\sqrt[4]{243}}{\sqrt[4]{3}}=\sqrt[4]{\dfrac{243}{3}}=\sqrt[4]{81}=\sqrt[4]{3^4}=\mathbf{3}$

(3) $(\sqrt[6]{36})^3=\sqrt[6]{36^3}=\sqrt[6]{(6^2)^3}=\sqrt[6]{6^6}=\mathbf{6}$

(4) $\sqrt[3]{\sqrt[3]{512}}=\sqrt[9]{512}=\sqrt[9]{2^9}=\mathbf{2}$

3-2

(1) $\sqrt[4]{2}\times\sqrt[4]{8}=\sqrt[4]{2\times8}=\sqrt[4]{16}=\sqrt[4]{2^4}=\mathbf{2}$

(2) $\dfrac{\sqrt[3]{2}}{\sqrt[3]{16}}=\sqrt[3]{\dfrac{2}{16}}=\sqrt[3]{\dfrac{1}{8}}=\sqrt[3]{\left(\dfrac{1}{2}\right)^3}=\mathbf{\dfrac{1}{2}}$

(3) $(\sqrt[4]{5})^8=\sqrt[4]{5^8}=\sqrt[4]{(5^2)^4}=\sqrt[4]{25^4}=\mathbf{25}$

(4) $\sqrt[4]{\sqrt[3]{7^6}}=\sqrt[12]{7^6}=\sqrt{\sqrt[6]{7^6}}=\mathbf{\sqrt{7}}$

4-1

(1) $(\sqrt{3})^0=\mathbf{1}$

(2) $(-5)^{-2}=\dfrac{1}{(-5)^2}=\mathbf{\dfrac{1}{25}}$

4-2

(1) $\left(-\dfrac{1}{2}\right)^0=\mathbf{1}$

(2) $\left(\dfrac{1}{4}\right)^{-3}=\dfrac{1}{\left(\dfrac{1}{4}\right)^3}=\dfrac{1}{\dfrac{1}{64}}=\mathbf{64}$

5-1

(1) $\sqrt[4]{a^3}=\boldsymbol{a^{\frac{3}{4}}}$

(2) $a^{-\frac{2}{5}}=\boldsymbol{\sqrt[5]{a^{-2}}}$

5-2

(1) $\sqrt[9]{3^{-3}}=3^{-\frac{3}{9}}=\mathbf{3^{-\frac{1}{3}}}$

(2) $64^{0.25}=64^{\frac{1}{4}}=(2^6)^{\frac{1}{4}}=2^{\frac{3}{2}}=2\times2^{\frac{1}{2}}=\mathbf{2\sqrt{2}}$

6-1

(1) $\sqrt[3]{a^2}\times\sqrt[4]{a}=a^{\frac{2}{3}}\times a^{\frac{1}{4}}=a^{\frac{2}{3}+\frac{1}{4}}=\boldsymbol{a^{\frac{11}{12}}}$

(2) $5^{\sqrt{2}}\times5^{\sqrt{32}}\div5^{\sqrt{8}}=5^{\sqrt{2}+4\sqrt{2}-2\sqrt{2}}=\mathbf{5^{3\sqrt{2}}}$

(3) $(a^{\sqrt{24}})^{\sqrt{6}}=a^{\sqrt{144}}=\boldsymbol{a^{12}}$

(4) $(a^{\sqrt{\frac{2}{3}}}b^{\frac{1}{\sqrt{6}}})^{\sqrt{6}}=(a^{\frac{\sqrt{2}}{\sqrt{3}}}b^{\frac{1}{\sqrt{6}}})^{\sqrt{6}}=\boldsymbol{a^2b}$

6-2

(1) $a^{\frac{1}{3}}b^{\frac{1}{2}}\times a^{\frac{2}{3}}b^{-\frac{1}{2}}=a^{\frac{1}{3}+\frac{2}{3}}b^{\frac{1}{2}-\frac{1}{2}}=\boldsymbol{a}$

(2) $3^{5\sqrt{3}}\div3^{\sqrt{27}}\times3^{\sqrt{3}}=3^{5\sqrt{3}-3\sqrt{3}+\sqrt{3}}=\mathbf{3^{3\sqrt{3}}}$

(3) $(a^{\frac{\sqrt{3}}{2}})^6\times a^{-\sqrt{3}}=a^{3\sqrt{3}}\times a^{-\sqrt{3}}=a^{3\sqrt{3}-\sqrt{3}}=\boldsymbol{a^{2\sqrt{3}}}$

(4) $(a^{\frac{\sqrt{2}}{2}}b^{-\sqrt{2}})^{-\sqrt{2}}=a^{-1}b^2=\boldsymbol{\dfrac{b^2}{a}}$

기초 유형

| 본문 14, 15쪽 |

1-1 $\mathbf{3,\ 3}$

1-2

$a=\sqrt[3]{32}\times\sqrt[3]{54}=2^{\frac{5}{3}}\times(2\times3^3)^{\frac{1}{3}}$

$=2^{\frac{5}{3}}\times2^{\frac{1}{3}}\times3=2^2\times3$

$b=8^{\frac{5}{3}}\times27^{-\frac{5}{3}}=(2^3)^{\frac{5}{3}}\times(3^3)^{-\frac{5}{3}}=2^5\times3^{-5}$

$c=\left\{\left(\frac{4}{9}\right)^{-\frac{2}{3}}\right\}^{\frac{9}{4}}=\left\{\left(\frac{2}{3}\right)^{-\frac{4}{3}}\right\}^{\frac{9}{4}}=\left(\frac{2}{3}\right)^{-3}=2^{-3}\times3^3$

$\therefore abc=(2^2\times3)\times(2^5\times3^{-5})\times(2^{-3}\times3^3)$

$=2^{2+5-3}\times3^{1-5+3}$

$=2^4\times3^{-1}=\mathbf{\frac{16}{3}}$

1-3

$(a^{\frac{1}{3}}-b^{\frac{1}{3}})(a^{\frac{2}{3}}+a^{\frac{1}{3}}b^{\frac{1}{3}}+b^{\frac{2}{3}})=(a^{\frac{1}{3}})^3-(b^{\frac{1}{3}})^3$

$=\boldsymbol{a-b}$

2-1 $\mathbf{3,\ 15,\ 5}$

2-2

$\left(\frac{1}{512}\right)^{\frac{1}{n}}=2^{-\frac{9}{n}}$이 자연수가 되려면 $-\frac{9}{n}$가 자연수이어야 하므로

모든 정수 n의 값은 $\mathbf{-9,\ -3,\ -1}$이다.

3-1 $\mathbf{2,\ 4,\ 13}$

3-2

$x+x^{-1}=(x^{\frac{1}{2}}+x^{-\frac{1}{2}})^2-2=9-2=7$

$x^{\frac{3}{2}}+x^{-\frac{3}{2}}=(x^{\frac{1}{2}}+x^{-\frac{1}{2}})^3-3(x^{\frac{1}{2}}+x^{-\frac{1}{2}})=27-9=18$

$\therefore \frac{x^{\frac{3}{2}}+x^{-\frac{3}{2}}+10}{x+x^{-1}}=\frac{18+10}{7}=\frac{28}{7}=\mathbf{4}$

4-1 $\mathbf{3^a,\ 3^a}$

4-2

$4^x=3$에서 $2^{2x}=3$

구하는 식의 분모, 분자에 2^x을 곱하면

$\frac{8^x-8^{-x}}{2^x+2^{-x}}=\frac{2^x(8^x-8^{-x})}{2^x(2^x+2^{-x})}=\frac{2^x(2^{3x}-2^{-3x})}{2^x(2^x+2^{-x})}$

$=\frac{2^{4x}-2^{-2x}}{2^{2x}+1}=\frac{(2^{2x})^2-(2^{2x})^{-1}}{2^{2x}+1}$

$=\frac{9-\frac{1}{3}}{3+1}=\mathbf{\frac{13}{6}}$

1주 2일 로그

개념 확인

| 본문 17, 19쪽 |

1-1

(1) $\mathbf{\frac{1}{2}=\log_{100}10}$

(2) $\mathbf{(\sqrt{3})^4=9}$

1-2

(1) $\mathbf{0=\log_5 1}$

(2) $\mathbf{2^{-3}=\frac{1}{8}}$

2-1

(1) $\log_3 27=x$로 놓으면 $3^x=27$

이때 $27=3^3$이므로

$3^x=3^3 \quad \therefore x=3$

$\therefore \log_3 27=\mathbf{3}$

(2) $\log_{\frac{1}{2}} 4=x$로 놓으면 $\left(\frac{1}{2}\right)^x=4$

이때 $\frac{1}{2}=2^{-1}$, $4=2^2$이므로

$2^{-x}=2^2,\ -x=2 \quad \therefore x=-2$

$\therefore \log_{\frac{1}{2}} 4=\mathbf{-2}$

2-2

(1) $\log_4 1=x$로 놓으면 $4^x=1$

이때 $1=4^0$이므로

$4^x=4^0 \quad \therefore x=0$

$\therefore \log_4 1=\mathbf{0}$

(2) $\log_{10}\sqrt{0.01}=x$로 놓으면 $10^x=\sqrt{0.01}$

이때 $\sqrt{0.01}=0.1=10^{-1}$이므로

$10^x=10^{-1} \quad \therefore x=-1$

$\therefore \log_{10}\sqrt{0.01}=\mathbf{-1}$

3-1

(1) $\log_5 N=1$에서 $N=5^1=\mathbf{5}$

(2) $\log_{\frac{1}{2}} N=-3$에서 $N=\left(\frac{1}{2}\right)^{-3}=\mathbf{8}$

3-2

(1) $\log_4 N=-3$에서 $N=4^{-3}=\mathbf{\frac{1}{64}}$

(2) $\log_{\frac{1}{3}} N=2$에서 $N=\left(\frac{1}{3}\right)^2=\mathbf{\frac{1}{9}}$

4-1

(1) $\log_3 6+\log_3 \frac{9}{2}=\log_3\left(6\times\frac{9}{2}\right)=\log_3 27$

$=\log_3 3^3=\mathbf{3}$

(2) $2\log_3 6+\frac{1}{3}\log_3 64-\log_3\frac{16}{9}$

$=\log_3 6^2+\log_3 64^{\frac{1}{3}}-\log_3\frac{16}{9}$

$=\log_3 36+\log_3 4-\log_3\frac{16}{9}$

$=\log_3\left(36\times4\div\frac{16}{9}\right)=\log_3\left(36\times4\times\frac{9}{16}\right)$

$=\log_3 81=\log_3 3^4$

$=\mathbf{4}$

다른 풀이

(1) $\log_3 6+\log_3\frac{9}{2}=\log_3(2\times3)+\log_3\frac{9}{2}$

$=\log_3 2+\log_3 3+\log_3 3^2-\log_3 2$

$=1+2=3$

(2) $2\log_3 6+\frac{1}{3}\log_3 64-\log_3\frac{16}{9}$

$=2\log_3(2\times3)+\frac{1}{3}\log_3 2^6-(\log_3 16-\log_3 9)$

$=2\log_3 2+2\log_3 3+2\log_3 2-4\log_3 2+2\log_3 3$

$=2+2=4$

4-2

(1) $\log_2 5-2\log_2\sqrt{10}=\log_2 5-\log_2(\sqrt{10})^2$

$=\log_2 5-\log_2 10$

$=\log_2\frac{5}{10}=\log_2\frac{1}{2}$

$=\log_2 2^{-1}=\mathbf{-1}$

(2) $\log_5 3-\log_5 3\sqrt{15}+\log_5\sqrt{3}$

$=\log_5(3\div3\sqrt{15}\times\sqrt{3})$

$=\log_5\frac{3\times\sqrt{3}}{3\sqrt{15}}$

$=\log_5\frac{1}{\sqrt{5}}=\log_5 5^{-\frac{1}{2}}$

$=\mathbf{-\frac{1}{2}}$

다른 풀이

(1) $\log_2 5-2\log_2\sqrt{10}=\log_2 5-2\log_2 10^{\frac{1}{2}}$

$=\log_2 5-\log_2(2\times5)$

$=\log_2 5-\log_2 2-\log_2 5$

$=-1$

(2) $\log_5 3-\log_5 3\sqrt{15}+\log_5\sqrt{3}$

$=\log_5 3-\left\{\log_5 3+\log_5(3\times5)^{\frac{1}{2}}\right\}+\frac{1}{2}\log_5 3$

$=\log_5 3-\log_5 3-\frac{1}{2}\log_5 3-\frac{1}{2}\log_5 5+\frac{1}{2}\log_5 3$

$=-\frac{1}{2}$

5-1

(1) $\log_{10}40=\log_{10}(2^2\times10)=2\log_{10}2+1=\mathbf{2a+1}$

(2) $\log_{10}15=\log_{10}(3\times5)=\log_{10}3+\log_{10}5$

$=\log_{10}3+\log_{10}\frac{10}{2}=\log_{10}3+1-\log_{10}2$

$=\mathbf{-a+b+1}$

5-2

(1) $\log_{10}36=\log_{10}(2^2\times3^2)=2\log_{10}2+2\log_{10}3=\mathbf{2a+2b}$

(2) $\log_{10}\frac{6}{5}=\log_{10}\frac{12}{10}=\log_{10}(2^2\times3)-\log_{10}10$

$=2\log_{10}2+\log_{10}3-1$

$=\mathbf{2a+b-1}$

6-1

(1) $\log_8 32=\log_{2^3}2^5=\frac{5}{3}\log_2 2=\mathbf{\frac{5}{3}}$

(2) $\log_2 3\times\log_3 16=\frac{1}{\log_3 2}\times4\log_3 2=\mathbf{4}$

6-2

(1) $\log_{\frac{1}{10}}\sqrt[4]{1000}=\log_{10^{-1}}10^{\frac{3}{4}}=-\frac{3}{4}\log_{10}10=\mathbf{-\frac{3}{4}}$

(2) $\log_4 5\times\log_5 6\times\log_6 8$

$=\frac{\log_2 5}{\log_2 4}\times\frac{\log_2 6}{\log_2 5}\times\frac{\log_2 8}{\log_2 6}$

$=\frac{\log_2 8}{\log_2 4}=\frac{\log_2 2^3}{\log_2 2^2}=\mathbf{\frac{3}{2}}$

기초 유형

| 본문 20, 21쪽 |

1-1 >, >

1-2

밑의 조건에서 $(x-1)^2>0$, $(x-1)^2\neq1$

$x\neq1$, $x\neq0$, $x\neq2$ ……㉠

진수의 조건에서 $-x^2+8x-7>0$

$x^2-8x+7<0$, $(x-1)(x-7)<0$

$\therefore 1<x<7$ ……㉡

㉠, ㉡을 모두 만족시키는 x의 값의 범위는

$1<x<2$ 또는 $2<x<7$

따라서 구하는 정수 x의 값은 **3, 4, 5, 6**이다.

참고 모든 실수 x에 대하여 $(x-1)^2\geq0$이므로

$(x-1)^2>0$에서 $(x-1)^2\neq0$, $x-1\neq0$ $\therefore x\neq1$

또 $(x-1)^2\neq1$에서 $x^2-2x\neq0$

$x(x-2)\neq0$ $\therefore x\neq0$, $x\neq2$

2-1 $\times$, 2, 2

2-2

$3\log_2\sqrt{2}+\frac{1}{2}\log_2 3-\log_2\sqrt{6}$

$=\log_2(\sqrt{2})^3+\log_2 3^{\frac{1}{2}}-\log_2\sqrt{6}$

$=\log_2\frac{2\sqrt{2}\times\sqrt{3}}{\sqrt{6}}$

$=\log_2 2=\mathbf{1}$

다른 풀이

$3\log_2\sqrt{2}+\frac{1}{2}\log_2 3-\log_2\sqrt{6}$

$=3\log_2 2^{\frac{1}{2}}+\frac{1}{2}\log_2 3-\log_2(2\times3)^{\frac{1}{2}}$

$=\frac{3}{2}\log_2 2+\frac{1}{2}\log_2 3-\frac{1}{2}\log_2 2-\frac{1}{2}\log_2 3$

$=\frac{3}{2}-\frac{1}{2}=1$

2-3

(주어진 식)

$=\log_{10}\frac{2}{1}+\log_{10}\frac{3}{2}+\log_{10}\frac{4}{3}+\cdots+\log_{10}\frac{100}{99}$

$=\log_{10}\left(\frac{2}{1}\times\frac{3}{2}\times\frac{4}{3}\times\cdots\times\frac{100}{99}\right)$

$=\log_{10}100=\log_{10}10^2$

$=\mathbf{2}$

3-1 $\boldsymbol{a}$, $\boldsymbol{a}$

3-2

$\log_3 2=\frac{1}{a}$, $\log_3 5=b$이므로

$\log_5 30=\frac{\log_3 30}{\log_3 5}=\frac{\log_3(2\times3\times5)}{\log_3 5}$

$=\frac{\log_3 2+\log_3 3+\log_3 5}{\log_3 5}$

$=\frac{\frac{1}{a}+1+b}{b}=\boldsymbol{\frac{ab+a+1}{ab}}$

4-1 **2, 2, 13**

4-2

$\log_c a=3$, $\log_c b=2$이므로

$\log_a b=\frac{\log_c b}{\log_c a}=\frac{2}{3}$

$\therefore \log_a b+\log_b c+\log_c a=\frac{2}{3}+\frac{1}{2}+3=\mathbf{\frac{25}{6}}$

1주 3일 상용로그

개념 확인

| 본문 23, 25쪽 |

1-1

(1) $\log 1000=\log 10^3=\mathbf{3}$

(2) $\log\frac{1}{100}=\log 10^{-2}=\mathbf{-2}$

1-2

(1) $\log 10\sqrt[3]{10}=\log 10^{\frac{4}{3}}=\mathbf{\frac{4}{3}}$

(2) $\log\frac{1}{\sqrt{10}}=\log 10^{-\frac{1}{2}}=\mathbf{-\frac{1}{2}}$

2-1

(1) $\log 3.14=0.4969$이므로 $\boldsymbol{x=0.4969}$

(2) $\log 3.27=0.5145$이므로 $\boldsymbol{x=0.5145}$

(3) $\log 3.33=0.5224$이므로 $\boldsymbol{x=3.33}$

2-2

(1) $\log 4.61=0.6637$이므로 $\boldsymbol{x=0.6637}$

(2) $\log 4.74=0.6758$이므로 $\boldsymbol{x=0.6758}$

(3) $\log 4.83=0.6839$이므로 $\boldsymbol{x=4.83}$

3-1

(1) $\log 21.3=\log(10\times2.13)=\log 10+\log 2.13$
$=1+0.3284=\mathbf{1.3284}$

(2) $\log 21300=\log(10^4\times2.13)=\log 10^4+\log 2.13$
$=4+0.3284=\mathbf{4.3284}$

(3) $\log 0.213=\log(10^{-1}\times2.13)=\log 10^{-1}+\log 2.13$
$=-1+0.3284=\mathbf{-0.6716}$

(4) $\log 0.00213=\log(10^{-3}\times2.13)$
$=\log 10^{-3}+\log 2.13$
$=-3+0.3284$
$=\mathbf{-2.6716}$

3-2

(1) $\log 80.9=\log(10\times8.09)=\log 10+\log 8.09$
$=1+0.9079=\mathbf{1.9079}$

(2) $\log 809=\log(10^2\times8.09)=\log 10^2+\log 8.09$
$=2+0.9079=\mathbf{2.9079}$

(3) $\log 0.809=\log(10^{-1}\times8.09)=\log 10^{-1}+\log 8.09$
$=-1+0.9079=\mathbf{-0.0921}$

(4) $\log 0.0809=\log(10^{-2}\times 8.09)=\log 10^{-2}+\log 8.09$
$=-2+0.9079=\mathbf{-1.0921}$

4-1

(1) $\log N=0.7574$이므로
정수 부분은 0, 소수 부분은 0.7574이다.
(2) $\log N=1.7657=1+0.7657$이므로
정수 부분은 1, 소수 부분은 0.7657이다.
(3) $\log N=-1.9747=-1-0.9747$
$=(-1-1)+(1-0.9747)$
$=-2+0.0253$
이므로 **정수 부분은 −2, 소수 부분은 0.0253**이다.

4-2

(1) $\log N=3.5416=3+0.5416$이므로
정수 부분은 3, 소수 부분은 0.5416이다.
(2) $\log N=-0.5058=-1+(1-0.5058)$
$=-1+0.4942$
이므로 **정수 부분은 −1, 소수 부분은 0.4942**이다.
(3) $\log N=-2.3288=-2-0.3288$
$=(-2-1)+(1-0.3288)$
$=-3+0.6712$
이므로 **정수 부분은 −3, 소수 부분은 0.6712**이다.

기초 유형

| 본문 26, 27쪽 |

1-1 **0.7810, 0.3905**

1-2

$\log 3840+\log 0.0384$
$=\log(10^{\boxed{3}}\times 3.84)+\log(10^{\boxed{-2}}\times 3.84)$
$=(\boxed{3}+\log 3.84)+(\boxed{-2}+\log 3.84)$
$=\boxed{1}+2\log 3.84=1+2\times 0.5843$
$=\boxed{2.1686}$

1-3

$\log 32.4^2+\log\frac{1}{32.4}=2\log 32.4-\log 32.4$
$=\log 32.4$
$=\log(10\times 3.24)$
$=\log 10+\log 3.24$
$=1+0.5105=\mathbf{1.5105}$

2-1 **1.47, 1.47, 147**

2-2

$\log N=-1.3251=-1-0.3251$
$=(-1-1)+(1-0.3251)$
$=-2+0.6749$
$=\log 10^{-2}+\log 4.73$
$=\log(10^{-2}\times 4.73)$
$=\log 0.0473$
$\therefore N=\mathbf{0.0473}$

3-1 **3, 15, 10**

3-2

$\log x^2-\log\sqrt{x}=2\log x-\frac{1}{2}\log x=\frac{3}{2}\log x$
$10<x<100$에서 $\log 10<\log x<\log 10^2$
$1<\log x<2 \qquad \therefore \frac{3}{2}<\frac{3}{2}\log x<3$
이때 $\frac{3}{2}\log x$의 값이 정수이므로
$\frac{3}{2}\log x=2 \qquad \therefore \log x=\mathbf{\frac{4}{3}}$

1주 4일 지수함수

개념 확인

| 본문 29, 31쪽 |

1-1

(1) $f(0)=3^0=\mathbf{1}$
(2) $f(-1)=3^{-1}=\mathbf{\frac{1}{3}}$
(3) $f\left(\frac{1}{2}\right)=3^{\frac{1}{2}}=\mathbf{\sqrt{3}}$
(4) $f(2)\times f(-2)=3^2\times 3^{-2}=3^0=\mathbf{1}$

1-2

(1) $f(0)=\left(\frac{1}{2}\right)^0=\mathbf{1}$
(2) $f(3)=\left(\frac{1}{2}\right)^3=\mathbf{\frac{1}{8}}$
(3) $f(-2)=\left(\frac{1}{2}\right)^{-2}=2^2=\mathbf{4}$
(4) $f(2)+f(-1)=\left(\frac{1}{2}\right)^2+\left(\frac{1}{2}\right)^{-1}=\frac{1}{4}+2=\mathbf{\frac{9}{4}}$

2-1

(1)

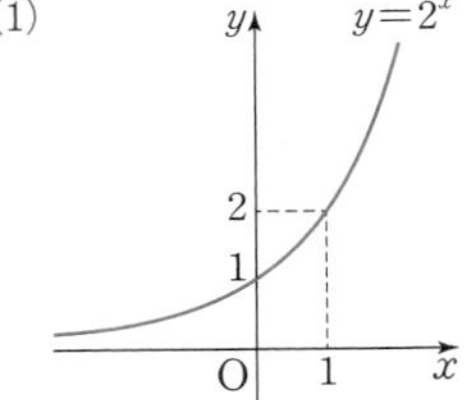

(2)

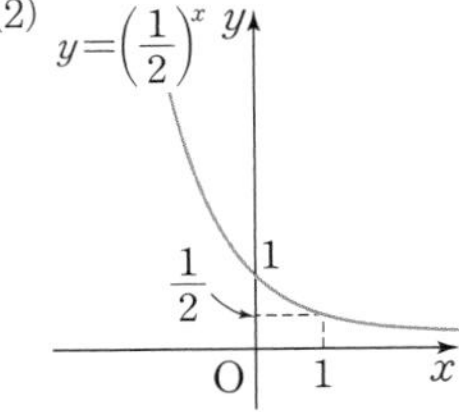

2-2

(1)

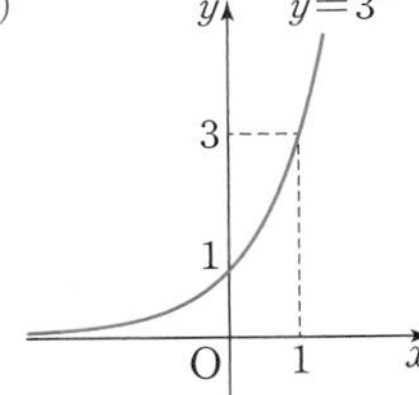

(2) $y=\left(\frac{1}{3}\right)^x$

3-1

(1) 함수 $y=3^x$은 x의 값이 증가하면 y의 값도 증가한다.

이때 $\sqrt{5}>2$이므로

$\mathbf{3^{\sqrt{5}}>3^2}$

(2) $\sqrt{2}=2^{\frac{1}{2}}$, $\sqrt[3]{2^2}=2^{\frac{2}{3}}$, $\sqrt[4]{2^3}=2^{\frac{3}{4}}$

함수 $y=2^x$은 x의 값이 증가하면 y의 값도 증가한다.

이때 $\frac{1}{2}<\frac{2}{3}<\frac{3}{4}$이므로

$\mathbf{\sqrt{2}<\sqrt[3]{2^2}<\sqrt[4]{2^3}}$

3-2

(1) 함수 $y=\left(\frac{1}{5}\right)^x$은 x의 값이 증가하면 y의 값은 감소한다.

이때 $0.5<\frac{3}{4}$이므로

$\mathbf{\left(\frac{1}{5}\right)^{0.5}>\left(\frac{1}{5}\right)^{\frac{3}{4}}}$

(2) $\left(\sqrt{\frac{1}{3}}\right)^3=\left(\frac{1}{3}\right)^{\frac{3}{2}}$

함수 $y=\left(\frac{1}{3}\right)^x$은 x의 값이 증가하면 y의 값은 감소한다.

이때 $-0.2<1<\frac{3}{2}$이므로

$\mathbf{\left(\frac{1}{3}\right)^{-0.2}>\frac{1}{3}>\left(\sqrt{\frac{1}{3}}\right)^3}$

4-1

(1) $y=2^{x-1}-1$의 그래프는 $y=2^x$의 그래프를 x축의 방향으로 1만큼, y축의 방향으로 -1만큼 평행이동한 것이므로 오른쪽 그림과 같다.

따라서 점근선의 방정식은

$\mathbf{y=-1}$

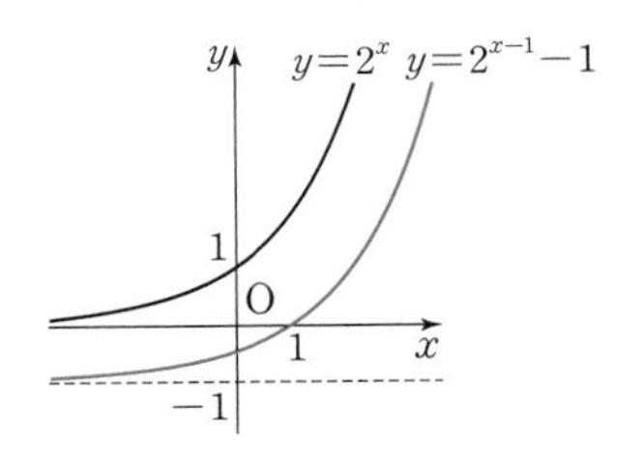

(2) $y=3^{-x}+2$의 그래프는 $y=3^x$의 그래프를 y축에 대하여 대칭이동한 후 y축의 방향으로 2만큼 평행이동한 것이므로 오른쪽 그림과 같다.

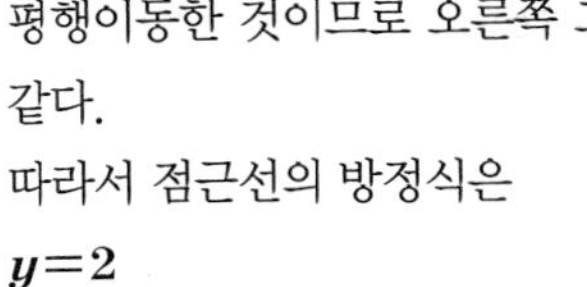

따라서 점근선의 방정식은

$\mathbf{y=2}$

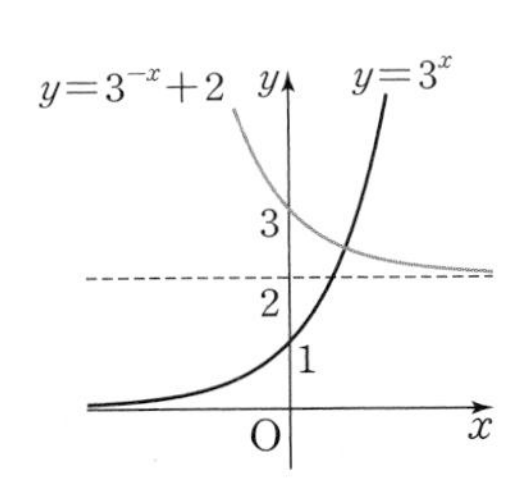

4-2

(1) $y=3^{x-2}$의 그래프는 $y=3^x$의 그래프를 x축의 방향으로 2만큼 평행이동한 것이므로 오른쪽 그림과 같다.

따라서 점근선의 방정식은

$\mathbf{y=0}$

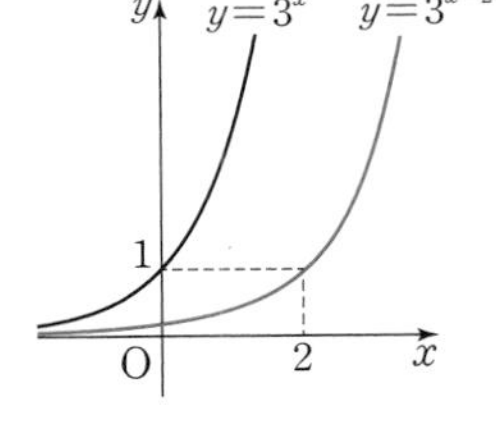

(2) $y=-2^{x-1}+2$의 그래프는 $y=2^x$의 그래프를 x축에 대하여 대칭이동한 후 x축의 방향으로 1만큼, y축의 방향으로 2만큼 평행이동한 것이므로 오른쪽 그림과 같다.

따라서 점근선의 방정식은

$\mathbf{y=2}$

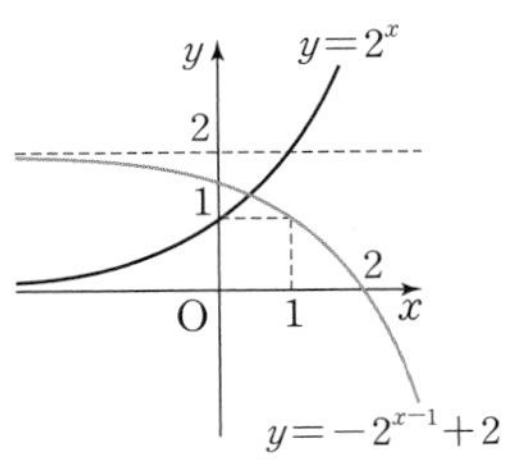

5-1

(1) 함수 $y=5^x$은 x의 값이 증가하면 y의 값도 증가하므로

$x=2$일 때 **최댓값** $5^2=\mathbf{25}$,

$x=-1$일 때 **최솟값** $5^{-1}=\mathbf{\frac{1}{5}}$

을 갖는다.

(2) 함수 $y=\left(\frac{1}{2}\right)^x+1$은 x의 값이 증가하면 y의 값은 감소하므로

$x=-2$일 때 **최댓값** $\left(\frac{1}{2}\right)^{-2}+1=\mathbf{5}$,

$x=0$일 때 **최솟값** $\left(\frac{1}{2}\right)^0+1=\mathbf{2}$

를 갖는다.

(3) 함수 $y=4^{x+1}-1$은 x의 값이 증가하면 y의 값도 증가하므로

$x=1$일 때 **최댓값** $4^2-1=\mathbf{15}$,

$x=-2$일 때 **최솟값** $4^{-1}-1=\mathbf{-\frac{3}{4}}$

을 갖는다.

5-2

(1) 함수 $y=3^x$은 x의 값이 증가할 때 y의 값도 증가하므로

$x=4$일 때 **최댓값** $3^4=\mathbf{81}$,

$x=1$일 때 **최솟값** $3^1=\mathbf{3}$

을 갖는다.

(2) 함수 $y=10^{-x}=\left(\frac{1}{10}\right)^x$은 x의 값이 증가하면 y의 값은 감소하므로

$x=-3$일 때 **최댓값** $\left(\frac{1}{10}\right)^{-3}=\mathbf{1000}$,

$x=2$일 때 **최솟값** $\left(\frac{1}{10}\right)^2=\mathbf{\frac{1}{100}}$

을 갖는다.

(3) 함수 $y=2^{1-x}+1=2^{-(x-1)}+1=\left(\frac{1}{2}\right)^{x-1}+1$은 x의 값이 증가하면 y의 값은 감소하므로

$x=-1$일 때 **최댓값** $\left(\frac{1}{2}\right)^{-2}+1=\mathbf{5}$,

$x=2$일 때 **최솟값** $\left(\frac{1}{2}\right)^1+1=\mathbf{\frac{3}{2}}$

을 갖는다.

기초 유형

| 본문 32, 33쪽 |

1-1 $\mathbf{3,\ 5}$

1-2

$y=3^{x-a}+b$의 그래프의 점근선의 방정식은 $y=b$이므로

$b=-1$

또 그래프가 점 $(-1,\ 0)$을 지나므로

$0=3^{-1-a}-1,\ 3^{-1-a}=1=3^0$

$-1-a=0 \qquad \therefore a=-1$

$\therefore a+b=\mathbf{-2}$

2-1 $\mathbf{3,\ 0}$

2-2

$y=\left(\frac{1}{3}\right)^{x-1}+k$의 그래프는 함수 $y=\left(\frac{1}{3}\right)^x$의 그래프를 x축의 방향으로 1만큼, y축의 방향으로 k만큼 평행이동한 것이다.

따라서 그래프가 제3사분면을 지나지 않으려면 오른쪽 그림과 같아야 하므로

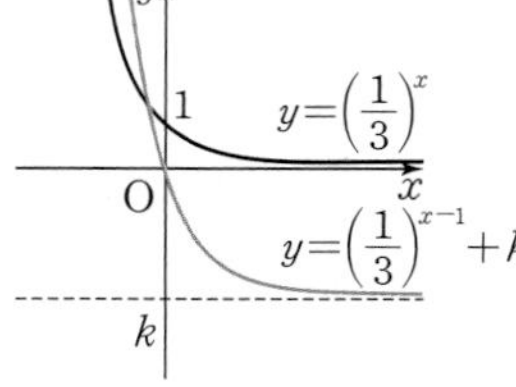

$\left(\frac{1}{3}\right)^{-1}+k\ge0 \qquad \therefore k\ge-3$

즉, 정수 k의 최솟값은 $\mathbf{-3}$이다.

3-1 $\mathbf{-1,\ -1,\ -1,\ 11}$

3-2

$y=2^{x-1}\times3^{1-x}=2^{x-1}\times3^{-(x-1)}=\left(\frac{2}{3}\right)^{x-1}$은 x의 값이 증가하면 y의 값은 감소하므로

$x=-1$일 때 **최댓값** $\left(\frac{2}{3}\right)^{-2}=\mathbf{\frac{9}{4}}$,

$x=2$일 때 **최솟값** $\mathbf{\frac{2}{3}}$

를 갖는다.

4-1 $\mathbf{-3,\ -3,\ -3,\ 125}$

4-2

$g(x)=x^2-4x+3$으로 놓으면

$g(x)=(x-2)^2-1$

$g(0)=3,\ g(2)=-1,\ g(3)=0$이므로 $0\le x\le3$에서

$g(x)$의 최댓값은 3, 최솟값은 -1이다.

$f(x)=\left(\frac{1}{2}\right)^{g(x)}$에서 밑이 1보다 작으므로 함수 $f(x)=\left(\frac{1}{2}\right)^{g(x)}$은

$g(x)=-1$, 즉 $x=2$일 때 **최댓값** $\left(\frac{1}{2}\right)^{-1}=\mathbf{2}$,

$g(x)=3$, 즉 $x=0$일 때 **최솟값** $\left(\frac{1}{2}\right)^3=\mathbf{\frac{1}{8}}$

을 갖는다.

1주 5일 로그함수

개념 확인

| 본문 35, 37쪽 |

1-1

(1) $\boldsymbol{y=\log_{\frac{1}{2}}x}$

(2) $\boldsymbol{y=3^x}$

1-2

(1) $\boldsymbol{y=\log_2 x}$

(2) $\boldsymbol{y=\left(\frac{1}{5}\right)^x}$

2-1

(1)

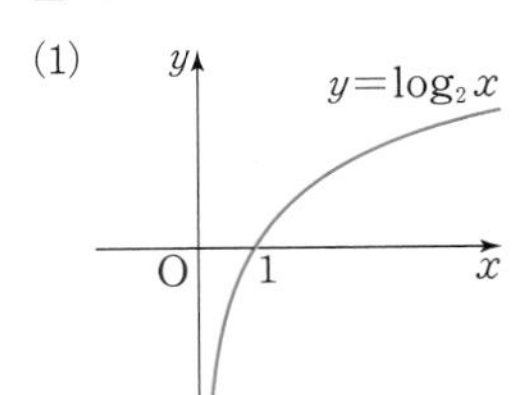

(2) $y=\log_{\frac{1}{2}} x$

2-2

(1)

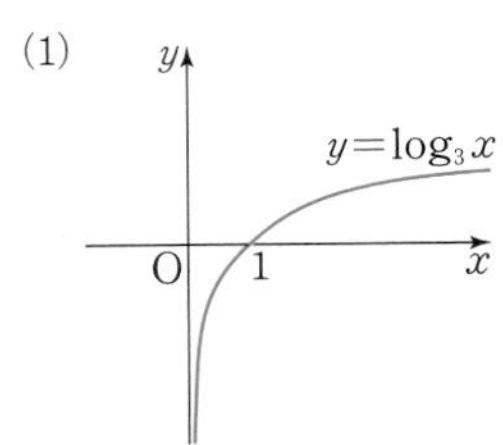

(2) $y=\log_{\frac{1}{3}} x$

3-1

(1) $3\log_2 3=\log_2 3^3=\log_2 27$

함수 $y=\log_2 x$는 x의 값이 증가하면 y의 값도 증가한다.

이때 $5<27$이므로 $\mathbf{\log_2 5<3\log_2 3}$

(2) $\frac{1}{2}\log_{\frac{1}{3}} 5=\log_{\frac{1}{3}} 5^{\frac{1}{2}}=\log_{\frac{1}{3}}\sqrt{5}$

함수 $y=\log_{\frac{1}{3}} x$는 x의 값이 증가하면 y의 값은 감소한다.

이때 $3>\sqrt{5}$이므로 $\mathbf{\log_{\frac{1}{3}} 3<\frac{1}{2}\log_{\frac{1}{3}} 5}$

3-2

(1) $\log_9 25=\log_{3^2} 5^2=\log_3 5$

함수 $y=\log_3 x$는 x의 값이 증가하면 y의 값도 증가한다.

이때 $25>5$이므로 $\mathbf{\log_3 25>\log_9 25}$

(2) $\log_{\frac{1}{4}} 3=\log_{\left(\frac{1}{2}\right)^2} 3=\frac{1}{2}\log_{\frac{1}{2}} 3$이므로

$-\log_{\frac{1}{4}} 3=-\frac{1}{2}\log_{\frac{1}{2}} 3=\log_{\frac{1}{2}} 3^{-\frac{1}{2}}=\log_{\frac{1}{2}}\sqrt{\frac{1}{3}}$

함수 $y=\log_{\frac{1}{2}} x$는 x의 값이 증가하면 y의 값은 감소한다.

이때 $\sqrt{\frac{1}{3}}>0.3$이므로 $\mathbf{-\log_{\frac{1}{4}} 3<\log_{\frac{1}{2}} 0.3}$

4-1

(1) $y=\log_3(x-2)+1$의 그래프는 $y=\log_3 x$의 그래프를 x축의 방향으로 2만큼, y축의 방향으로 1만큼 평행이동한 것이므로 오른쪽 그림과 같다.

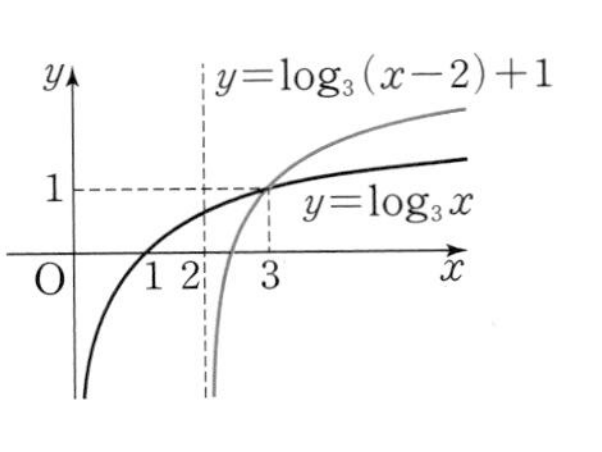

따라서 점근선의 방정식은

$\mathbf{x=2}$

(2) $y=-\log_2 x+2$의 그래프는 $y=\log_2 x$의 그래프를 x축에 대하여 대칭이동한 후 y축의 방향으로 2만큼 평행이동한 것이므로 오른쪽 그림과 같다.

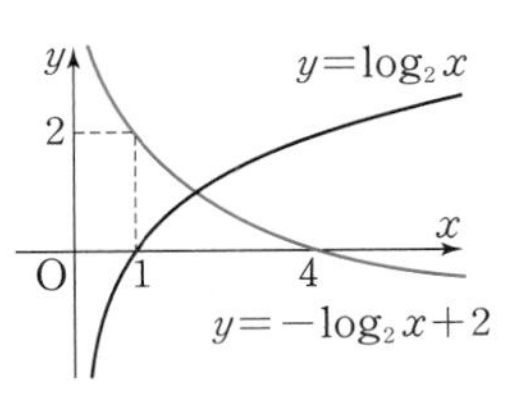

따라서 점근선의 방정식은

$\mathbf{x=0}$

4-2

(1) $y=\log_{\frac{1}{2}}(x+1)-1$의 그래프는 $y=\log_{\frac{1}{2}} x$의 그래프를 x축의 방향으로 -1만큼, y축의 방향으로 -1만큼 평행이동한 것이므로 오른쪽 그림과 같다.

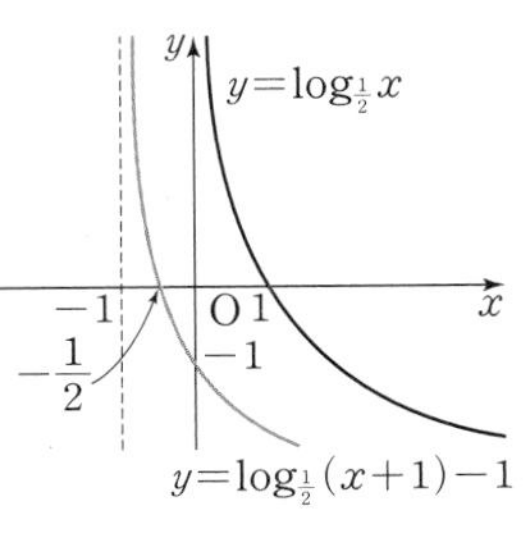

따라서 점근선의 방정식은

$\mathbf{x=-1}$

(2) $y=-\log_3(-x-2)$
$=-\log_3\{-(x+2)\}$

의 그래프는 $y=\log_3 x$의 그래프를 원점에 대하여 대칭이동한 후 x축의 방향으로 -2만큼 평행이동한 것이므로 위 그림과 같다.

따라서 점근선의 방정식은

$\mathbf{x=-2}$

5-1

(1) 함수 $y=\log_2 x$는 x의 값이 증가하면 y의 값도 증가하므로

$x=64$일 때 **최댓값** $\log_2 64=\log_2 2^6=\mathbf{6}$,

$x=2$일 때 **최솟값** $\log_2 2=\mathbf{1}$

을 갖는다.

(2) 함수 $y=2\log_{\frac{1}{3}}(x+3)$은 x의 값이 증가하면 y의 값은 감소하므로

$x=0$일 때 **최댓값** $2\log_{\frac{1}{3}} 3=2\times(-1)=\mathbf{-2}$,

$x=24$일 때 **최솟값** $2\log_{\frac{1}{3}} 27=2\times(-3)=\mathbf{-6}$

을 갖는다.

(3) 함수 $y=\log_2(x+1)-1$은 x의 값이 증가하면 y의 값도 증가하므로

$x=7$일 때 **최댓값** $\log_2 8-1=3-1=\mathbf{2}$,

$x=1$일 때 **최솟값** $\log_2 2-1=1-1=\mathbf{0}$

을 갖는다.

5-2

(1) 함수 $y=\log x$는 x의 값이 증가하면 y의 값도 증가하므로

$x=100$일 때 **최댓값** $\log 100=\log 10^2=\mathbf{2}$,

$x=\frac{1}{10}$일 때 **최솟값** $\log\frac{1}{10}=\log 10^{-1}=\mathbf{-1}$

을 갖는다.

(2) 함수 $y=-\log_5 \frac{x}{2}+1=\log_{\frac{1}{5}} \frac{x}{2}+1$은 x의 값이 증가하면 y의 값은 감소하므로

$x=10$일 때 **최댓값** $-\log_5 5+1=-1+1=\mathbf{0}$,

$x=250$일 때 **최솟값** $-\log_5 125+1=-3+1=\mathbf{-2}$

를 갖는다.

(3) 함수 $y=\log_{\frac{1}{2}}(x-1)+3$은 x의 값이 증가하면 y의 값은 감소하므로

$x=3$일 때 **최댓값** $\log_{\frac{1}{2}} 2+3=-1+3=\mathbf{2}$,

$x=9$일 때 **최솟값** $\log_{\frac{1}{2}} 8+3=-3+3=\mathbf{0}$

을 갖는다.

기초 유형

| 본문 38, 39쪽 |

1-1 **2, 2**

1-2

세 점 P, Q, R의 좌표는 각각

$(2, \log_a 2)$, $(2, \log_b 2)$, $(2, -\log_a 2)$

$\overline{PQ} : \overline{QR}=1 : 2$에서 $\overline{QR}=2\overline{PQ}$이므로

$\log_b 2-(-\log_a 2)=2(\log_a 2-\log_b 2)$

$3\log_b 2=\log_a 2$, $3\times\frac{\log 2}{\log b}=\frac{\log 2}{\log a}$ $\quad\therefore \frac{\log a}{\log b}=\frac{1}{3}$

$\therefore g(a)=\log_b a=\frac{\log a}{\log b}=\mathbf{\frac{1}{3}}$

2-1 **5, 5**

2-2

함수 $y=\log_5(x+a)+b$의 그래프의 점근선의 방정식은 $x=-a$이므로

$-a=-2 \quad \therefore \boldsymbol{a=2}$

주어진 함수의 그래프가 점 $(3, 5)$를 지나므로

$5=\log_5(3+2)+b$

$5=1+b \quad \therefore \boldsymbol{b=4}$

3-1 **1, 1, 2, 2, 4**

3-2

함수 $y=\log_3(x-2)+3$의 그래프를 x축의 방향으로 a만큼, y축의 방향으로 b만큼 평행이동한 그래프의 식은

$y=\log_3(x-2-a)+3+b$ $\quad\cdots\cdots$㉠

$y=\log_3(3x-9)=\log_3 3(x-3)=\log_3(x-3)+1$

이고 이 그래프와 ㉠의 그래프가 일치하므로

$-2-a=-3$, $3+b=1$

$\therefore \boldsymbol{a=1, b=-2}$

4-1 **16, 16, 4**

4-2

$f(x)=-x^2+4x+4$로 놓으면

$f(x)=-(x-2)^2+8$

$f(0)=4$, $f(2)=8$, $f(4)=4$이므로 $0\le x\le 4$에서

$f(x)$의 최댓값은 8, 최솟값은 4이다.

$y=\log_{\frac{1}{2}} f(x)$에서 밑이 1보다 작으므로 함수 $y=\log_{\frac{1}{2}} f(x)$는

$f(x)=8$, 즉 $x=2$일 때 최솟값 $\log_{\frac{1}{2}} 8=\mathbf{-3}$을 갖는다.

4-3

함수 $y=\log_{\frac{1}{8}}(x^2-ax+b)$에서 밑이 1보다 작으므로 $x=2$일 때 최댓값 -1을 가지면 이차함수 $y=x^2-ax+b$는 $x=2$일 때 최솟값을 가져야 한다.

$y=x^2-ax+b=\left(x-\frac{a}{2}\right)^2+b-\frac{a^2}{4}$에서

$\frac{a}{2}=2 \quad \therefore a=4$

또 함수 $y=\log_{\frac{1}{8}}(x^2-4x+b)$에서 $x=2$일 때의 함숫값이 -1이므로

$-1=\log_{\frac{1}{8}}(4-8+b)$

$b-4=8 \quad \therefore b=12$

$\therefore a+b=\mathbf{16}$

누구나 100점 테스트

본문 40, 41쪽

1 답 ②

$\sqrt{(-2)^6}+(\sqrt[3]{3}-\sqrt[3]{2})(\sqrt[3]{9}+\sqrt[3]{6}+\sqrt[3]{4})$

$=\sqrt{2^6}+(\sqrt[3]{3}-\sqrt[3]{2})(\sqrt[3]{3^2}+\sqrt[3]{3}\sqrt[3]{2}+\sqrt[3]{2^2})$

$=2^{6\times\frac{1}{2}}+\{(\sqrt[3]{3})^3-(\sqrt[3]{2})^3\}$

$=2^3+3-2=9$

2 답 ③

$(a^{\frac{2}{3}})^{\frac{1}{2}}=a^{\frac{1}{3}}$이 자연수가 되려면 a는 어떤 자연수의 세제곱이어야 한다.

따라서 자연수 a는 1, 8이므로 구하는 합은

$1+8=9$

3 답 ⑤

이차방정식 $x^2-18x+6=0$의 두 근이 α, β이므로 이차방정식의 근과 계수의 관계에 의하여

$\alpha+\beta=18$, $\alpha\beta=6$

$$\begin{aligned}\therefore \log_2(\alpha+\beta)-2\log_2\alpha\beta&=\log_2 18-2\log_2 6\\&=\log_2 18-\log_2 36\\&=\log_2\frac{18}{36}=\log_2\frac{1}{2}\\&=\log_2 2^{-1}=-1\end{aligned}$$

4 답 21

$\log_c a : \log_c b=2:3$이므로

$\log_c a=2k$, $\log_c b=3k$ (k는 0이 아닌 실수)로 놓으면

$\log_a b=\dfrac{\log_c b}{\log_c a}=\dfrac{3k}{2k}=\dfrac{3}{2}$

$\therefore 10\log_a b+9\log_b a=10\times\dfrac{3}{2}+9\times\dfrac{2}{3}=15+6=21$

5 답 ③

$$\begin{aligned}\log 312&=\log(10^2\times3.12)=\log 10^2+\log 3.12\\&=2+0.4942=2.4942\end{aligned}$$

6 답 60

함수 $f(x)=2^{x+p}+q$의 그래프의 점근선이 직선 $y=q$이므로

$q=-4$

$f(0)=0$에서 $2^p-4=0$, $2^p=4$ $\quad\therefore p=2$

따라서 $f(x)=2^{x+2}-4$이므로

$f(4)=2^6-4=60$

7 답 ⑤

$0<a<1$이므로 함수 $f(x)=a^x$은 x의 값이 증가하면 $f(x)$의 값은 감소한다.

즉, 함수 $f(x)=a^x$은 $x=1$일 때 최솟값 $\dfrac{5}{6}$를 가지므로 $a=\dfrac{5}{6}$

$x=-2$일 때 최댓값 M을 가지므로

$M=a^{-2}=\left(\dfrac{5}{6}\right)^{-2}=\dfrac{36}{25}$

$\therefore a\times M=\dfrac{5}{6}\times\dfrac{36}{25}=\dfrac{6}{5}$

8 답 ①

곡선 $y=\log_a x$와 직선 $y=1$이 만나는 점 A_1의 좌표는

$\log_a x=1$에서 $x=a$

즉, 점 A_1의 좌표는 $(a, 1)$

곡선 $y=\log_b x$와 직선 $y=1$이 만나는 점 B_1의 좌표는

$\log_b x=1$에서 $x=b$

즉, 점 B_1의 좌표는 $(b, 1)$

선분 A_1B_1의 중점의 좌표가 $(2, 1)$이므로

$\dfrac{a+b}{2}=2 \qquad \therefore a+b=4$

$\overline{A_1B_1}=1$에서 $b-a=1$ ($\because a<b$)

곡선 $y=\log_a x$와 직선 $y=2$가 만나는 점 A_2의 좌표는

$\log_a x=2$에서 $x=a^2$

즉, 점 A_2의 좌표는 $(a^2, 2)$

곡선 $y=\log_b x$와 직선 $y=2$가 만나는 점 B_2의 좌표는

$\log_b x=2$에서 $x=b^2$

즉, 점 B_2의 좌표는 $(b^2, 2)$

$$\begin{aligned}\therefore \overline{A_2B_2}&=b^2-a^2=(b-a)(b+a)\\&=1\times4=4\end{aligned}$$

다른 풀이

$a+b=4$, $b-a=1$을 연립하여 풀면

$a=\dfrac{3}{2}$, $b=\dfrac{5}{2}$

$\overline{A_2B_2}=b^2-a^2=\dfrac{25}{4}-\dfrac{9}{4}=4$

9 답 ⑤

함수 $y=2+\log_2 x$의 그래프를 x축의 방향으로 -8만큼, y축의 방향으로 k만큼 평행이동한 그래프의 식은

$y-k=2+\log_2(x+8) \qquad \therefore y=\log_2(x+8)+k+2$

따라서 이 그래프가 제4사분면을 지나지 않으려면 오른쪽 그림과 같아야 하므로

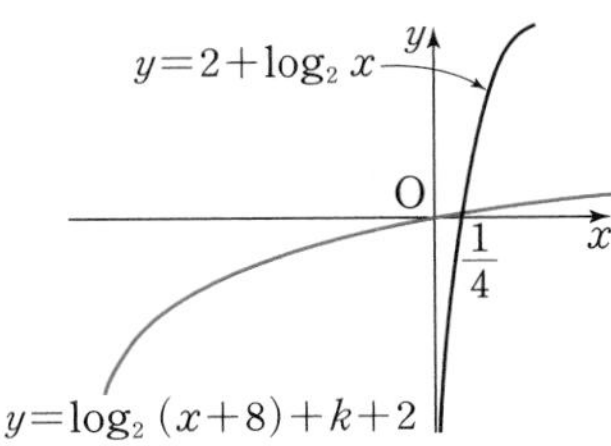

$\log_2 8+k+2\ge0$, $k+5\ge0$

$\therefore k\ge-5$

즉, 실수 k의 최솟값은 -5이다.

10 답 ④

함수 $f(x)=2\log_{\frac{1}{2}}(x+k)$는 x의 값이 증가하면 y의 값은 감소한다.

즉, $x=0$일 때 최댓값 -4를 가지므로

$2\log_{\frac{1}{2}}k=-4$, $\log_{\frac{1}{2}}k=-2 \qquad \therefore k=4$

$x=12$일 때 최솟값 m을 가지므로

$m=2\log_{\frac{1}{2}}16=2\times(-4)=-8$

$\therefore k+m=-4$

창의·융합·코딩

본문 42~47쪽

정답 $10^{\frac{7}{5}}$

별의 밝기를 나타내는 방법으로 절대 등급과 광도가 있다. 임의의 두 별 A, B에 대하여 별 A의 절대 등급과 광도를 각각 M_A, L_A라 하고, 별 B의 절대 등급과 광도를 각각 M_B, L_B라 하면 다음과 같은 관계식이 성립한다고 한다.

$$M_A-M_B=-2.5\log\left(\frac{L_A}{L_B}\right)$$ (단, 광도의 단위는 W이다.)

절대 등급이 4.8인 별의 광도가 L일 때, 절대 등급이 1.3인 별의 광도는 kL이다.❶ 상수 k의 값을 구하시오.❷

[2020 6월 실시 고2 교육청 13번]

❶ 주어진 조건을 관계식에 대입하여 식을 구한다.
❷ ❶에서 구한 식을 정리한 후 로그의 정의를 이용하여 상수 k의 값을 구한다.

❶ 절대 등급이 4.8인 별의 광도가 L, 절대 등급이 1.3인 별의 광도는 kL이므로

$$4.8-1.3=-2.5\log\left(\frac{L}{kL}\right)$$

❷ $3.5=-2.5\log\frac{1}{k}$, $3.5=2.5\log k$

$\log k=\frac{7}{5}$ $\therefore k=10^{\frac{7}{5}}$

1 답 <, >, <, <

2 답 $\frac{3}{4}$

❶ 두 점 $(2, \log_4 a)$, $(3, \log_2 b)$를 지나는 직선의 방정식은

$$y-\log_4 a=\frac{\log_2 b-\log_4 a}{3-2}(x-2)$$

$\therefore y=(\log_2 b-\log_4 a)x-2\log_2 b+3\log_4 a$

❷ 이 직선이 원점을 지나므로

$0=-2\log_2 b+3\log_4 a$, $2\log_2 b=3\log_4 a$

$2\log_2 b=\frac{3}{2}\log_2 a$ $\therefore \frac{\log_2 b}{\log_2 a}=\frac{3}{4}$

❸ $\therefore \log_a b=\frac{\log_2 b}{\log_2 a}=\frac{3}{4}$

3 답 1.483

❶ $V_A=4.86(1010-900)^{0.5}$, $V_B=4.86(1010-960)^{0.5}$

$$\therefore \frac{V_A}{V_B}=\left(\frac{110}{50}\right)^{0.5}=\sqrt{2.2}$$

❷ 양변에 상용로그를 취하면

$$\log\frac{V_A}{V_B}=\log\sqrt{2.2}=\log(1.1\times2)^{\frac{1}{2}}$$
$$=\frac{1}{2}(\log 1.1+\log 2)$$
$$=\frac{1}{2}(0.0414+0.3010)=0.1712$$

❸ 주어진 조건에서 $0.1712=\log 1.483$이므로

$$\log\frac{V_A}{V_B}=\log 1.483$$
$$\therefore \frac{V_A}{V_B}=1.483$$

4 답 -1, -1, 0, 2, 2, 9

5 답 6

❶ 세 점 A, B, C의 좌표는 각각

$(1, 0)$, $(k, \log_2 k)$, $(k, \log_{\frac{1}{2}} k)$

❷ 삼각형 ACB의 무게중심의 좌표는

$$\left(\frac{1+k+k}{3}, \frac{0+\log_2 k+\log_{\frac{1}{2}} k}{3}\right),\ 즉\ \left(\frac{2k+1}{3}, 0\right)$$

❸ 이 점의 좌표가 $(3, 0)$이므로

$\frac{2k+1}{3}=3$, $2k+1=9$

$2k=8$ $\therefore k=4$

❹ 따라서 $B(4, 2)$, $C(4, -2)$이므로 삼각형 ACB의 넓이는

$$\frac{1}{2}\times\{2-(-2)\}\times(4-1)=6$$

참고 삼각형의 무게중심

세 점 $A(x_1, y_1)$, $B(x_2, y_2)$, $C(x_3, y_3)$을 꼭짓점으로 하는 삼각형 ABC의 무게중심의 좌표는

$$\left(\frac{x_1+x_2+x_3}{3}, \frac{y_1+y_2+y_3}{3}\right)$$

6 답 3

❶ 함수 $y=2^x+2$의 그래프를 x축의 방향으로 m만큼 평행이동한 그래프의 식은

$y=2^{x-m}+2$ ……㉠

❷ 함수 $y=\log_2 8x$의 그래프를 x축의 방향으로 2만큼 평행이동한 그래프의 식은

$y=\log_2 8(x-2)=\log_2(x-2)+3$ ……㉡

❸ ㉡을 직선 $y=x$에 대하여 대칭이동한 그래프의 식은

$x=\log_2(y-2)+3$, $x-3=\log_2(y-2)$

$2^{x-3}=y-2$ $\therefore y=2^{x-3}+2$ ……㉢

❹ ㉠과 ㉢이 일치해야 하므로

$m=3$

❸, ❹의 다른 풀이

㉠과 ㉡이 직선 $y=x$에 대하여 대칭이므로 두 함수는 서로 역함수 관계이다.

이때 ㉡이 점 $(3, 3)$을 지나므로 ㉠도 점 $(3, 3)$을 지난다.

즉,

$3=2^{3-m}+2$, $2^{3-m}=1$

$3-m=0$ $\therefore m=3$

2주 1일 지수함수의 활용

개념 확인

| 본문 53, 55쪽 |

1-1

(1) $2^{2x-1}=64$에서 $2^{2x-1}=2^6$

즉, $2x-1=6$이므로 $\boldsymbol{x=\frac{7}{2}}$

(2) $\left(\frac{1}{2}\right)^{x+1}=128$에서 $2^{-x-1}=2^7$

즉, $-x-1=7$이므로 $\boldsymbol{x=-8}$

1-2

(1) $3^{2x}=\frac{1}{81}$에서 $3^{2x}=3^{-4}$

즉, $2x=-4$이므로 $\boldsymbol{x=-2}$

(2) $\left(\frac{1}{9}\right)^x=3\sqrt{3}$에서 $3^{-2x}=3^{\frac{3}{2}}$

즉, $-2x=\frac{3}{2}$이므로 $\boldsymbol{x=-\frac{3}{4}}$

2-1

(1) $5^{2x}=125^x$에서 $5^{2x}=5^{3x}$

즉, $2x=3x$이므로 $\boldsymbol{x=0}$

(2) $3^{x+2}=\left(\frac{1}{3}\right)^x$에서 $3^{x+2}=3^{-x}$

즉, $x+2=-x$이므로 $2x=-2$

$\therefore \boldsymbol{x=-1}$

2-2

(1) $\left(\frac{3}{2}\right)^{2x^2}=\left(\frac{9}{4}\right)^{4x-3}$에서 $\left(\frac{3}{2}\right)^{2x^2}=\left(\frac{3}{2}\right)^{8x-6}$

즉, $2x^2=8x-6$이므로

$x^2-4x+3=0$, $(x-1)(x-3)=0$

$\therefore$ **$x=1$ 또는 $x=3$**

(2) $\left(\frac{1}{2}\right)^{x^2}=2^{-3x+2}$에서 $\left(\frac{1}{2}\right)^{x^2}=\left(\frac{1}{2}\right)^{3x-2}$

즉, $x^2=3x-2$이므로

$x^2-3x+2=0$, $(x-1)(x-2)=0$

$\therefore$ **$x=1$ 또는 $x=2$**

3-1

(1) $4^x-2^x-2=0$에서 $(2^x)^2-2^x-2=0$

$2^x=t\ (t>0)$로 놓으면 주어진 방정식은

$t^2-t-2=0$, $(t+1)(t-2)=0$

$\therefore t=2\ (\because t>0)$

즉, $2^x=2$이므로 $\boldsymbol{x=1}$

(2) $\left(\frac{1}{9}\right)^x-6\times\left(\frac{1}{3}\right)^{x-1}+81=0$에서

$\left\{\left(\frac{1}{3}\right)^x\right\}^2-18\times\left(\frac{1}{3}\right)^x+81=0$

$\left(\frac{1}{3}\right)^x=t\ (t>0)$로 놓으면 주어진 방정식은

$t^2-18t+81=0$, $(t-9)^2=0$ $\quad\therefore t=9$

즉, $\left(\frac{1}{3}\right)^x=9$이므로 $\left(\frac{1}{3}\right)^x=\left(\frac{1}{3}\right)^{-2}$ $\quad\therefore \boldsymbol{x=-2}$

3-2

(1) $9^x+3^x-12=0$에서 $(3^x)^2+3^x-12=0$

$3^x=t\ (t>0)$로 놓으면 주어진 방정식은

$t^2+t-12=0$, $(t+4)(t-3)=0$

$\therefore t=3\ (\because t>0)$

즉, $3^x=3$이므로 $\boldsymbol{x=1}$

(2) $\left(\frac{1}{4}\right)^x-3\times\left(\frac{1}{2}\right)^{x-1}-16=0$에서

$\left\{\left(\frac{1}{2}\right)^x\right\}^2-6\times\left(\frac{1}{2}\right)^x-16=0$

$\left(\frac{1}{2}\right)^x=t\ (t>0)$로 놓으면 주어진 방정식은

$t^2-6t-16=0$, $(t+2)(t-8)=0$

$\therefore t=8\ (\because t>0)$

즉, $\left(\frac{1}{2}\right)^x=8$이므로 $\left(\frac{1}{2}\right)^x=\left(\frac{1}{2}\right)^{-3}$ $\quad\therefore \boldsymbol{x=-3}$

4-1

(1) $2^{x-1}>\frac{1}{64}$에서 $2^{x-1}>2^{-6}$

밑이 1보다 크므로 $x-1>-6$ $\quad\therefore \boldsymbol{x>-5}$

(2) $\left(\frac{2}{3}\right)^{2x}\geq\frac{81}{16}$에서 $\left(\frac{2}{3}\right)^{2x}\geq\left(\frac{2}{3}\right)^{-4}$

밑이 1보다 작으므로 $2x\leq-4$ $\quad\therefore \boldsymbol{x\leq-2}$

4-2

(1) $5^{2x+1}>25\sqrt{5}$에서 $5^{2x+1}>5^{\frac{5}{2}}$

밑이 1보다 크므로 $2x+1>\frac{5}{2}$

$2x>\frac{3}{2}$ $\quad\therefore \boldsymbol{x>\frac{3}{4}}$

(2) $\left(\frac{1}{3}\right)^{x+1}<81$에서 $\left(\frac{1}{3}\right)^{x+1}<\left(\frac{1}{3}\right)^{-4}$

밑이 1보다 작으므로 $x+1>-4$ $\quad\therefore \boldsymbol{x>-5}$

5-1

(1) $2^{2x}<\left(\frac{1}{2}\right)^{x-4}$에서 $2^{2x}<2^{-x+4}$

밑이 1보다 크므로 $2x<-x+4$

$3x<4$ $\quad\therefore \boldsymbol{x<\frac{4}{3}}$

(2) $\left(\frac{1}{25}\right)^x>\left(\frac{1}{5}\right)^{x-3}$에서 $\left(\frac{1}{5}\right)^{2x}>\left(\frac{1}{5}\right)^{x-3}$

밑이 1보다 작으므로 $2x<x-3$ $\therefore$ $\boldsymbol{x<-3}$

5-2

(1) $3^{x+3}\ge 9^{x^2+x}$에서 $3^{x+3}\ge 3^{2x^2+2x}$

밑이 1보다 크므로 $x+3\ge 2x^2+2x$

$2x^2+x-3\le 0$, $(2x+3)(x-1)\le 0$

$\therefore$ $\boldsymbol{-\frac{3}{2}\le x\le 1}$

(2) $\left(\frac{1}{4}\right)^{x^2}\le 2^{3x+1}$에서 $\left(\frac{1}{2}\right)^{2x^2}\le\left(\frac{1}{2}\right)^{-3x-1}$

밑이 1보다 작으므로 $2x^2\ge -3x-1$

$2x^2+3x+1\ge 0$, $(x+1)(2x+1)\ge 0$

$\therefore$ $\boldsymbol{x\le -1}$ **또는** $\boldsymbol{x\ge -\frac{1}{2}}$

6-1

(1) $4^x-2\times 2^x-8<0$에서 $(2^x)^2-2\times 2^x-8<0$

$2^x=t$ $(t>0)$로 놓으면 주어진 부등식은

$t^2-2t-8<0$, $(t+2)(t-4)<0$

$\therefore$ $0<t<4$ ($\because$ $t>0$)

즉, $2^x<2^2$이고 밑이 1보다 크므로 $\boldsymbol{x<2}$

(2) $\left(\frac{1}{25}\right)^x-6\times\left(\frac{1}{5}\right)^x+5\le 0$에서

$\left\{\left(\frac{1}{5}\right)^x\right\}^2-6\times\left(\frac{1}{5}\right)^x+5\le 0$

$\left(\frac{1}{5}\right)^x=t$ $(t>0)$로 놓으면 주어진 부등식은

$t^2-6t+5\le 0$, $(t-1)(t-5)\le 0$

$\therefore$ $1\le t\le 5$

즉, $\left(\frac{1}{5}\right)^0\le\left(\frac{1}{5}\right)^x\le\left(\frac{1}{5}\right)^{-1}$이고 밑이 1보다 작으므로

$\boldsymbol{-1\le x\le 0}$

6-2

(1) $3^{2x}-7\times 3^x-18<0$에서 $(3^x)^2-7\times 3^x-18<0$

$3^x=t$ $(t>0)$로 놓으면 주어진 부등식은

$t^2-7t-18<0$, $(t+2)(t-9)<0$

$\therefore$ $0<t<9$ ($\because$ $t>0$)

즉, $3^x<3^2$이고 밑이 1보다 크므로 $\boldsymbol{x<2}$

(2) $4^{-x}+2\times 2^{-x}-3<0$에서

$\left\{\left(\frac{1}{2}\right)^x\right\}^2+2\times\left(\frac{1}{2}\right)^x-3<0$

$\left(\frac{1}{2}\right)^x=t$ $(t>0)$로 놓으면 주어진 부등식은

$t^2+2t-3<0$, $(t+3)(t-1)<0$

$\therefore$ $0<t<1$ ($\because$ $t>0$)

즉, $\left(\frac{1}{2}\right)^x<\left(\frac{1}{2}\right)^0$이고 밑이 1보다 작으므로 $\boldsymbol{x>0}$

기초 유형

| 본문 **56, 57**쪽 |

1-1 $\boldsymbol{-3,\ -6,\ -6}$

1-2

$\left(\frac{1}{\sqrt{2}}\right)^{3x}=4^{3-x}$에서 $2^{-\frac{3}{2}x}=2^{6-2x}$

즉, $-\frac{3}{2}x=6-2x$이므로

$\frac{1}{2}x=6$ $\therefore$ $\boldsymbol{x=12}$

2-1 **11, 28, 11, 28**

2-2

$6-2^x=2^{3-x}$에서 $6-2^x=2^3\times\frac{1}{2^x}$

$2^x=t$ $(t>0)$로 놓으면 주어진 방정식은

$6-t=\frac{8}{t}$, $6t-t^2=8$

$t^2-6t+8=0$, $(t-2)(t-4)=0$

$\therefore$ $t=2$ 또는 $t=4$

즉, $2^x=2$ 또는 $2^x=2^2$이므로

$x=1$ 또는 $x=2$

따라서 모든 실근의 합은

$1+2=\mathbf{3}$

다른 풀이

주어진 방정식의 서로 다른 두 실근을 α, β라 하면 이차방정식 $t^2-6t+8=0$의 두 근은 2^α, 2^β이므로 근과 계수의 관계에 의하여

$2^\alpha\times 2^\beta=8$, $2^{\alpha+\beta}=2^3$

$\therefore$ $\alpha+\beta=3$

따라서 모든 실근의 합은 3

2-3

$9^x-5\times 3^{x+1}+k=0$에서 $(3^x)^2-15\times 3^x+k=0$

$3^x=t$ $(t>0)$로 놓으면 주어진 방정식은

$t^2-15t+k=0$ ……㉠

주어진 방정식의 서로 다른 두 실근을 α, β라 하면

$\alpha+\beta=3$

이때 이차방정식 ㉠의 두 근은 3^α, 3^β이므로 근과 계수의 관계에 의하여

$k=3^\alpha\times 3^\beta=3^{\alpha+\beta}=3^3=\mathbf{27}$

3-1 $\boldsymbol{\ge,\ \ge}$

3-2

$\left(\frac{3}{2}\right)^{x^2-2x} \leq \left(\frac{9}{4}\right)^{x+6}$에서 $\left(\frac{3}{2}\right)^{x^2-2x} \leq \left(\frac{3}{2}\right)^{2x+12}$

밑이 1보다 크므로 $x^2-2x \leq 2x+12$

$x^2-4x-12 \leq 0$, $(x+2)(x-6) \leq 0$

$\therefore -2 \leq x \leq 6$

따라서 정수 x는 -2, -1, 0, $\cdots$, 6이므로 구하는 합은

$-2+(-1)+0+\cdots+6=\mathbf{18}$

3-3

$\left(\frac{1}{2}\right)^{f(x)} < \left(\frac{1}{2}\right)^{g(x)}$에서 밑이 1보다 작으므로

$f(x) > g(x)$

부등식 $f(x) > g(x)$의 해는 직선 $y=f(x)$가 $y=g(x)$의 그래프보다 위쪽에 있는 부분의 x의 값의 범위이므로

$\mathbf{-2 < x < 1}$

4-1 **1, 3**

4-2

$3^{2x+1}-28\times 3^x+9 \leq 0$에서

$3\times(3^x)^2-28\times 3^x+9 \leq 0$

$3^x=t\ (t>0)$로 놓으면 주어진 부등식은

$3t^2-28t+9 \leq 0$, $(3t-1)(t-9) \leq 0$

$\therefore \frac{1}{3} \leq t \leq 9$

즉, $3^{-1} \leq 3^x \leq 3^2$이고 밑이 1보다 크므로

$-1 \leq x \leq 2$

따라서 정수 x는 -1, 0, 1, 2이므로 구하는 합은

$-1+0+1+2=\mathbf{2}$

2주 2일 로그함수의 활용

개념 확인

| 본문 59, 61쪽 |

1-1

(1) 진수의 조건에서 $x+1>0$ $\quad \therefore x>-1$ $\quad\cdots\cdots$㉠

$\log_3(x+1)=2$에서 $x+1=3^2$ $\quad \therefore x=8$

$\mathbf{x=8}$은 ㉠을 만족시키므로 구하는 해이다.

(2) 진수의 조건에서 $x-2>0$ $\quad \therefore x>2$ $\quad\cdots\cdots$㉠

$\log_{\frac{1}{2}}(x-2)=2$에서 $x-2=\left(\frac{1}{2}\right)^2$ $\quad \therefore x=\frac{9}{4}$

$\mathbf{x=\frac{9}{4}}$는 ㉠을 만족시키므로 구하는 해이다.

1-2

(1) 진수의 조건에서 $2x-1>0$ $\quad \therefore x>\frac{1}{2}$ $\quad\cdots\cdots$㉠

$\log_4(2x-1)=\frac{1}{2}$에서 $2x-1=4^{\frac{1}{2}}$

$2x=3$ $\quad \therefore x=\frac{3}{2}$

$\mathbf{x=\frac{3}{2}}$은 ㉠을 만족시키므로 구하는 해이다.

(2) 진수의 조건에서 $x+2>0$ $\quad \therefore x>-2$ $\quad\cdots\cdots$㉠

$\log_{\frac{1}{3}}(x+2)=-1$에서 $x+2=\left(\frac{1}{3}\right)^{-1}$ $\quad \therefore x=1$

$\mathbf{x=1}$은 ㉠을 만족시키므로 구하는 해이다.

2-1

(1) 진수의 조건에서

$x+3>0$, $2x-3>0$ $\quad \therefore x>\frac{3}{2}$ $\quad\cdots\cdots$㉠

$\log_3(x+3)=\log_3(2x-3)$에서

$x+3=2x-3$ $\quad \therefore x=6$

$\mathbf{x=6}$은 ㉠을 만족시키므로 구하는 해이다.

(2) 진수의 조건에서

$x>0$, $x+1>0$ $\quad \therefore x>0$ $\quad\cdots\cdots$㉠

$\log_{\frac{1}{2}}x=1+\log_{\frac{1}{2}}(x+1)$에서 $\log_{\frac{1}{2}}x=\log_{\frac{1}{2}}\frac{1}{2}(x+1)$

즉, $x=\frac{1}{2}(x+1)$이므로 $x=\frac{1}{2}x+\frac{1}{2}$

$\frac{1}{2}x=\frac{1}{2}$ $\quad \therefore x=1$

$\mathbf{x=1}$은 ㉠을 만족시키므로 구하는 해이다.

2-2

(1) 진수의 조건에서

$2-x>0$, $4-3x>0$ $\quad \therefore x<\frac{4}{3}$ $\quad\cdots\cdots$㉠

$\log_{\sqrt{2}}(2-x)=\log_2(4-3x)$에서

$2\log_2(2-x)=\log_2(4-3x)$

$\log_2(2-x)^2=\log_2(4-3x)$

즉, $(2-x)^2=4-3x$이므로 $x^2-x=0$

$x(x-1)=0$ $\quad \therefore x=0$ 또는 $x=1$

$\mathbf{x=0}$ **또는** $\mathbf{x=1}$은 ㉠을 만족시키므로 구하는 해이다.

(2) 진수의 조건에서

$2x+15>0$, $x>0$ $\quad \therefore x>0$ $\quad\cdots\cdots$㉠

$\log_{\frac{1}{9}}(2x+15)=\log_{\frac{1}{3}}x$에서 $\frac{1}{2}\log_{\frac{1}{3}}(2x+15)=\log_{\frac{1}{3}}x$

$\log_{\frac{1}{3}}(2x+15)=2\log_{\frac{1}{3}}x$

$\log_{\frac{1}{3}}(2x+15)=\log_{\frac{1}{3}}x^2$

즉, $2x+15=x^2$이므로 $x^2-2x-15=0$

$(x+3)(x-5)=0$ $\quad \therefore x=-3$ 또는 $x=5$

$\mathbf{x=5}$는 ㉠을 만족시키므로 구하는 해이다.

3-1

(1) 진수의 조건에서 $x>0$ ……㉠

$\log_3 x=t$로 놓으면 주어진 방정식은

$t^2-2t=0$, $t(t-2)=0$ $\therefore t=0$ 또는 $t=2$

즉, $\log_3 x=0$ 또는 $\log_3 x=2$이므로

$x=1$ 또는 $x=3^2=9$

$x=1$ 또는 $x=9$는 ㉠을 만족시키므로 구하는 해이다.

(2) 진수의 조건에서 $x>0$ ……㉠

$\log_{\frac{1}{5}} x=t$로 놓으면 주어진 방정식은

$t^2=6-t$, $t^2+t-6=0$

$(t+3)(t-2)=0$ $\therefore t=-3$ 또는 $t=2$

즉, $\log_{\frac{1}{5}} x=-3$ 또는 $\log_{\frac{1}{5}} x=2$이므로

$x=\left(\frac{1}{5}\right)^{-3}=125$ 또는 $x=\left(\frac{1}{5}\right)^2=\frac{1}{25}$

$x=125$ 또는 $x=\frac{1}{25}$은 ㉠을 만족시키므로 구하는 해이다.

3-2

(1) 진수의 조건에서 $x>0$, $x^5>0$ $\therefore x>0$ ……㉠

$(\log_2 x)^2-\log_2 x^5+6=0$에서

$(\log_2 x)^2-5\log_2 x+6=0$

$\log_2 x=t$로 놓으면 주어진 방정식은

$t^2-5t+6=0$, $(t-2)(t-3)=0$ $\therefore t=2$ 또는 $t=3$

즉, $\log_2 x=2$ 또는 $\log_2 x=3$이므로

$x=2^2=4$ 또는 $x=2^3=8$

$x=4$ 또는 $x=8$은 ㉠을 만족시키므로 구하는 해이다.

(2) 진수의 조건에서 $x>0$, $\frac{x^2}{27}>0$ $\therefore x>0$ ……㉠

$(\log_{\frac{1}{3}} x)^2=\log_{\frac{1}{3}} \frac{x^2}{27}$에서 $(\log_{\frac{1}{3}} x)^2=2\log_{\frac{1}{3}} x+3$

$\log_{\frac{1}{3}} x=t$로 놓으면 주어진 방정식은

$t^2=2t+3$, $t^2-2t-3=0$

$(t+1)(t-3)=0$ $\therefore t=-1$ 또는 $t=3$

즉, $\log_{\frac{1}{3}} x=-1$ 또는 $\log_{\frac{1}{3}} x=3$이므로

$x=\left(\frac{1}{3}\right)^{-1}=3$ 또는 $x=\left(\frac{1}{3}\right)^3=\frac{1}{27}$

$x=3$ 또는 $x=\frac{1}{27}$은 ㉠을 만족시키므로 구하는 해이다.

4-1

(1) 진수의 조건에서 $2x-1>0$ $\therefore x>\frac{1}{2}$ ……㉠

$\log_2(2x-1)<1$에서 $\log_2(2x-1)<\log_2 2$

밑이 1보다 크므로

$2x-1<2$ $\therefore x<\frac{3}{2}$ ……㉡

㉠, ㉡을 모두 만족시키는 x의 값의 범위는

$\frac{1}{2}<x<\frac{3}{2}$

(2) $x^2+1\geq 1$이므로 진수는 항상 양수이다.

$\log_{\frac{1}{5}}(x^2+1)\geq -1$에서 $\log_{\frac{1}{5}}(x^2+1)\geq \log_{\frac{1}{5}} 5$

밑이 1보다 작으므로

$x^2+1\leq 5$, $x^2-4\leq 0$

$(x+2)(x-2)\leq 0$ $\therefore$ **$-2\leq x\leq 2$**

4-2

(1) 진수의 조건에서 $1-x>0$ $\therefore x<1$ ……㉠

$\log_{\frac{1}{3}}(1-x)\leq -3$에서 $\log_{\frac{1}{3}}(1-x)\leq \log_{\frac{1}{3}} 27$

밑이 1보다 작으므로

$1-x\geq 27$ $\therefore x\leq -26$ ……㉡

㉠, ㉡을 모두 만족시키는 x의 값의 범위는

$x\leq -26$

(2) $x^2+x+7=\left(x+\frac{1}{2}\right)^2+\frac{27}{4}\geq \frac{27}{4}$이므로 진수는 항상 양수이다.

$\log_3(x^2+x+7)>2$에서 $\log_3(x^2+x+7)>\log_3 9$

밑이 1보다 크므로

$x^2+x+7>9$, $x^2+x-2>0$

$(x+2)(x-1)>0$ $\therefore$ **$x<-2$ 또는 $x>1$**

5-1

(1) 진수의 조건에서

$20-2x>0$, $x+5>0$ $\therefore -5<x<10$ ……㉠

$\log_5(20-2x)<-\log_{\frac{1}{5}}(x+5)$에서

$\log_5(20-2x)<\log_5(x+5)$

밑이 1보다 크므로

$20-2x<x+5$, $-3x<-15$ $\therefore x>5$ ……㉡

㉠, ㉡을 모두 만족시키는 x의 값의 범위는

$5<x<10$

(2) 진수의 조건에서

$x+2>0$, $3-x>0$ $\therefore -2<x<3$ ……㉠

$\log_{\frac{1}{4}}(x+2)>\log_{\frac{1}{4}}(3-x)$에서 밑이 1보다 작으므로

$x+2<3-x$, $2x<1$ $\therefore x<\frac{1}{2}$ ……㉡

㉠, ㉡을 모두 만족시키는 x의 값의 범위는

$-2<x<\frac{1}{2}$

5-2

(1) 진수의 조건에서

$x+2>0$, $4x+13>0$ $\therefore x>-2$ ……㉠

$2\log_2(x+2)\leq \log_2(4x+13)$에서

$\log_2(x+2)^2\leq \log_2(4x+13)$

밑이 1보다 크므로

$(x+2)^2\leq 4x+13$, $x^2-9\leq 0$

$(x+3)(x-3)\leq 0$ $\therefore -3\leq x\leq 3$ ……㉡

㉠, ㉡을 모두 만족시키는 x의 값의 범위는

$-2<x\leq 3$

(2) 진수의 조건에서

$x^2-2>0$, $x>0$ $\therefore x>\sqrt{2}$ ……㉠

$\log_{\frac{1}{3}}(x^2-2)>\log_{\frac{1}{3}}x$에서 밑이 1보다 작으므로

$x^2-2<x$, $x^2-x-2<0$

$(x+1)(x-2)<0$ $\therefore -1<x<2$ ……㉡

㉠, ㉡을 모두 만족시키는 x의 값의 범위는

$\boldsymbol{\sqrt{2}<x<2}$

6-1

(1) 진수의 조건에서 $x>0$ ……㉠

$\log_2 x=t$로 놓으면 주어진 부등식은

$t^2-3t+2<0$, $(t-1)(t-2)<0$

$\therefore 1<t<2$

즉, $1<\log_2 x<2$이므로

$\log_2 2<\log_2 x<\log_2 2^2$

밑이 1보다 크므로 $2<x<4$ ……㉡

㉠, ㉡을 모두 만족시키는 x의 값의 범위는

$\boldsymbol{2<x<4}$

(2) 진수의 조건에서 $x>0$ ……㉠

$\log_{\frac{1}{3}}x=t$로 놓으면 주어진 부등식은

$t^2-t>12$, $t^2-t-12>0$

$(t+3)(t-4)>0$ $\therefore t<-3$ 또는 $t>4$

즉, $\log_{\frac{1}{3}}x<-3$ 또는 $\log_{\frac{1}{3}}x>4$이므로

$\log_{\frac{1}{3}}x<\log_{\frac{1}{3}}3^3$ 또는 $\log_{\frac{1}{3}}x>\log_{\frac{1}{3}}\left(\frac{1}{3}\right)^4$

밑이 1보다 작으므로

$x>27$ 또는 $x<\frac{1}{81}$ ……㉡

㉠, ㉡을 모두 만족시키는 x의 값의 범위는

$\boldsymbol{0<x<\frac{1}{81}}$ **또는** $\boldsymbol{x>27}$

6-2

(1) 진수의 조건에서

$x>0$, $x^5>0$ $\therefore x>0$ ……㉠

$(\log_3 x)^2-\log_3 x^5\geq 0$에서

$(\log_3 x)^2-5\log_3 x\geq 0$

$\log_3 x=t$로 놓으면 주어진 부등식은

$t^2-5t\geq 0$, $t(t-5)\geq 0$

$\therefore t\leq 0$ 또는 $t\geq 5$

즉, $\log_3 x\leq 0$ 또는 $\log_3 x\geq 5$이므로

$\log_3 x\leq\log_3 1$ 또는 $\log_3 x\geq\log_3 3^5$

밑이 1보다 크므로

$x\leq 1$ 또는 $x\geq 243$ ……㉡

㉠, ㉡을 모두 만족시키는 x의 값의 범위는

$\boldsymbol{0<x\leq 1}$ **또는** $\boldsymbol{x\geq 243}$

(2) 진수의 조건에서 $x>0$ ……㉠

$\log_{\frac{1}{5}}x=t$로 놓으면 주어진 부등식은

$(3+t)(1+t)<3$, $t^2+4t<0$

$t(t+4)<0$ $\therefore -4<t<0$

즉, $-4<\log_{\frac{1}{5}}x<0$이므로

$\log_{\frac{1}{5}}\left(\frac{1}{5}\right)^{-4}<\log_{\frac{1}{5}}x<\log_{\frac{1}{5}}1$

밑이 1보다 작으므로 $1<x<625$ ……㉡

㉠, ㉡을 모두 만족시키는 x의 값의 범위는

$\boldsymbol{1<x<625}$

기초 유형

| 본문 62, 63쪽 |

1-1 $\boldsymbol{2,\ x^2}$

1-2

진수의 조건에서

$x>0$, $x-7>0$ $\therefore x>7$ ……㉠

$\log_4 x-\log_4(x-7)=\frac{1}{2}$에서 $\log_4 x=\log_4(x-7)+\log_4 2$

$\log_4 x=\log_4 2(x-7)$

즉, $x=2(x-7)$이므로 $x=2x-14$ $\therefore x=14$

$\boldsymbol{x=14}$는 ㉠을 만족시키므로 구하는 해이다.

1-3

진수의 조건에서

$x-2>0$, $4-x>0$ $\therefore 2<x<4$ ……㉠

$\log_3(x-2)=\log_9(4-x)$에서

$\log_3(x-2)=\frac{1}{2}\log_3(4-x)$, $2\log_3(x-2)=\log_3(4-x)$

$\log_3(x-2)^2=\log_3(4-x)$

즉, $(x-2)^2=4-x$이므로 $x^2-3x=0$

$x(x-3)=0$ $\therefore x=0$ 또는 $x=3$

$\boldsymbol{x=3}$은 ㉠을 만족시키므로 구하는 해이다.

2-1 $\boldsymbol{3,\ 3,\ 27}$

2-2

$\log_2 x\times\log_2 5x=4$에서 $\log_2 x\times(\log_2 5+\log_2 x)=4$

$\therefore (\log_2 x)^2+\log_2 x\times\log_2 5-4=0$

$\log_2 x=t$로 놓으면 주어진 방정식은 $t^2+t\log_2 5-4=0$

이 이차방정식의 두 근은 $\log_2\alpha$, $\log_2\beta$이므로 근과 계수의 관계에 의하여

$\log_2\alpha+\log_2\beta=\log_2\alpha\beta=-\log_2 5$

$\therefore \alpha\beta=5^{-1}=\boldsymbol{\frac{1}{5}}$

3-1 $<$, $<$, **33**

3-2

진수의 조건에서

$x(x-2)>0$ $\quad\therefore x<0$ 또는 $x>2$ ⋯⋯㉠

$\log_{\frac{1}{2}}\{x(x-2)\}>-3$에서

$\log_{\frac{1}{2}}\{x(x-2)\}>\log_{\frac{1}{2}}8$

밑이 1보다 작으므로

$x(x-2)<8$, $x^2-2x-8<0$

$(x+2)(x-4)<0$ $\quad\therefore -2<x<4$ ⋯⋯㉡

㉠, ㉡을 모두 만족시키는 x의 값의 범위는

$\boldsymbol{-2<x<0}$ **또는** $\boldsymbol{2<x<4}$

4-1 **7, 10, 8, 8, 26**

4-2

진수의 조건에서

$x+1>0$, $2x+5>0$ $\quad\therefore x>-1$ ⋯⋯㉠

$2\log_{\frac{1}{3}}(x+1)\geq\log_{\frac{1}{3}}(2x+5)$에서

$\log_{\frac{1}{3}}(x+1)^2\geq\log_{\frac{1}{3}}(2x+5)$

밑이 1보다 작으므로

$(x+1)^2\leq 2x+5$, $x^2-4\leq 0$

$(x+2)(x-2)\leq 0$ $\quad\therefore -2\leq x\leq 2$ ⋯⋯㉡

㉠, ㉡을 모두 만족시키는 x의 값의 범위는

$-1<x\leq 2$

따라서 모든 정수 x의 값은 **0, 1, 2**이다.

4-3

진수의 조건에서

$x-1>0$, $\frac{1}{2}x+k>0$ $\quad\therefore x>1$ ($\because$ k는 자연수) ⋯⋯㉠

$\log_5(x-1)\leq\log_5\left(\frac{1}{2}x+k\right)$에서 밑이 1보다 크므로

$x-1\leq\frac{1}{2}x+k$, $\frac{1}{2}x\leq k+1$

$\therefore x\leq 2(k+1)$ ⋯⋯㉡

㉠, ㉡을 모두 만족시키는 x의 값의 범위는

$1<x\leq 2(k+1)$ ($\because$ k는 자연수)

이고 모든 정수 x의 개수가 5이므로

$2(k+1)-1=5$, $2k=4$ $\quad\therefore \boldsymbol{k=2}$

참고 부등식을 만족시키는 정수 x의 개수

a, b는 정수이고 $a<b$일 때, 부등식을 만족시키는 정수 x의 개수는 다음과 같다.

❶ $a<x<b \Rightarrow b-a-1$ ❷ $a\leq x<b \Rightarrow b-a$
❸ $a<x\leq b \Rightarrow b-a$ ❹ $a\leq x\leq b \Rightarrow b-a+1$

2주 3일 일반각과 호도법

개념 확인

| 본문 65, 67쪽 |

1-1

(1) $840^\circ=360^\circ\times 2+120^\circ$이므로 **제2사분면의 각**

(2) $-120^\circ=360^\circ\times(-1)+240^\circ$이므로 **제3사분면의 각**

(3) $1140^\circ=360^\circ\times 3+60^\circ$이므로 **제1사분면의 각**

(4) $-420^\circ=360^\circ\times(-2)+300^\circ$이므로 **제4사분면의 각**

1-2

(1) $1100^\circ=360^\circ\times 3+20^\circ$이므로 **제1사분면의 각**

(2) $-240^\circ=360^\circ\times(-1)+120^\circ$이므로 **제2사분면의 각**

(3) $640^\circ=360^\circ\times 1+280^\circ$이므로 **제4사분면의 각**

(4) $-820^\circ=360^\circ\times(-3)+260^\circ$이므로 **제3사분면의 각**

2-1

(1) $45^\circ=45\times 1^\circ=45\times\frac{\pi}{180}=\boldsymbol{\frac{\pi}{4}}$

(2) $-150^\circ=-150\times 1^\circ=-150\times\frac{\pi}{180}=\boldsymbol{-\frac{5}{6}\pi}$

(3) $144^\circ=144\times 1^\circ=144\times\frac{\pi}{180}=\boldsymbol{\frac{4}{5}\pi}$

(4) $495^\circ=495\times 1^\circ=495\times\frac{\pi}{180}=\boldsymbol{\frac{11}{4}\pi}$

2-2

(1) $60^\circ=60\times 1^\circ=60\times\frac{\pi}{180}=\boldsymbol{\frac{\pi}{3}}$

(2) $-135^\circ=-135\times 1^\circ=-135\times\frac{\pi}{180}=\boldsymbol{-\frac{3}{4}\pi}$

(3) $-270^\circ=-270\times 1^\circ=-270\times\frac{\pi}{180}=\boldsymbol{-\frac{3}{2}\pi}$

(4) $300^\circ=300\times 1^\circ=300\times\frac{\pi}{180}=\boldsymbol{\frac{5}{3}\pi}$

3-1

(1) $\frac{\pi}{6}=\frac{\pi}{6}\times 1$(라디안)$=\frac{\pi}{6}\times\frac{180^\circ}{\pi}=\boldsymbol{30^\circ}$

(2) $-\frac{5}{4}\pi=-\frac{5}{4}\pi\times 1$(라디안)$=-\frac{5}{4}\pi\times\frac{180^\circ}{\pi}=\boldsymbol{-225^\circ}$

(3) $\pi=\pi\times 1$(라디안)$=\pi\times\frac{180^\circ}{\pi}=\boldsymbol{180^\circ}$

(4) $-\frac{4}{3}\pi=-\frac{4}{3}\pi\times 1$(라디안)$=-\frac{4}{3}\pi\times\frac{180^\circ}{\pi}=\boldsymbol{-240^\circ}$

3-2

(1) $\frac{\pi}{2}=\frac{\pi}{2}\times 1$(라디안)$=\frac{\pi}{2}\times\frac{180^\circ}{\pi}=\mathbf{90^\circ}$

(2) $-\frac{2}{3}\pi=-\frac{2}{3}\pi\times 1$(라디안)$=-\frac{2}{3}\pi\times\frac{180^\circ}{\pi}=\mathbf{-120^\circ}$

(3) $2\pi=2\pi\times 1$(라디안)$=2\pi\times\frac{180^\circ}{\pi}=\mathbf{360^\circ}$

(4) $-\frac{3}{5}\pi=-\frac{3}{5}\pi\times 1$(라디안)$=-\frac{3}{5}\pi\times\frac{180^\circ}{\pi}=\mathbf{-108^\circ}$

4-1

(1) $l=4\times\frac{\pi}{4}=\boldsymbol{\pi}$

(2) $60^\circ=\frac{\pi}{3}$이므로 $l=2\times\frac{\pi}{3}=\boldsymbol{\frac{2}{3}\pi}$

4-2

(1) $l=5\times\frac{\pi}{6}=\boldsymbol{\frac{5}{6}\pi}$

(2) $120^\circ=\frac{2}{3}\pi$이므로 $l=6\times\frac{2}{3}\pi=\boldsymbol{4\pi}$

5-1

(1) $S=\frac{1}{2}\times 12^2\times\frac{\pi}{2}=\boldsymbol{36\pi}$

(2) $S=\frac{1}{2}\times 4\times 2\pi=\boldsymbol{4\pi}$

5-2

(1) $S=\frac{1}{2}\times 6^2\times\frac{5}{6}\pi=\boldsymbol{15\pi}$

(2) $S=\frac{1}{2}\times 5\times 10=\mathbf{25}$

6-1

(1) $6\pi=\frac{1}{2}\times 6^2\times\theta \qquad \therefore \theta=\boldsymbol{\frac{\pi}{3}}$

(2) 부채꼴의 반지름의 길이를 r라 하면

$r\theta=2\pi$ ……㉠, $\frac{1}{2}r^2\theta=3\pi$ ……㉡

㉠을 ㉡에 대입하면 $\frac{1}{2}r\times 2\pi=3\pi \qquad \therefore r=3$

$r=3$을 ㉠에 대입하면 $3\theta=2\pi \qquad \therefore \theta=\boldsymbol{\frac{2}{3}\pi}$

6-2

(1) $\frac{3}{4}\pi=\frac{1}{2}\times 3^2\times\theta \qquad \therefore \theta=\boldsymbol{\frac{\pi}{6}}$

(2) 부채꼴의 반지름의 길이를 r라 하면

$r\theta=12$ ……㉠, $\frac{1}{2}r^2\theta=36$ ……㉡

㉠을 ㉡에 대입하면 $\frac{1}{2}r\times 12=36 \qquad \therefore r=6$

$r=6$을 ㉠에 대입하면 $6\theta=12 \qquad \therefore \theta=\mathbf{2}$

기초 유형

| 본문 68, 69쪽 |

1-1 **2, 4**

1-2

두 각 θ와 4θ를 나타내는 두 동경이 일치하므로

$4\theta-\theta=2n\pi$ (n은 정수)

$3\theta=2n\pi \qquad \therefore \theta=\frac{2}{3}n\pi$

$\pi<\theta<2\pi$에서 $n=2$이므로 $\theta=\boldsymbol{\frac{4}{3}\pi}$

참고 두 동경의 위치 관계

두 동경이 나타내는 각의 크기가 각각 α, β일 때, 두 동경의 위치 관계는 다음과 같다. (단, n은 정수)

❶ 두 동경이 일치 ⇨ $\beta-\alpha=2n\pi$
❷ 두 동경이 원점에 대하여 대칭 ⇨ $\beta-\alpha=2n\pi+\pi$
❸ 두 동경이 x축에 대하여 대칭 ⇨ $\alpha+\beta=2n\pi$
❹ 두 동경이 y축에 대하여 대칭 ⇨ $\alpha+\beta=2n\pi+\pi$

1-3

각 θ를 나타내는 동경과 각 5θ를 나타내는 동경이 원점에 대하여 대칭이므로

$5\theta-\theta=2n\pi+\pi$ (n은 정수)

$4\theta=2n\pi+\pi \qquad \therefore \theta=\frac{n}{2}\pi+\frac{\pi}{4}$

$\pi<\theta<\frac{3}{2}\pi$에서 $n=2$이므로 $\theta=\boldsymbol{\frac{5}{4}\pi}$

2-1 $\boldsymbol{6\pi}$, **4**

2-2

부채꼴의 중심각의 크기를 θ라 하면

$\frac{9}{4}\pi=4\theta \qquad \therefore \theta=\boldsymbol{\frac{9}{16}\pi}$

3-1 **6, 6, 12**

3-2

부채꼴의 반지름의 길이를 r, 호의 길이를 l이라 하면

$8\pi=\frac{1}{2}\times r^2\times\frac{\pi}{4}$, $r^2=64 \qquad \therefore r=8$ ($\because r>0$)

$\therefore l=8\times\frac{\pi}{4}=\boldsymbol{2\pi}$

3-3

부채꼴의 반지름의 길이를 r라 하면

$18\pi=\frac{1}{2}\times r\times 6\pi \qquad \therefore r=\mathbf{6}$

4-1 8, 8, 8

4-2

부채꼴의 중심각의 크기를 θ, 호의 길이를 l이라 하면 부채꼴의 둘레의 길이는

$2\times5+l=20$이므로 $l=10$

따라서 구하는 부채꼴의 중심각의 크기는

$10=5\theta \qquad \therefore \theta=\mathbf{2}$

4-3

부채꼴의 반지름의 길이를 r, 호의 길이를 l이라 하면 부채꼴의 둘레의 길이는

$2r+l=52$이므로 $l=52-2r$

부채꼴의 넓이를 S라 하면

$S=\frac{1}{2}rl=\frac{1}{2}r(52-2r)$

$\quad=-r^2+26r=-(r-13)^2+169$

$r=13$일 때, S는 최댓값 169를 가지므로 구하는 부채꼴의 반지름의 길이는 **13**이다.

2주 4일 삼각함수

개념 확인

| 본문 71, 73쪽 |

1-1

(1) $\overline{OP}=\sqrt{1^2+(\sqrt{3})^2}=2$이므로

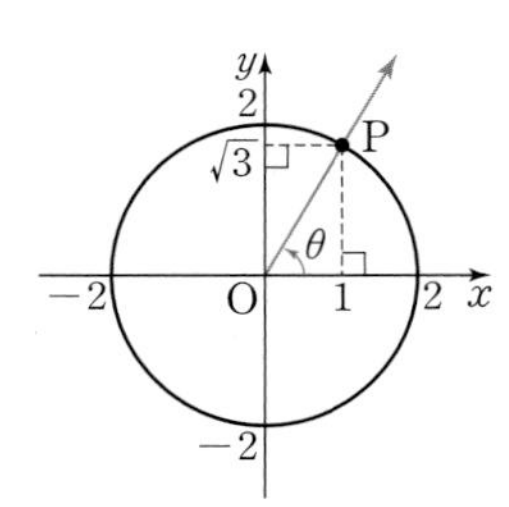

$\mathbf{\sin\theta=\frac{\sqrt{3}}{2}}$

$\mathbf{\cos\theta=\frac{1}{2}}$

$\tan\theta=\frac{\sqrt{3}}{1}=\mathbf{\sqrt{3}}$

(2) $\overline{OP}=\sqrt{(-1)^2+(-1)^2}=\sqrt{2}$이므로

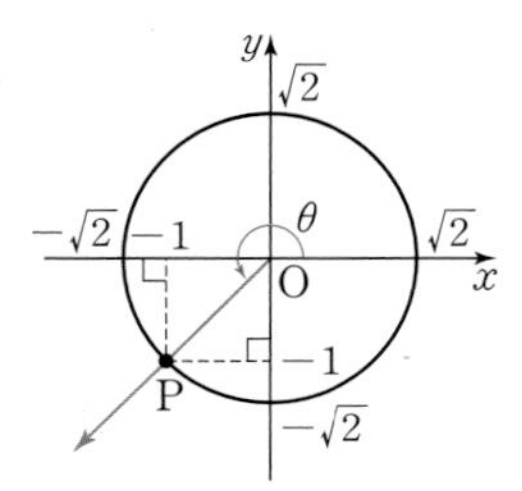

$\sin\theta=\frac{-1}{\sqrt{2}}=\mathbf{-\frac{\sqrt{2}}{2}}$

$\cos\theta=\frac{-1}{\sqrt{2}}=\mathbf{-\frac{\sqrt{2}}{2}}$

$\tan\theta=\frac{-1}{-1}=\mathbf{1}$

1-2

(1) $\overline{OP}=\sqrt{3^2+(-4)^2}=5$이므로

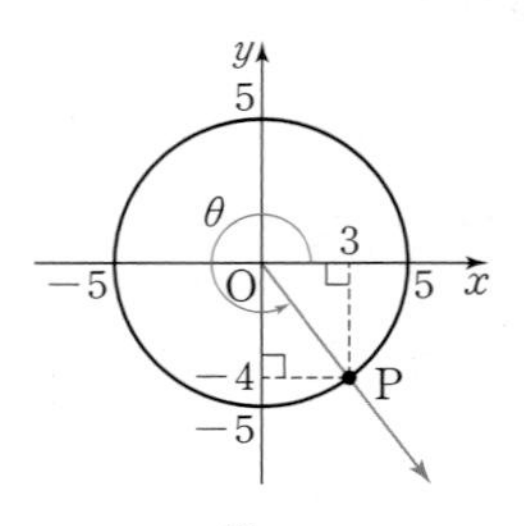

$\sin\theta=\frac{-4}{5}=\mathbf{-\frac{4}{5}}$

$\mathbf{\cos\theta=\frac{3}{5}}$

$\tan\theta=\frac{-4}{3}=\mathbf{-\frac{4}{3}}$

(2) $\overline{OP}=\sqrt{(-12)^2+5^2}=13$이므로

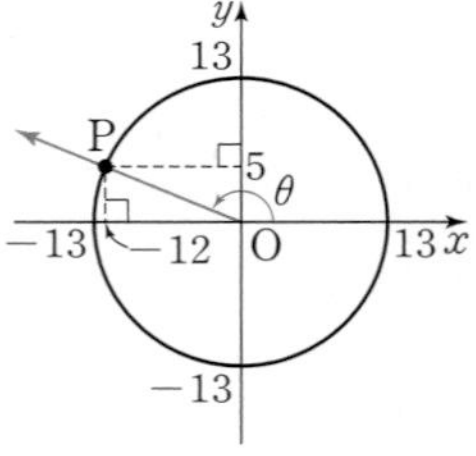

$\mathbf{\sin\theta=\frac{5}{13}}$

$\cos\theta=\frac{-12}{13}=\mathbf{-\frac{12}{13}}$

$\tan\theta=\frac{5}{-12}=\mathbf{-\frac{5}{12}}$

2-1

각 θ를 나타내는 동경과 단위원의 교점을 P라 하고, 점 P에서 x축에 내린 수선의 발을 H라 하면

(1) $\overline{OP}=1$이고, $\angle POH=\frac{\pi}{3}$이므로

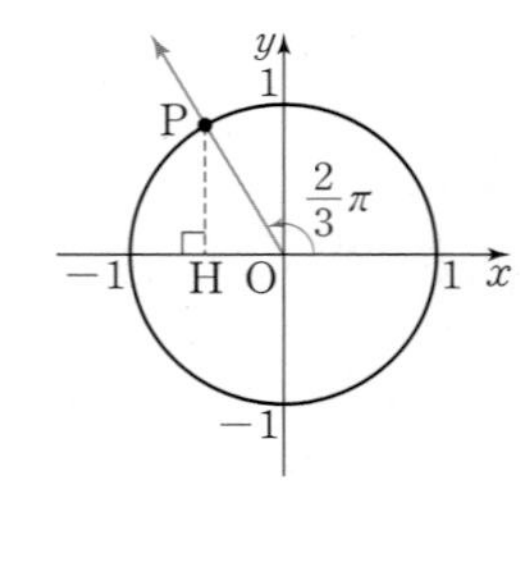

점 P의 좌표는

$P\left(-\frac{1}{2}, \frac{\sqrt{3}}{2}\right)$

이다. 따라서

$\mathbf{\sin\frac{2}{3}\pi=\frac{\sqrt{3}}{2}}$, $\mathbf{\cos\frac{2}{3}\pi=-\frac{1}{2}}$

$\mathbf{\tan\frac{2}{3}\pi=-\sqrt{3}}$

(2) $\overline{OP}=1$이고, $\angle POH=\frac{\pi}{4}$이므로

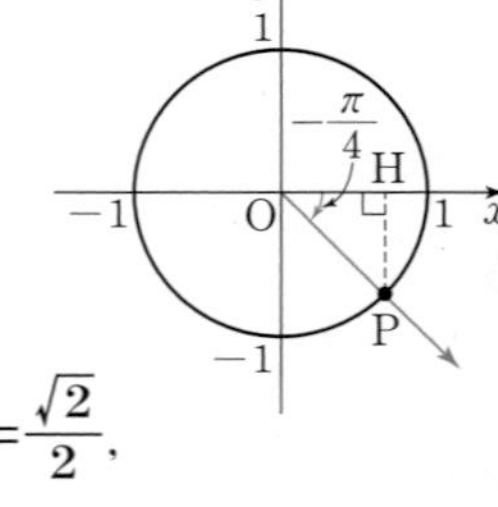

점 P의 좌표는

$P\left(\frac{\sqrt{2}}{2}, -\frac{\sqrt{2}}{2}\right)$

이다. 따라서

$\mathbf{\sin\left(-\frac{\pi}{4}\right)=-\frac{\sqrt{2}}{2}}$, $\mathbf{\cos\left(-\frac{\pi}{4}\right)=\frac{\sqrt{2}}{2}}$,

$\mathbf{\tan\left(-\frac{\pi}{4}\right)=-1}$

2-2

각 θ를 나타내는 동경과 단위원의 교점을 P라 하고, 점 P에서 x축에 내린 수선의 발을 H라 하면

(1) $\overline{OP}=1$이고, $\angle POH=\frac{\pi}{6}$이므로

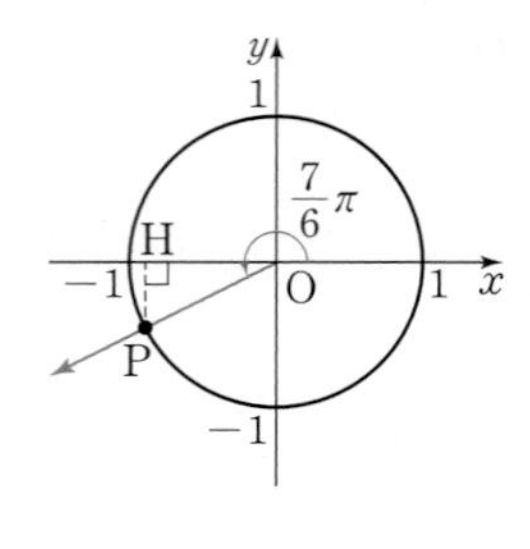

점 P의 좌표는 $P\left(-\frac{\sqrt{3}}{2}, -\frac{1}{2}\right)$

이다. 따라서

$\mathbf{\sin\frac{7}{6}\pi=-\frac{1}{2}}$, $\mathbf{\cos\frac{7}{6}\pi=-\frac{\sqrt{3}}{2}}$,

$\mathbf{\tan\frac{7}{6}\pi=\frac{\sqrt{3}}{3}}$

(2) $\overline{OP}=1$이고, $\angle POH=\frac{\pi}{3}$이므로

점 P의 좌표는 $P\left(\frac{1}{2}, -\frac{\sqrt{3}}{2}\right)$

이다. 따라서

$\sin\left(-\frac{\pi}{3}\right)=-\frac{\sqrt{3}}{2}$,

$\cos\left(-\frac{\pi}{3}\right)=\frac{1}{2}$, $\tan\left(-\frac{\pi}{3}\right)=-\sqrt{3}$

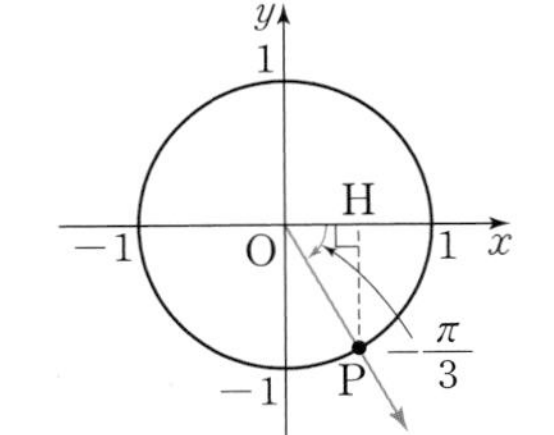

3-1

(1) (i) $\sin\theta>0$에서 각 θ는 제1사분면 또는 제2사분면의 각

(ii) $\cos\theta<0$에서 각 θ는 제2사분면 또는 제3사분면의 각

(i), (ii)를 모두 만족시키는 각 θ는 **제2사분면의 각**

(2) (i) $\cos\theta>0$에서 각 θ는 제1사분면 또는 제4사분면의 각

(ii) $\tan\theta<0$에서 각 θ는 제2사분면 또는 제4사분면의 각

(i), (ii)를 모두 만족시키는 각 θ는 **제4사분면의 각**

(3) $\sin\theta\cos\theta>0$에서

$\sin\theta>0$, $\cos\theta>0$ 또는 $\sin\theta<0$, $\cos\theta<0$

(i) $\sin\theta>0$, $\cos\theta>0$일 때, 각 θ는 제1사분면의 각

(ii) $\sin\theta<0$, $\cos\theta<0$일 때, 각 θ는 제3사분면의 각

(i), (ii)에서 각 θ는 **제1사분면 또는 제3사분면의 각**

(4) $\sin\theta\tan\theta<0$에서

$\sin\theta>0$, $\tan\theta<0$ 또는 $\sin\theta<0$, $\tan\theta>0$

(i) $\sin\theta>0$, $\tan\theta<0$일 때, 각 θ는 제2사분면의 각

(ii) $\sin\theta<0$, $\tan\theta>0$일 때, 각 θ는 제3사분면의 각

(i), (ii)에서 각 θ는 **제2사분면 또는 제3사분면의 각**

3-2

(1) (i) $\sin\theta<0$에서 각 θ는 제3사분면 또는 제4사분면의 각

(ii) $\cos\theta>0$에서 각 θ는 제1사분면 또는 제4사분면의 각

(i), (ii)를 모두 만족시키는 각 θ는 **제4사분면의 각**

(2) (i) $\cos\theta<0$에서 각 θ는 제2사분면 또는 제3사분면의 각

(ii) $\tan\theta>0$에서 각 θ는 제1사분면 또는 제3사분면의 각

(i), (ii)를 모두 만족시키는 각 θ는 **제3사분면의 각**

(3) $\sin\theta\tan\theta>0$에서

$\sin\theta>0$, $\tan\theta>0$ 또는 $\sin\theta<0$, $\tan\theta<0$

(i) $\sin\theta>0$, $\tan\theta>0$일 때, 각 θ는 제1사분면의 각

(ii) $\sin\theta<0$, $\tan\theta<0$일 때, 각 θ는 제4사분면의 각

(i), (ii)에서 각 θ는 **제1사분면 또는 제4사분면의 각**

(4) $\cos\theta\tan\theta>0$에서

$\cos\theta>0$, $\tan\theta>0$ 또는 $\cos\theta<0$, $\tan\theta<0$

(i) $\cos\theta>0$, $\tan\theta>0$일 때, 각 θ는 제1사분면의 각

(ii) $\cos\theta<0$, $\tan\theta<0$일 때, 각 θ는 제2사분면의 각

(i), (ii)에서 각 θ는 **제1사분면 또는 제2사분면의 각**

4-1

(1) $\sin^2\theta+\cos^2\theta=1$에서

$\cos^2\theta=1-\sin^2\theta=1-\frac{16}{25}=\frac{9}{25}$

이때 각 θ가 제2사분면의 각이므로 $\cos\theta<0$

$\therefore$ $\mathbf{\cos\theta=-\frac{3}{5}}$

$\tan\theta=\frac{\sin\theta}{\cos\theta}$이므로 $\mathbf{\tan\theta=-\frac{4}{3}}$

(2) $\sin^2\theta+\cos^2\theta=1$에서

$\sin^2\theta=1-\cos^2\theta=1-\frac{9}{16}=\frac{7}{16}$

이때 각 θ가 제3사분면의 각이므로 $\sin\theta<0$

$\therefore$ $\mathbf{\sin\theta=-\frac{\sqrt{7}}{4}}$

$\tan\theta=\frac{\sin\theta}{\cos\theta}$이므로 $\mathbf{\tan\theta=\frac{\sqrt{7}}{3}}$

4-2

(1) $\sin^2\theta+\cos^2\theta=1$에서

$\sin^2\theta=1-\cos^2\theta=1-\frac{25}{169}=\frac{144}{169}$

이때 각 θ가 제1사분면의 각이므로 $\sin\theta>0$

$\therefore$ $\mathbf{\sin\theta=\frac{12}{13}}$

$\tan\theta=\frac{\sin\theta}{\cos\theta}$이므로 $\mathbf{\tan\theta=\frac{12}{5}}$

(2) $\sin^2\theta+\cos^2\theta=1$에서

$\cos^2\theta=1-\sin^2\theta=1-\frac{5}{9}=\frac{4}{9}$

이때 각 θ가 제4사분면의 각이므로 $\cos\theta>0$

$\therefore$ $\mathbf{\cos\theta=\frac{2}{3}}$

$\tan\theta=\frac{\sin\theta}{\cos\theta}$이므로 $\mathbf{\tan\theta=-\frac{\sqrt{5}}{2}}$

5-1

(1) $\sin\theta-\cos\theta=\frac{1}{\sqrt{3}}$의 양변을 제곱하면

$\sin^2\theta-2\sin\theta\cos\theta+\cos^2\theta=\frac{1}{3}$

이때 $\sin^2\theta+\cos^2\theta=1$이므로

$1-2\sin\theta\cos\theta=\frac{1}{3}$ $\quad\therefore$ $\sin\theta\cos\theta=\mathbf{\frac{1}{3}}$

(2) $(\sin\theta+\cos\theta)^2=\sin^2\theta+2\sin\theta\cos\theta+\cos^2\theta$

$=1+2\times\frac{1}{3}=\frac{5}{3}$

$\therefore$ $\sin\theta+\cos\theta=\pm\sqrt{\frac{5}{3}}=\mathbf{\pm\frac{\sqrt{15}}{3}}$

(3) $\sin^3\theta-\cos^3\theta$

$=(\sin\theta-\cos\theta)(\sin^2\theta+\sin\theta\cos\theta+\cos^2\theta)$

$=\frac{1}{\sqrt{3}}\times\left(1+\frac{1}{3}\right)=\frac{4}{3\sqrt{3}}=\mathbf{\frac{4\sqrt{3}}{9}}$

(4) $\tan\theta+\dfrac{1}{\tan\theta}=\dfrac{\sin\theta}{\cos\theta}+\dfrac{\cos\theta}{\sin\theta}$

$=\dfrac{\sin^2\theta+\cos^2\theta}{\sin\theta\cos\theta}$

$=\mathbf{3}$

5-2

(1) $\sin\theta+\cos\theta=\dfrac{1}{2}$의 양변을 제곱하면

$\sin^2\theta+2\sin\theta\cos\theta+\cos^2\theta=\dfrac{1}{4}$

이때 $\sin^2\theta+\cos^2\theta=1$이므로

$1+2\sin\theta\cos\theta=\dfrac{1}{4}$ $\quad\therefore \sin\theta\cos\theta=\mathbf{-\dfrac{3}{8}}$

(2) $(\sin\theta-\cos\theta)^2=\sin^2\theta-2\sin\theta\cos\theta+\cos^2\theta$

$=1-2\times\left(-\dfrac{3}{8}\right)=\dfrac{7}{4}$

$\therefore \sin\theta-\cos\theta=\pm\sqrt{\dfrac{7}{4}}=\mathbf{\pm\dfrac{\sqrt{7}}{2}}$

(3) $\sin^3\theta+\cos^3\theta$

$=(\sin\theta+\cos\theta)(\sin^2\theta-\sin\theta\cos\theta+\cos^2\theta)$

$=\dfrac{1}{2}\times\left(1+\dfrac{3}{8}\right)=\mathbf{\dfrac{11}{16}}$

(4) $\tan\theta+\dfrac{1}{\tan\theta}=\dfrac{\sin\theta}{\cos\theta}+\dfrac{\cos\theta}{\sin\theta}$

$=\dfrac{\sin^2\theta+\cos^2\theta}{\sin\theta\cos\theta}$

$=\mathbf{-\dfrac{8}{3}}$

기초 유형

| 본문 **74, 75**쪽 |

1-1 $\mathbf{4, \sqrt{2}, 3}$

1-2

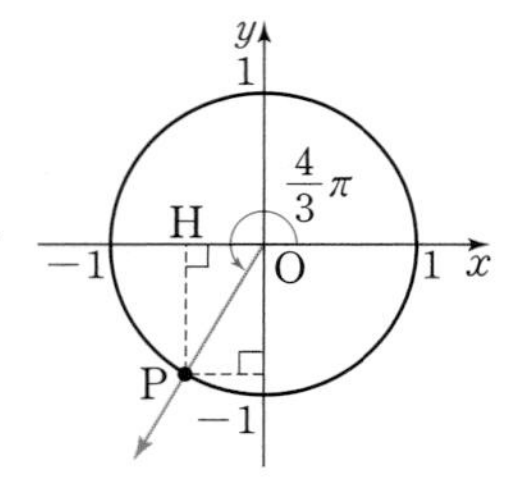

오른쪽 그림과 같이 각 $\theta=\dfrac{4}{3}\pi$를 나타내는 동경과 단위원의 교점을 P라 하고, 점 P에서 x축에 내린 수선의 발을 H라 하면

$\overline{OP}=1$이고, $\angle POH=\dfrac{\pi}{3}$이므로 점 P의 좌표는

$P\left(-\dfrac{1}{2}, -\dfrac{\sqrt{3}}{2}\right)$

이다. 따라서 $\sin\theta=-\dfrac{\sqrt{3}}{2}$, $\cos\theta=-\dfrac{1}{2}$이므로

$\sin\theta\cos\theta=\mathbf{\dfrac{\sqrt{3}}{4}}$

1-3

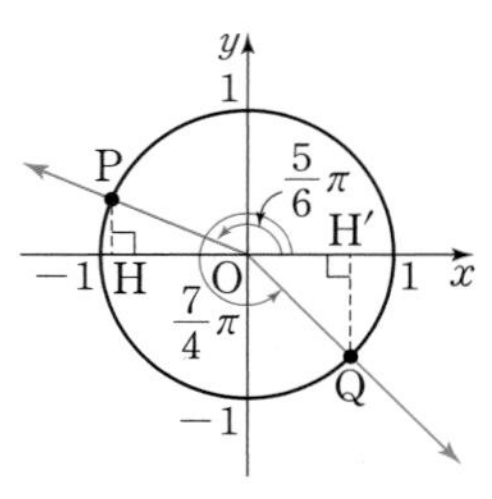

오른쪽 그림과 같이 각 $\dfrac{5}{6}\pi$, 각 $\dfrac{7}{4}\pi$를 나타내는 동경과 단위원의 교점을 각각 P, Q라 하고, 두 점 P, Q에서 x축에 내린 수선의 발을 각각 H, H′이라 하면

$\overline{OP}=\overline{OQ}=1$이고, $\angle POH=\dfrac{\pi}{6}$,

$\angle QOH'=\dfrac{\pi}{4}$이므로 두 점 P, Q의 좌표는 각각

$P\left(-\dfrac{\sqrt{3}}{2}, \dfrac{1}{2}\right)$, $Q\left(\dfrac{\sqrt{2}}{2}, -\dfrac{\sqrt{2}}{2}\right)$

이다. 따라서 $\sin\dfrac{5}{6}\pi=\dfrac{1}{2}$, $\tan\dfrac{7}{4}\pi=-1$이므로

$\sin\dfrac{5}{6}\pi+\tan\dfrac{7}{4}\pi=\mathbf{-\dfrac{1}{2}}$

2-1 $\mathbf{2\sqrt{2}, 8\sqrt{2}}$

2-2

$\sin^2\theta+\cos^2\theta=1$에서

$\cos^2\theta=1-\sin^2\theta=1-\dfrac{9}{25}=\dfrac{16}{25}$

이때 θ가 제2사분면의 각이므로 $\cos\theta<0$

$\therefore \cos\theta=-\dfrac{4}{5}$

$\tan\theta=\dfrac{\sin\theta}{\cos\theta}$이므로 $\tan\theta=-\dfrac{3}{4}$

$\therefore 20(\cos\theta-\tan\theta)=20\left\{-\dfrac{4}{5}-\left(-\dfrac{3}{4}\right)\right\}=20\times\left(-\dfrac{1}{20}\right)=\mathbf{-1}$

3-1 $\mathbf{\cos\theta, \sqrt{5}}$

3-2

$\dfrac{1}{1+\sin\theta}+\dfrac{1}{1-\sin\theta}=\dfrac{5}{2}$에서

$\dfrac{(1-\sin\theta)+(1+\sin\theta)}{(1+\sin\theta)(1-\sin\theta)}=\dfrac{5}{2}$

$\dfrac{2}{1-\sin^2\theta}=\dfrac{5}{2}$, $\sin^2\theta=\dfrac{1}{5}$

$\therefore \cos^2\theta=1-\sin^2\theta=\mathbf{\dfrac{4}{5}}$

3-3

$\dfrac{\sin\theta}{1+\cos\theta}+\dfrac{1+\cos\theta}{\sin\theta}=4$에서

$\dfrac{\sin^2\theta+(1+\cos\theta)^2}{(1+\cos\theta)\sin\theta}=4$, $\dfrac{\sin^2\theta+1+2\cos\theta+\cos^2\theta}{(1+\cos\theta)\sin\theta}=4$

$\dfrac{2(1+\cos\theta)}{(1+\cos\theta)\sin\theta}=4$, $\sin\theta=\dfrac{1}{2}$

$\cos^2\theta=1-\sin^2\theta=1-\dfrac{1}{4}=\dfrac{3}{4}$

$0<\theta<\dfrac{\pi}{2}$에서 $\cos\theta>0$ $\quad\therefore \cos\theta=\mathbf{\dfrac{\sqrt{3}}{2}}$

4-1 **5, 25, 25, 12**

4-2

이차방정식의 근과 계수의 관계에 의하여

$\sin\theta+\cos\theta=a$ ……㉠

$\sin\theta\cos\theta=-a^2$ ……㉡

㉠의 양변을 제곱하면

$\sin^2\theta+2\sin\theta\cos\theta+\cos^2\theta=a^2$

이때 $\sin^2\theta+\cos^2\theta=1$이므로

$1+2\sin\theta\cos\theta=a^2$

㉡을 대입하면

$1-2a^2=a^2$, $a^2=\frac{1}{3}$ $\therefore$ $\boldsymbol{a=\pm\frac{\sqrt{3}}{3}}$

2주 5일 삼각함수의 그래프

개념 확인

| 본문 77, 79쪽 |

1-1

(1) $\sin 3x=\sin(3x+2\pi)=\sin 3\left(x+\frac{2}{3}\pi\right)$이므로

주기는 $\boldsymbol{\frac{2}{3}\pi}$

$-1\le\sin 3x\le1$이므로 **치역은** $\boldsymbol{\{y\,|\,-1\le y\le1\}}$

참고 $y=\sin 3x$의 그래프는 $y=\sin x$의 그래프를 x축의 방향으로 $\frac{1}{3}$배한 것이므로 다음 그림과 같다.

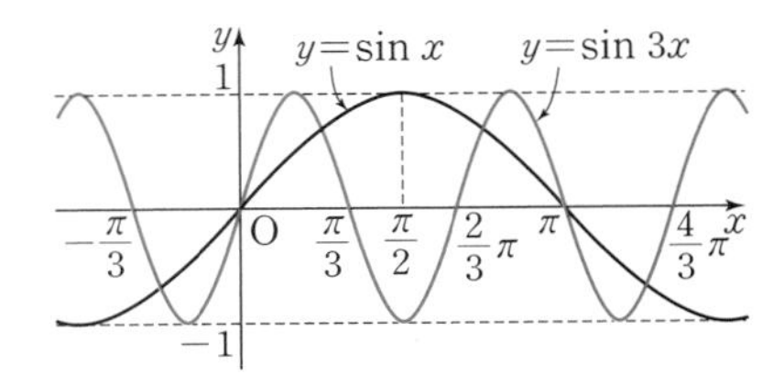

(2) $2\sin x=2\sin(x+2\pi)$이므로 **주기는** $\boldsymbol{2\pi}$

$-2\le2\sin x\le2$이므로 **치역은** $\boldsymbol{\{y\,|\,-2\le y\le2\}}$

(3) $-\sin x=-\sin(x+2\pi)$이므로 **주기는** $\boldsymbol{2\pi}$

$-1\le-\sin x\le1$이므로 **치역은** $\boldsymbol{\{y\,|\,-1\le y\le1\}}$

(4) $2\sin\frac{x}{3}=2\sin\left(\frac{x}{3}+2\pi\right)=2\sin\frac{1}{3}(x+6\pi)$이므로

주기는 $\boldsymbol{6\pi}$

$-2\le2\sin\frac{x}{3}\le2$이므로 **치역은** $\boldsymbol{\{y\,|\,-2\le y\le2\}}$

1-2

(1) $\cos 2x=\cos(2x+2\pi)=\cos 2(x+\pi)$이므로

주기는 $\boldsymbol{\pi}$

$-1\le\cos 2x\le1$이므로 **치역은** $\boldsymbol{\{y\,|\,-1\le y\le1\}}$

(2) $3\cos x=3\cos(x+2\pi)$이므로 **주기는** $\boldsymbol{2\pi}$

$-3\le3\cos x\le3$이므로 **치역은** $\boldsymbol{\{y\,|\,-3\le y\le3\}}$

참고 $y=3\cos x$의 그래프는 $y=\cos x$의 그래프를 y축의 방향으로 3배한 것이므로 다음 그림과 같다.

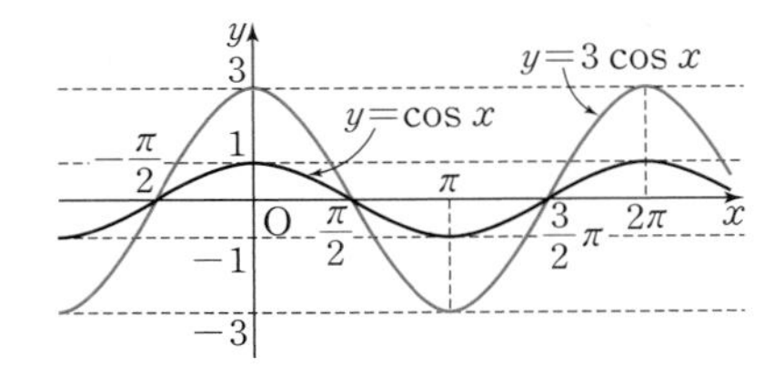

(3) $-\cos x=-\cos(x+2\pi)$이므로 **주기는** $\boldsymbol{2\pi}$

$-1\le-\cos x\le1$이므로 **치역은** $\boldsymbol{\{y\,|\,-1\le y\le1\}}$

(4) $3\cos\frac{x}{2}=3\cos\left(\frac{x}{2}+2\pi\right)=3\cos\frac{1}{2}(x+4\pi)$이므로

주기는 $\boldsymbol{4\pi}$

$-3\le3\cos\frac{x}{2}\le3$이므로 **치역은** $\boldsymbol{\{y\,|\,-3\le y\le3\}}$

2-1

(1) $y=\sin x+1$의 그래프는 $y=\sin x$의 그래프를 y축의 방향으로 1만큼 평행이동한 것이므로

최댓값 : 2, 최솟값 : 0, 주기 : $\boldsymbol{2\pi}$

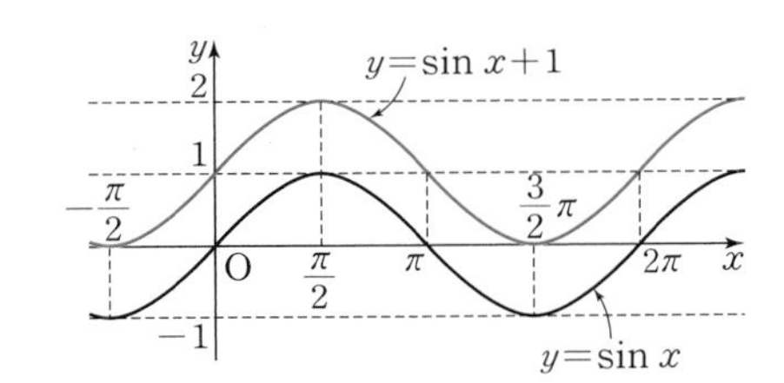

(2) $y=2\sin 3x-1$의 그래프는 $y=2\sin 3x$의 그래프를 y축의 방향으로 -1만큼 평행이동한 것이므로

최댓값 : 1, 최솟값 : −3, 주기 : $\boldsymbol{\frac{2}{3}\pi}$

(3) $y=\sin\left(x+\frac{\pi}{2}\right)$의 그래프는 $y=\sin x$의 그래프를 x축의 방향으로 $-\frac{\pi}{2}$만큼 평행이동한 것이므로

최댓값 : 1, 최솟값 : −1, 주기 : $\boldsymbol{2\pi}$

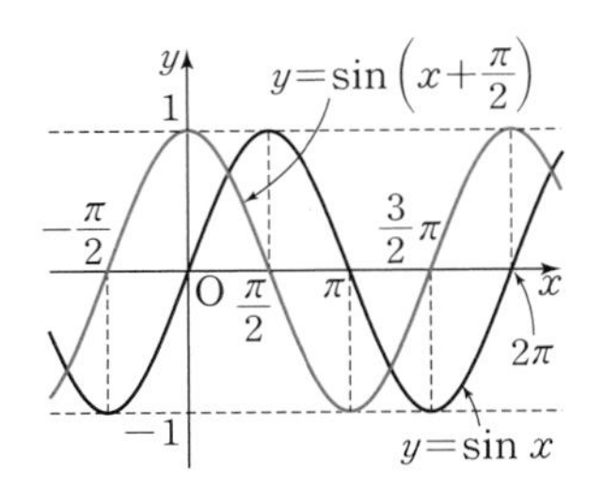

(4) $y=2\sin\left(x-\frac{\pi}{4}\right)$의 그래프는 $y=2\sin x$의 그래프를 x축의 방향으로 $\frac{\pi}{4}$만큼 평행이동한 것이므로

최댓값 : 2, 최솟값 : −2, 주기 : 2π

2-2

(1) $y=\cos x-1$의 그래프는 $y=\cos x$의 그래프를 y축의 방향으로 -1만큼 평행이동한 것이므로

최댓값 : 0, 최솟값 : −2, 주기 : 2π

(2) $y=-\cos\frac{x}{2}+1$의 그래프는 $y=-\cos\frac{x}{2}$의 그래프를 y축의 방향으로 1만큼 평행이동한 것이므로

최댓값 : 2, 최솟값 : 0, 주기 : 4π

(3) $y=\cos\left(x-\frac{\pi}{3}\right)$의 그래프는 $y=\cos x$의 그래프를 x축의 방향으로 $\frac{\pi}{3}$만큼 평행이동한 것이므로

최댓값 : 1, 최솟값 : −1, 주기 : 2π

(4) $y=\frac{1}{2}\cos(x+\pi)$의 그래프는 $y=\frac{1}{2}\cos x$의 그래프를 x축의 방향으로 $-\pi$만큼 평행이동한 것이므로

최댓값 : $\frac{1}{2}$, 최솟값 : $-\frac{1}{2}$, 주기 : 2π

3-1

(1) $\tan 2x=\tan(2x+\pi)=\tan 2\left(x+\frac{\pi}{2}\right)$이므로

주기는 $\frac{\pi}{2}$

점근선의 방정식은

$x=\frac{1}{2}\left(n\pi+\frac{\pi}{2}\right)=\frac{n}{2}\pi+\frac{\pi}{4}$ **(n은 정수)**

참고 $y=\tan 2x$의 그래프는 $y=\tan x$의 그래프를 x축의 방향으로 $\frac{1}{2}$배한 것이므로 다음 그림과 같다.

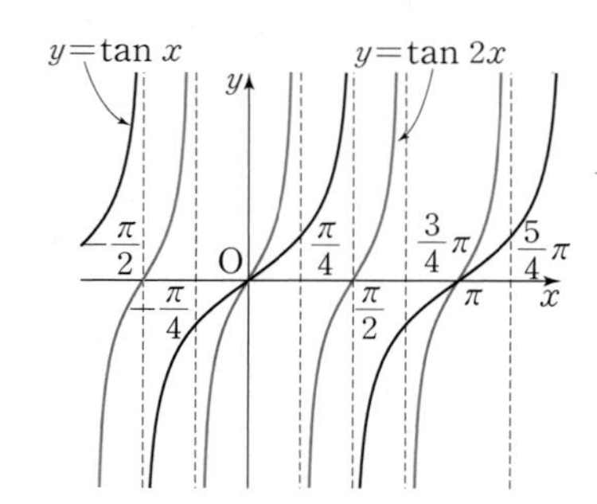

(2) $-\tan 2x=-\tan(2x+\pi)=-\tan 2\left(x+\frac{\pi}{2}\right)$이므로

주기는 $\frac{\pi}{2}$

점근선의 방정식은

$x=\frac{1}{2}\left(n\pi+\frac{\pi}{2}\right)=\frac{n}{2}\pi+\frac{\pi}{4}$ **(n은 정수)**

참고 $y=-\tan 2x$의 그래프는 $y=\tan x$의 그래프를 x축의 방향으로 $\frac{1}{2}$배한 다음 x축에 대하여 대칭이동한 것이므로 다음 그림과 같다.

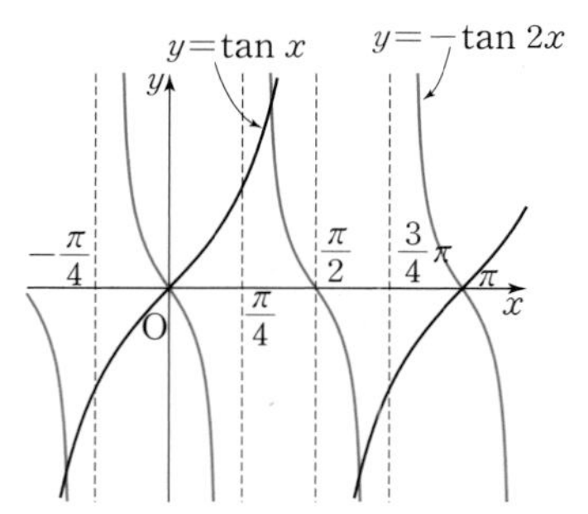

(3) $\frac{1}{2}\tan x=\frac{1}{2}\tan(x+\pi)$이므로 **주기는 π**

점근선의 방정식은 $x=n\pi+\frac{\pi}{2}$ (n은 정수)

참고 $y=\frac{1}{2}\tan x$의 그래프는 $y=\tan x$의 그래프를 y축의 방향으로 $\frac{1}{2}$배한 것이므로 다음 그림과 같다.

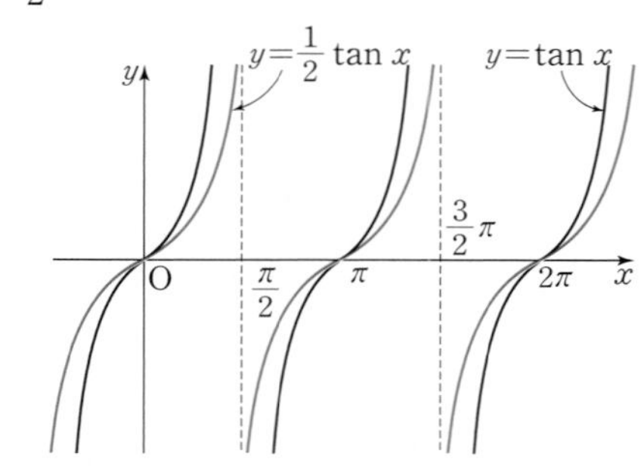

(4) $\tan\frac{x}{3}=\tan\left(\frac{x}{3}+\pi\right)=\tan\frac{1}{3}(x+3\pi)$이므로 **주기는 3π**

점근선의 방정식은

$x=3\left(n\pi+\frac{\pi}{2}\right)=3n\pi+\frac{3}{2}\pi$ **(n은 정수)**

3-2

(1) $\tan 3x=\tan(3x+\pi)=\tan 3\left(x+\frac{\pi}{3}\right)$이므로 **주기는 $\frac{\pi}{3}$**

점근선의 방정식은

$x=\frac{1}{3}\left(n\pi+\frac{\pi}{2}\right)=\frac{n}{3}\pi+\frac{\pi}{6}$ **(n은 정수)**

(2) $-\tan x=-\tan(x+\pi)$이므로 **주기는 π**

점근선의 방정식은 $x=n\pi+\frac{\pi}{2}$ (n은 정수)

(3) $2\tan x=2\tan(x+\pi)$이므로 **주기는 π**

점근선의 방정식은 $x=n\pi+\frac{\pi}{2}$ (n은 정수)

(4) $\tan\frac{x}{2}=\tan\left(\frac{x}{2}+\pi\right)=\tan\frac{1}{2}(x+2\pi)$이므로 **주기는 2π**

점근선의 방정식은

$x=2\left(n\pi+\frac{\pi}{2}\right)=2n\pi+\pi$ **(n은 정수)**

4-1

(1) $y=\tan\left(x-\frac{\pi}{2}\right)$의 그래프는 $y=\tan x$의 그래프를 x축의 방향으로 $\frac{\pi}{2}$만큼 평행이동한 것이므로

주기는 π

점근선의 방정식은 $x=n\pi+\frac{\pi}{2}+\frac{\pi}{2}=n\pi$ (n은 정수)

참고 $y=\tan\left(x-\frac{\pi}{2}\right)$의 그래프는 다음과 같다.

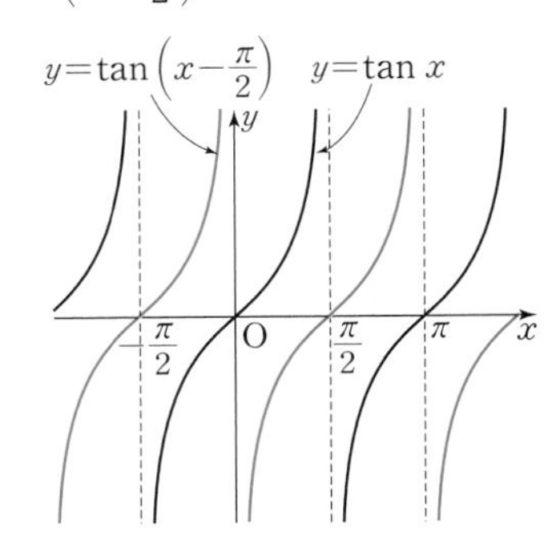

(2) $y=\tan\left(x+\frac{\pi}{2}\right)$의 그래프는 $y=\tan x$의 그래프를 x축의 방향으로 $-\frac{\pi}{2}$만큼 평행이동한 것이므로

주기는 π

점근선의 방정식은 $x=n\pi+\frac{\pi}{2}-\frac{\pi}{2}=n\pi$ (n은 정수)

(3) $y=\tan(2x+\pi)=\tan 2\left(x+\frac{\pi}{2}\right)$의 그래프는 $y=\tan 2x$의 그래프를 x축의 방향으로 $-\frac{\pi}{2}$만큼 평행이동한 것이므로

주기는 $\frac{\pi}{2}$

점근선의 방정식은

$x=\frac{1}{2}\left(n\pi+\frac{\pi}{2}\right)-\frac{\pi}{2}=\frac{n}{2}\pi-\frac{\pi}{4}$ **(n은 정수)**

(4) $y=\tan\frac{1}{2}(x-\pi)$의 그래프는 $y=\tan\frac{1}{2}x$의 그래프를 x축의 방향으로 π만큼 평행이동한 것이므로

주기는 2π

점근선의 방정식은 $x=2\left(n\pi+\frac{\pi}{2}\right)+\pi=2n\pi$ (n은 정수)

4-2

(1) $y=\tan\left(x+\frac{\pi}{4}\right)$의 그래프는 $y=\tan x$의 그래프를 x축의 방향으로 $-\frac{\pi}{4}$만큼 평행이동한 것이므로

주기는 π

점근선의 방정식은 $x=n\pi+\frac{\pi}{2}-\frac{\pi}{4}=n\pi+\frac{\pi}{4}$ (n은 정수)

(2) $y=-\tan\left(x-\frac{\pi}{4}\right)$의 그래프는 $y=-\tan x$의 그래프를 x축의 방향으로 $\frac{\pi}{4}$만큼 평행이동한 것이므로

주기는 π

점근선의 방정식은 $x=n\pi+\frac{\pi}{2}+\frac{\pi}{4}=n\pi+\frac{3}{4}\pi$ (n은 정수)

(3) $y=\tan 3\left(x-\frac{\pi}{2}\right)$의 그래프는 $y=\tan 3x$의 그래프를 x축의 방향으로 $\frac{\pi}{2}$만큼 평행이동한 것이므로

주기는 $\frac{\pi}{3}$

점근선의 방정식은

$x=\frac{1}{3}\left(n\pi+\frac{\pi}{2}\right)+\frac{\pi}{2}=\frac{n}{3}\pi+\frac{2}{3}\pi$ **(n은 정수)**

(4) $y=\tan\frac{1}{3}(x+\pi)$의 그래프는 $y=\tan\frac{1}{3}x$의 그래프를 x축의 방향으로 $-\pi$만큼 평행이동한 것이므로

주기는 3π

점근선의 방정식은

$x=3\left(n\pi+\frac{\pi}{2}\right)-\pi=3n\pi+\frac{\pi}{2}$ **(n은 정수)**

기초 유형

| 본문 80, 81쪽 |

1-1 $\sqrt{3}$, 5, 11

1-2

$y=\tan\pi x$의 그래프를 x축의 방향으로 1만큼, y축의 방향으로 $\sqrt{3}$만큼 평행이동한 그래프는

$y-\sqrt{3}=\tan\pi(x-1)$, 즉 $y=\tan\pi(x-1)+\sqrt{3}$

이 그래프가 점 $\left(\frac{3}{4}, a\right)$를 지나므로

$a=\tan\left(-\frac{\pi}{4}\right)+\sqrt{3}=-\tan\frac{\pi}{4}+\sqrt{3}=$ **$-1+\sqrt{3}$**

2-1 2, 5

2-2

$3\sin 6x=3\sin(6x+2\pi)=3\sin 6\left(x+\frac{\pi}{3}\right)$이므로

주기는 $\frac{\pi}{3}$ $\quad\therefore a=\frac{\pi}{3}$

$\cos\left(\frac{x}{2}+1\right)=\cos\left(\frac{x}{2}+1+2\pi\right)=\cos\frac{1}{2}(x+2+4\pi)$이므로

주기는 4π $\quad\therefore b=4\pi$

$\therefore \frac{b}{a}=4\pi\times\frac{3}{\pi}=$ **12**

다른 풀이

$y=3\sin 6x$의 주기는 $\frac{2\pi}{6}=\frac{\pi}{3}$ $\quad\therefore a=\frac{\pi}{3}$

$y=\cos\left(\frac{x}{2}+1\right)$의 주기는 $\frac{2\pi}{\frac{1}{2}}=4\pi$ $\quad\therefore b=4\pi$

$\therefore \frac{b}{a}=4\pi\times\frac{3}{\pi}=12$

2-3

$f\left(x+\frac{\pi}{2}\right)=f(x)$를 만족시키는 함수 $f(x)$는 주기가 $\frac{\pi}{2}$인 함수이다.

ㄱ. $\frac{1}{2}\sin 4x=\frac{1}{2}\sin(4x+2\pi)=\frac{1}{2}\sin 4\left(x+\frac{\pi}{2}\right)$

이므로 주기가 $\frac{\pi}{2}$인 함수이다.

ㄴ. $2\cos\frac{x}{4}+1=2\cos\left(\frac{x}{4}+2\pi\right)+1$

$=2\cos\frac{1}{4}(x+8\pi)+1$

이므로 주기가 8π인 함수이다.

ㄷ. $4\tan 2x+3=4\tan(2x+\pi)+3$

$=4\tan 2\left(x+\frac{\pi}{2}\right)+3$

이므로 주기가 $\frac{\pi}{2}$인 함수이다.

따라서 $f\left(x+\frac{\pi}{2}\right)=f(x)$를 만족시키는 함수는 ㄱ, ㄷ이다.

3-1 **4, 9**

3-2

$f(x)=a\sin bx+1$의 최댓값이 6, 주기가 $\frac{2}{3}\pi$이고 $a>0$, $b>0$이므로

$a+1=6$, $\frac{2\pi}{b}=\frac{2}{3}\pi$ $\quad\therefore$ $\boldsymbol{a=5}$, $\boldsymbol{b=3}$

3-3

함수 $f(x)=a\cos\left(x+\frac{\pi}{3}\right)+k$의 최댓값이 2이고 $a>0$이므로

$a+k=2$

또 $f\left(\frac{\pi}{6}\right)=\frac{1}{2}$이므로 $a\cos\left(\frac{\pi}{6}+\frac{\pi}{3}\right)+k=\frac{1}{2}$

$a\cos\frac{\pi}{2}+k=\frac{1}{2}$ $\quad\therefore k=\frac{1}{2}$

$k=\frac{1}{2}$을 $a+k=2$에 대입하면 $a=\frac{3}{2}$

따라서 구하는 함수 $f(x)$의 최솟값은

$-a+k=-\frac{3}{2}+\frac{1}{2}=\mathbf{-1}$

4-1 $\mathbf{-3}$, $\boldsymbol{\pi}$, $\mathbf{-1}$

4-2

함수 $f(x)=a\cos b(x-\pi)+c$의 그래프에서 최댓값은 3, 최솟값은 -1이고 $a>0$이므로

$a+c=3$, $-a+c=-1$

두 식을 연립하여 풀면 $a=2$, $c=1$

또 주기가 2π이므로

$\frac{2\pi}{|b|}=2\pi$, $|b|=1$ $\quad\therefore b=1\ (\because b>0)$

$\therefore a+b+c=\mathbf{4}$

누구나 100점 테스트

본문 82, 83쪽

1 답 3

$3^x-3^{4-x}=24$에서

$3^x-\frac{3^4}{3^x}=24$, $3^x-\frac{81}{3^x}=24$

$3^x=t\ (t>0)$로 놓으면 주어진 방정식은

$t-\frac{81}{t}=24$, $t^2-24t-81=0$

$(t+3)(t-27)=0$ $\quad\therefore t=27\ (\because t>0)$

즉, $3^x=3^3$이므로 $x=3$

2 답 ①

$2^{x-4}\le\left(\frac{1}{2}\right)^{x-2}$에서 $2^{x-4}\le 2^{-x+2}$

밑이 1보다 크므로

$x-4\le -x+2$, $2x\le 6$ $\quad\therefore x\le 3$

따라서 자연수 x는 1, 2, 3이므로 구하는 합은

$1+2+3=6$

3 답 1

진수의 조건에서

$5x+1>0$ $\quad\therefore x>-\frac{1}{5}$ $\quad\cdots\cdots$ ㉠

$2\log_4(5x+1)=1$에서 $\log_4(5x+1)=\frac{1}{2}$

즉, $5x+1=4^{\frac{1}{2}}=2$이므로 $5x=1$

$\therefore x=\frac{1}{5}$

$x=\frac{1}{5}$은 ㉠을 만족시키므로 구하는 해이다.

따라서 $a=\frac{1}{5}$이므로

$\log_5\frac{1}{a}=\log_5 5=1$

4 답 ④

진수의 조건에서

$x-2>0$, $3x+4>0$ $\quad\therefore x>2$ $\quad\cdots\cdots$ ㉠

$2-\log_{\frac{1}{2}}(x-2)<\log_2(3x+4)$에서

$\log_2 4+\log_2(x-2)<\log_2(3x+4)$

$\therefore \log_2 4(x-2)<\log_2(3x+4)$

밑이 1보다 크므로

$4(x-2)<3x+4$, $4x-8<3x+4$

$\therefore x<12$ $\quad\cdots\cdots$ ㉡

㉠, ㉡을 모두 만족시키는 x의 값의 범위는

$2<x<12$

따라서 정수 x의 개수는 3, 4, 5, $\cdots$, 11의 9이다.

5 답 27

반원의 중심을 O라 하면 $\overline{OA}=\overline{OB}=\overline{OC}=6$

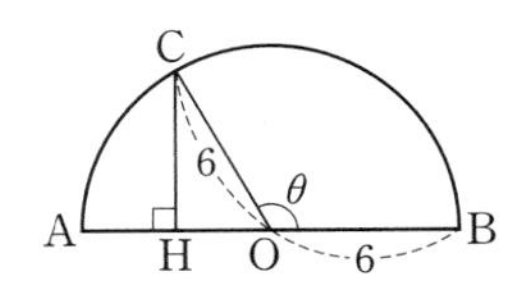

$\angle COB=\theta$라 하면 호 BC의 길이가 4π이므로

$6\theta=4\pi$에서 $\theta=\frac{2}{3}\pi$

따라서 $\angle COH=\pi-\frac{2}{3}\pi=\frac{\pi}{3}$이므로 $\triangle CHO$에서

$\overline{CH}=\overline{OC}\sin\frac{\pi}{3}=6\times\frac{\sqrt{3}}{2}=3\sqrt{3}$

$\therefore \overline{CH}^2=27$

6 답 5

$8\sin\frac{\pi}{6}+\tan\frac{\pi}{4}=8\times\frac{1}{2}+1=5$

7 답 $\frac{3}{4}$

$\sin^2\theta+\cos^2\theta=1$에서

$\sin^2\theta=1-\cos^2\theta=1-\frac{16}{25}=\frac{9}{25}$

이때 각 θ가 제3사분면의 각이므로 $\sin\theta<0$

$\therefore \sin\theta=-\frac{3}{5}$

$\tan\theta=\frac{\sin\theta}{\cos\theta}$이므로 $\tan\theta=\frac{3}{4}$

8 답 $-\frac{4}{3}$

$\sin\theta+\cos\theta=\frac{1}{2}$의 양변을 제곱하면

$\sin^2\theta+2\sin\theta\cos\theta+\cos^2\theta=\frac{1}{4}$

이때 $\sin^2\theta+\cos^2\theta=1$이므로

$1+2\sin\theta\cos\theta=\frac{1}{4}$ $\quad\therefore \sin\theta\cos\theta=-\frac{3}{8}$

$$\therefore \frac{1+\tan\theta}{\sin\theta}=\frac{1+\frac{\sin\theta}{\cos\theta}}{\sin\theta}=\frac{\sin\theta+\cos\theta}{\sin\theta\cos\theta}$$
$$=\frac{1}{2}\times\left(-\frac{8}{3}\right)=-\frac{4}{3}$$

9 답 3

$a>0$이므로 $f(x)=a\sin x+1$의

최댓값 $M=a+1$, 최솟값 $m=-a+1$

이때 $M-m=6$이므로

$a+1-(-a+1)=6$, $2a=6$ $\quad\therefore a=3$

10 답 9

함수 $y=a\cos bx+c$의 그래프에서 최댓값은 4, 최솟값은 -2이고 $a>0$이므로

$a+c=4$, $-a+c=-2$

두 식을 연립하여 풀면 $a=3$, $c=1$

또 주기가 π이므로

$\frac{2\pi}{|b|}=\pi$, $|b|=2$ $\quad\therefore b=2\ (\because b>0)$

$\therefore 2a+b+c=6+2+1=9$

창의 · 융합 · 코딩

본문 84~89쪽

정답 5

그림과 같이 가로줄 l_1, l_2, l_3과 세로줄 l_4, l_5, l_6이 만나는 곳에 있는 9개의 메모판에 모두 x에 대한 식이 하나씩 적혀 있고, 그 중 4개의 메모판은 접착 메모지로 가려져 있다. $x=a$일 때, 각 줄 l_k $(k=1, 2, 3, 4, 5, 6)$에 있는 3개의 메모판에 적혀 있는 모든 식의 값의 합을 S_k라 하자.❶ S_k $(k=1, 2, 3, 4, 5, 6)$의 값이 모두 같게❷ 되는 모든 실수 a의 값의 합❸을 구하시오.

[2019 11월 실시 고2 교육청 나형 18번]

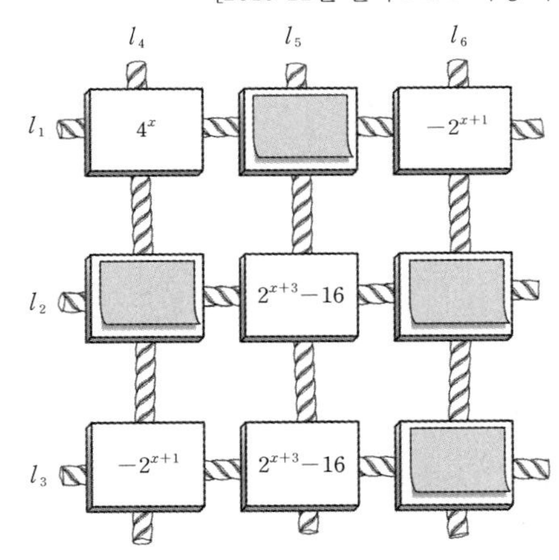

❶ S_k $(k=1, 2, 3, 4, 5, 6)$를 a에 대한 식으로 나타낸다.
❷ S_k $(k=1, 2, 3, 4, 5, 6)$의 값이 모두 같음을 이용하여 방정식을 세운다.
❸ ❷에서 구한 방정식을 풀어 모든 실수 a의 값의 합을 구한다.

❶

	l_4	l_5	l_6	
l_1	4^a	p	-2^{a+1}	S_1
l_2	q	$2^{a+3}-16$	r	S_2
l_3	-2^{a+1}	$2^{a+3}-16$	s	S_3
	S_4	S_5	S_6	

위의 그림과 같이 빈칸에 들어갈 수를 각각 p, q, r, s라 하자.

❷ $S_1=S_4$이므로 $q=p$

$S_3=S_6$이므로 $r=2^{a+3}-16$

$S_3=S_4$이므로 $s=4^a-2^{a+3}+16+p$

	l_4	l_5	l_6	
l_1	4^a	p	-2^{a+1}	S_1
l_2	p	$2^{a+3}-16$	$2^{a+3}-16$	S_2
l_3	-2^{a+1}	$2^{a+3}-16$	$4^a-2^{a+3}+16+p$	S_3
	S_4	S_5	S_6	

$S_1=S_3=S_4=S_6=4^a-2^{a+1}+p$,

$S_2=S_5=2^{a+4}-32+p$이므로

$4^a-2^{a+1}+p=2^{a+4}-32+p$

$4^a-2\times 2^a-16\times 2^a+32=0$

$\therefore (2^a)^2-18\times 2^a+32=0$

❸ $2^a=t\,(t>0)$로 놓으면 주어진 방정식은

$t^2-18t+32=0$, $(t-2)(t-16)=0$

$\therefore t=2$ 또는 $t=16$

즉, $2^a=2$ 또는 $2^a=16$이므로

$a=1$ 또는 $a=4$

따라서 모든 실수 a의 값의 합은

$1+4=5$

1 답 7, ≤, 4, 4, 7

2 답 3

❶ $\log_2(x+1)\le k$의 진수의 조건에서

$x+1>0 \quad \therefore x>-1$ ······㉠

$\log_2(x+1)\le k$에서 $\log_2(x+1)\le\log_2 2^k$

밑이 1보다 크므로

$x+1\le 2^k \quad \therefore x\le 2^k-1$ ······㉡

㉠, ㉡을 모두 만족시키는 x의 값의 범위는

$-1<x\le 2^k-1$

이므로 $A=\{x\,|\,-1<x\le 2^k-1\}$

❷ $\log_2(x-2)-\log_{\frac{1}{2}}(x+1)\ge 2$의 진수의 조건에서

$x-2>0$, $x+1>0 \quad \therefore x>2$ ······㉢

$\log_2(x-2)-\log_{\frac{1}{2}}(x+1)\ge 2$에서

$\log_2(x-2)+\log_2(x+1)\ge 2$

$\therefore \log_2(x-2)(x+1)\ge\log_2 4$

밑이 1보다 크므로

$(x-2)(x+1)\ge 4$, $x^2-x-6\ge 0$

$(x+2)(x-3)\ge 0$

$\therefore x\le -2$ 또는 $x\ge 3$ ······㉣

㉢, ㉣을 모두 만족시키는 x의 값의 범위는

$x\ge 3$

이므로 $B=\{x\,|\,x\ge 3\}$

❸ $n(A\cap B)=5$이므로 $A\cap B=\{3, 4, 5, 6, 7\}$이어야 한다.

따라서 $2^k-1=7$이므로

$2^k=8 \quad \therefore k=3$

3 답 10

❶ $W=\frac{W_0}{2}10^{at}(1+10^{at})$에서

$\frac{W}{W_0}=\frac{1}{2}\times 10^{at}(1+10^{at})$ ······㉠

㉠에 $t=15$, $W_0=w_0$, $W=3w_0$을 대입하면

$3=\frac{1}{2}\times 10^{15a}(1+10^{15a})$, $10^{15a}(1+10^{15a})=6$

$10^{15a}=t\,(t>0)$로 놓으면

$t(1+t)=6$, $t^2+t-6=0$

$(t+3)(t-2)=0 \quad \therefore t=2\ (\because t>0)$

즉, $10^{15a}=2$

❷ ㉠에 $t=30$, $W_0=w_0$, $W=kw_0$을 대입하면

$k=\frac{1}{2}\times 10^{30a}(1+10^{30a})=\frac{1}{2}\times(10^{15a})^2\{1+(10^{15a})^2\}$

$=\frac{1}{2}\times 4\times(1+4)=10$

4 답 1, 1, 5

5 답 $\frac{\pi}{6}$

❶ 이차방정식 $x^2-2\sqrt{3}x+2=0$의 두 근이 α, $\beta\,(\alpha>\beta)$이므로 근과 계수의 관계에 의하여

$\alpha+\beta=2\sqrt{3}$, $\alpha\beta=2$

❷ $(\alpha-\beta)^2=(\alpha+\beta)^2-4\alpha\beta$

$=(2\sqrt{3})^2-4\times 2=4$

$\therefore \alpha-\beta=2\ (\because \alpha>\beta)$

이때

$\tan\theta=\frac{\alpha-\beta}{\alpha+\beta}=\frac{2}{2\sqrt{3}}=\frac{\sqrt{3}}{3}$

❸ $-\frac{\pi}{2}<\theta<\frac{\pi}{2}$이므로 $\theta=\frac{\pi}{6}$

6 답 18

❶ $\log_2\sin\theta+\log_2\cos\theta=-4$에서

$\log_2\sin\theta\cos\theta=-4$

$\therefore \sin\theta\cos\theta=2^{-4}=\frac{1}{16}$

❷ $\log_2(\sin\theta+\cos\theta)=\frac{1}{2}(\log_2 x-4)$에서

$2\log_2(\sin\theta+\cos\theta)=\log_2 x-\log_2 2^4$

$\therefore \log_2(\sin\theta+\cos\theta)^2=\log_2\frac{x}{16}$

❸ 즉, $(\sin\theta+\cos\theta)^2=\frac{x}{16}$이므로

$\sin^2\theta+2\sin\theta\cos\theta+\cos^2\theta=\frac{x}{16}$

$1+2\times\frac{1}{16}=\frac{x}{16}$, $\frac{9}{8}=\frac{x}{16} \quad \therefore x=18$

3주 1일 삼각함수의 성질

개념 확인

| 본문 95, 97쪽 |

1-1

(1) $\sin\frac{7}{3}\pi=\sin\left(2\pi+\frac{\pi}{3}\right)=\sin\frac{\pi}{3}=\boldsymbol{\frac{\sqrt{3}}{2}}$

(2) $\cos\frac{25}{6}\pi=\cos\left(4\pi+\frac{\pi}{6}\right)=\cos\frac{\pi}{6}=\boldsymbol{\frac{\sqrt{3}}{2}}$

(3) $\tan\frac{21}{4}\pi=\tan\left(5\pi+\frac{\pi}{4}\right)=\tan\frac{\pi}{4}=\mathbf{1}$

(4) $\sin\left(-\frac{\pi}{4}\right)=-\sin\frac{\pi}{4}=\boldsymbol{-\frac{\sqrt{2}}{2}}$

(5) $\cos\left(-\frac{7}{3}\pi\right)=\cos\frac{7}{3}\pi=\cos\left(2\pi+\frac{\pi}{3}\right)$

$=\cos\frac{\pi}{3}=\boldsymbol{\frac{1}{2}}$

(6) $\tan\left(-\frac{13}{6}\pi\right)=-\tan\frac{13}{6}\pi=-\tan\left(2\pi+\frac{\pi}{6}\right)$

$=-\tan\frac{\pi}{6}=\boldsymbol{-\frac{\sqrt{3}}{3}}$

1-2

(1) $\sin\frac{13}{6}\pi=\sin\left(2\pi+\frac{\pi}{6}\right)=\sin\frac{\pi}{6}=\boldsymbol{\frac{1}{2}}$

(2) $\cos\frac{13}{3}\pi=\cos\left(4\pi+\frac{\pi}{3}\right)=\cos\frac{\pi}{3}=\boldsymbol{\frac{1}{2}}$

(3) $\tan\frac{19}{3}\pi=\tan\left(6\pi+\frac{\pi}{3}\right)=\tan\frac{\pi}{3}=\boldsymbol{\sqrt{3}}$

(4) $\sin\left(-\frac{\pi}{6}\right)=-\sin\frac{\pi}{6}=\boldsymbol{-\frac{1}{2}}$

(5) $\cos\left(-\frac{\pi}{3}\right)=\cos\frac{\pi}{3}=\boldsymbol{\frac{1}{2}}$

(6) $\tan\left(-\frac{9}{4}\pi\right)=-\tan\frac{9}{4}\pi=-\tan\left(2\pi+\frac{\pi}{4}\right)$

$=-\tan\frac{\pi}{4}=\mathbf{-1}$

2-1

(1) $\sin\frac{5}{4}\pi=\sin\left(\pi+\frac{\pi}{4}\right)=-\sin\frac{\pi}{4}=\boldsymbol{-\frac{\sqrt{2}}{2}}$

(2) $\cos\frac{7}{6}\pi=\cos\left(\pi+\frac{\pi}{6}\right)=-\cos\frac{\pi}{6}=\boldsymbol{-\frac{\sqrt{3}}{2}}$

(3) $\tan\left(-\frac{4}{3}\pi\right)=-\tan\frac{4}{3}\pi=-\tan\left(\pi+\frac{\pi}{3}\right)$

$=-\tan\frac{\pi}{3}=\boldsymbol{-\sqrt{3}}$

(4) $\sin\left(-\frac{5}{6}\pi\right)=-\sin\frac{5}{6}\pi=-\sin\left(\pi-\frac{\pi}{6}\right)$

$=-\sin\frac{\pi}{6}=\boldsymbol{-\frac{1}{2}}$

2-2

(1) $\sin\frac{4}{3}\pi=\sin\left(\pi+\frac{\pi}{3}\right)=-\sin\frac{\pi}{3}=\boldsymbol{-\frac{\sqrt{3}}{2}}$

(2) $\cos\frac{5}{4}\pi=\cos\left(\pi+\frac{\pi}{4}\right)=-\cos\frac{\pi}{4}=\boldsymbol{-\frac{\sqrt{2}}{2}}$

(3) $\tan\frac{5}{6}\pi=\tan\left(\pi-\frac{\pi}{6}\right)=-\tan\frac{\pi}{6}=\boldsymbol{-\frac{\sqrt{3}}{3}}$

(4) $\cos\left(-\frac{4}{3}\pi\right)=\cos\frac{4}{3}\pi=\cos\left(\pi+\frac{\pi}{3}\right)$

$=-\cos\frac{\pi}{3}=\boldsymbol{-\frac{1}{2}}$

3-1

(1) $\sin\frac{5}{6}\pi=\sin\left(\frac{\pi}{2}+\frac{\pi}{3}\right)=\cos\frac{\pi}{3}=\boldsymbol{\frac{1}{2}}$

(2) $\cos\frac{3}{4}\pi=\cos\left(\frac{\pi}{2}+\frac{\pi}{4}\right)=-\sin\frac{\pi}{4}=\boldsymbol{-\frac{\sqrt{2}}{2}}$

(3) $\tan\frac{2}{3}\pi=\tan\left(\frac{\pi}{2}+\frac{\pi}{6}\right)=-\frac{1}{\tan\frac{\pi}{6}}=\boldsymbol{-\sqrt{3}}$

(4) $\sin\left(-\frac{2}{3}\pi\right)=-\sin\frac{2}{3}\pi=-\sin\left(\frac{\pi}{2}+\frac{\pi}{6}\right)$

$=-\cos\frac{\pi}{6}=\boldsymbol{-\frac{\sqrt{3}}{2}}$

3-2

(1) $\sin\frac{3}{4}\pi=\sin\left(\frac{\pi}{2}+\frac{\pi}{4}\right)=\cos\frac{\pi}{4}=\boldsymbol{\frac{\sqrt{2}}{2}}$

(2) $\cos\frac{5}{6}\pi=\cos\left(\frac{\pi}{2}+\frac{\pi}{3}\right)=-\sin\frac{\pi}{3}=\boldsymbol{-\frac{\sqrt{3}}{2}}$

(3) $\tan\left(-\frac{3}{4}\pi\right)=-\tan\frac{3}{4}\pi=-\tan\left(\frac{\pi}{2}+\frac{\pi}{4}\right)$

$=\frac{1}{\tan\frac{\pi}{4}}=\mathbf{1}$

(4) $\cos\left(-\frac{2}{3}\pi\right)=\cos\frac{2}{3}\pi=\cos\left(\frac{\pi}{2}+\frac{\pi}{6}\right)$

$=-\sin\frac{\pi}{6}=\boldsymbol{-\frac{1}{2}}$

4-1

(1) (주어진 식)$=\cos\theta-\cos\theta=\mathbf{0}$

(2) (주어진 식)$=-\sin\theta+\sin\theta=\mathbf{0}$

참고

$\cos\left(\frac{3}{2}\pi+\theta\right)=\cos\left(\frac{\pi}{2}\times3+\theta\right)$

n이 홀수($n=3$)이므로 $\cos\to\sin$으로 바꾸고 원래의 각

$\frac{3}{2}\pi+\theta$ (θ는 예각)는 제4사분면의 각이므로 $\cos\left(\frac{3}{2}\pi+\theta\right)$의

부호는 '+'

$\therefore\cos\left(\frac{3}{2}\pi+\theta\right)=\sin\theta$

(3) (주어진 식)$=-\frac{1}{\tan\theta}\times\tan\theta=\mathbf{-1}$

(4) $\sin\left(\frac{\pi}{2}-\theta\right)=\cos\theta$, $\cos\left(\frac{\pi}{2}+\theta\right)=-\sin\theta$이므로

(주어진 식)$=\cos^2\theta+\sin^2\theta=\mathbf{1}$

4-2

(1) (주어진 식)$=\cos\theta-\cos\theta=\mathbf{0}$

(2) (주어진 식)$=-\cos\theta-(-\cos\theta)=\mathbf{0}$

(3) (주어진 식)$=-\tan\theta\times\frac{1}{\tan\theta}=\mathbf{-1}$

(4) $\sin\left(\frac{\pi}{2}+\theta\right)=\cos\theta$, $\sin(\pi+\theta)=-\sin\theta$이므로

(주어진 식)$=\cos^2\theta+\sin^2\theta=\mathbf{1}$

기초 유형

| 본문 98, 99쪽 |

1-1 **1, 1, 0**

1-2

$\sin\left(-\frac{5}{6}\pi\right)=-\sin\frac{5}{6}\pi=-\sin\left(\pi-\frac{\pi}{6}\right)=-\sin\frac{\pi}{6}=-\frac{1}{2}$

$\cos\frac{7}{3}\pi=\cos\left(2\pi+\frac{\pi}{3}\right)=\cos\frac{\pi}{3}=\frac{1}{2}$

$\tan\frac{5}{4}\pi=\tan\left(\pi+\frac{\pi}{4}\right)=\tan\frac{\pi}{4}=1$

$\therefore$ (주어진 식)$=-\frac{1}{2}+\frac{1}{2}-1=\mathbf{-1}$

1-3

$\sin\frac{5}{3}\pi=\sin\left(2\pi-\frac{\pi}{3}\right)=\sin\left(-\frac{\pi}{3}\right)=-\sin\frac{\pi}{3}=-\frac{\sqrt{3}}{2}$

$\tan\frac{7}{3}\pi=\tan\left(2\pi+\frac{\pi}{3}\right)=\tan\frac{\pi}{3}=\sqrt{3}$

$\therefore$ (주어진 식)$=2\times\left(-\frac{\sqrt{3}}{2}\right)-\sqrt{3}\times\sqrt{3}-3\times(-1)$

$=-\sqrt{3}-3+3=\mathbf{-\sqrt{3}}$

2-1 **5, −5, 5, 4**

2-2

$\frac{\sin\theta}{1+\cos\theta}+\frac{\sin(\pi+\theta)}{1+\cos(\pi+\theta)}$

$=\frac{\sin\theta}{1+\cos\theta}+\frac{-\sin\theta}{1-\cos\theta}$

$=\frac{\sin\theta(1-\cos\theta)-\sin\theta(1+\cos\theta)}{(1+\cos\theta)(1-\cos\theta)}$

$=\frac{-2\sin\theta\cos\theta}{1-\cos^2\theta}=\frac{-2\sin\theta\cos\theta}{\sin^2\theta}$

$=\frac{-2\cos\theta}{\sin\theta}=\frac{-2}{\tan\theta}=\mathbf{4}$

3-1 **−2, 1, −2, 1**

3-2

$\cos\left(x-\frac{3}{2}\pi\right)=\cos\left(\frac{3}{2}\pi-x\right)=-\sin x$이므로

$f(x)=3\cos\left(x-\frac{3}{2}\pi\right)+1=-3\sin x+1$

따라서 구하는 함수의

최댓값은 $3+1=\mathbf{4}$, **최솟값**은 $-3+1=\mathbf{-2}$

다른 풀이

함수 $f(x)=3\cos\left(x-\frac{3}{2}\pi\right)+1$의 그래프는 함수 $y=3\cos x$의 그래프를 x축의 방향으로 $\frac{3}{2}\pi$만큼, y축의 방향으로 1만큼 평행이동한 것이다.

따라서 구하는 최댓값은 $3+1=4$, 최솟값은 $-3+1=-2$

3-3

$\cos(\pi+x)=-\cos x$,

$\sin\left(x-\frac{\pi}{2}\right)=-\sin\left(\frac{\pi}{2}-x\right)=-\cos x$이므로

$f(x)=-3\cos x-\cos x+1=-4\cos x+1$

따라서 구하는 함수의

최댓값은 $4+1=\mathbf{5}$, **최솟값**은 $-4+1=\mathbf{-3}$

4-1 **1, 2, 9, 9, 9**

4-2

$\sin\left(x+\frac{\pi}{2}\right)=\cos x$, $\cos(x+\pi)=-\cos x$이므로

$f(x)=\sin\left(x+\frac{\pi}{2}\right)-\cos^2(x+\pi)=\cos x-\cos^2 x$

$\cos x=t$로 놓으면 $-1\le t\le 1$이고

$y=-t^2+t=-\left(t-\frac{1}{2}\right)^2+\frac{1}{4}$

오른쪽 그림에서 $t=-1$일 때 최솟값은 $\mathbf{-2}$이다.

4-3

$\sin(x+\pi)=-\sin x$

$x+y=2\pi$에서 $y=2\pi-x$이므로

$\cos y=\cos(2\pi-x)=\cos(-x)=\cos x$

$9\sin^2(\pi+x)+9\cos y=9\sin^2 x+9\cos x$

$=9(1-\cos^2 x)+9\cos x$

$=-9\cos^2 x+9\cos x+9$

$\cos x=t$로 놓으면 $-1\le t\le 1$이고

$y=-9t^2+9t+9$

$=-9\left(t-\frac{1}{2}\right)^2+\frac{45}{4}$

오른쪽 그림에서 $t=\frac{1}{2}$일 때

최댓값은 $\mathbf{\frac{45}{4}}$이다.

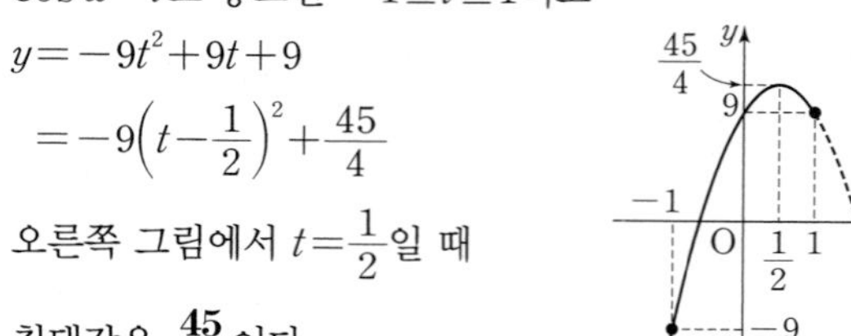

3주 2일 삼각함수가 포함된 방정식과 부등식

개념 확인

| 본문 101, 103쪽 |

1-1

(1)

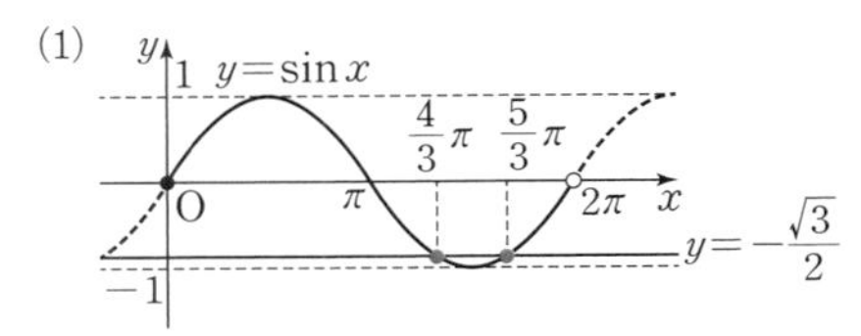

구하는 방정식의 해는 함수 $y=\sin x$의 그래프와 직선 $y=-\frac{\sqrt{3}}{2}$의 교점의 x좌표와 같으므로

$\boldsymbol{x=\frac{4}{3}\pi}$ **또는** $\boldsymbol{x=\frac{5}{3}\pi}$

(2)

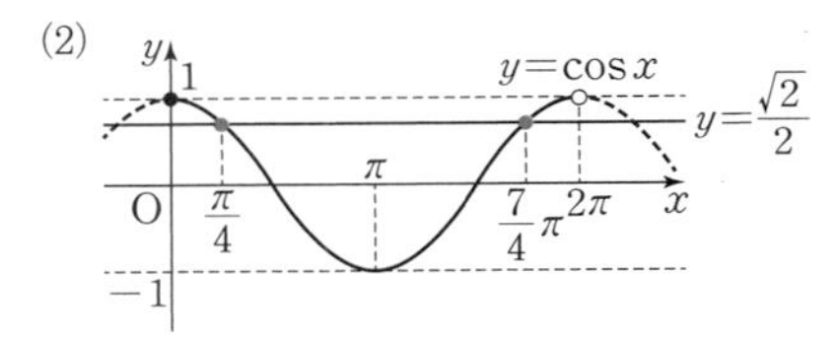

구하는 방정식의 해는 함수 $y=\cos x$의 그래프와 직선 $y=\frac{\sqrt{2}}{2}$의 교점의 x좌표와 같으므로

$\boldsymbol{x=\frac{\pi}{4}}$ **또는** $\boldsymbol{x=\frac{7}{4}\pi}$

(3)

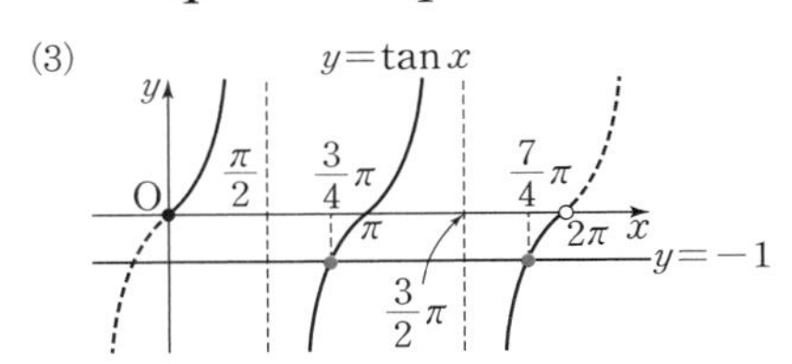

구하는 방정식의 해는 함수 $y=\tan x$의 그래프와 직선 $y=-1$의 교점의 x좌표와 같으므로

$\boldsymbol{x=\frac{3}{4}\pi}$ **또는** $\boldsymbol{x=\frac{7}{4}\pi}$

1-2

(1) $2\sin x-\sqrt{2}=0$에서 $\sin x=\frac{\sqrt{2}}{2}$

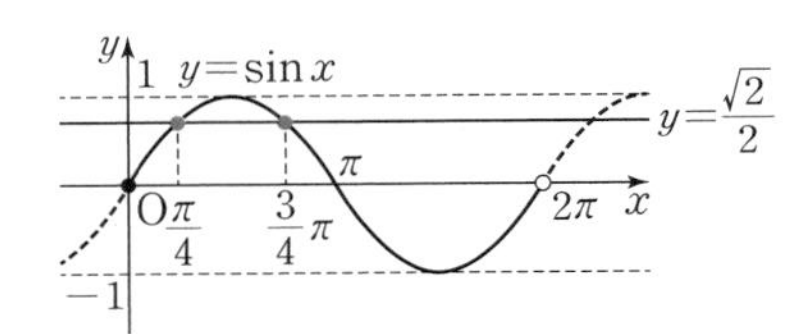

구하는 방정식의 해는 함수 $y=\sin x$의 그래프와 직선 $y=\frac{\sqrt{2}}{2}$의 교점의 x좌표와 같으므로

$\boldsymbol{x=\frac{\pi}{4}}$ **또는** $\boldsymbol{x=\frac{3}{4}\pi}$

(2) $2\cos x=\sqrt{3}$에서 $\cos x=\frac{\sqrt{3}}{2}$

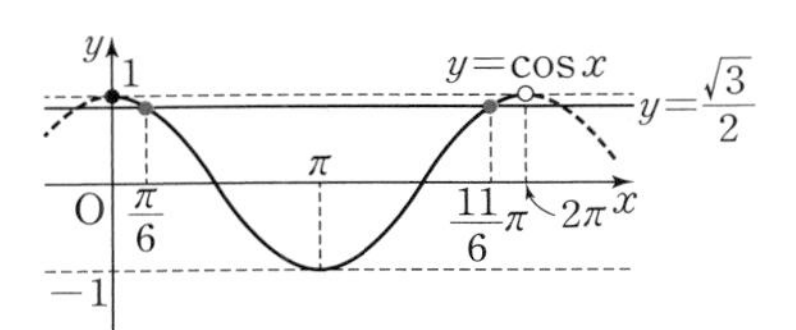

구하는 방정식의 해는 함수 $y=\cos x$의 그래프와 직선 $y=\frac{\sqrt{3}}{2}$의 교점의 x좌표와 같으므로

$\boldsymbol{x=\frac{\pi}{6}}$ **또는** $\boldsymbol{x=\frac{11}{6}\pi}$

(3) $\sqrt{3}\tan x+1=0$에서 $\tan x=-\frac{1}{\sqrt{3}}=-\frac{\sqrt{3}}{3}$

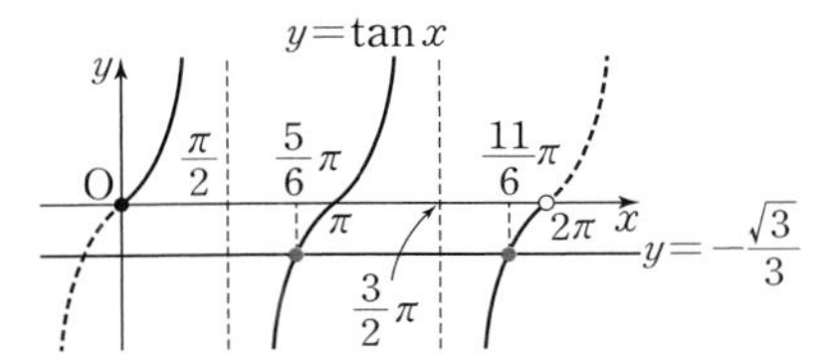

구하는 방정식의 해는 함수 $y=\tan x$의 그래프와 직선 $y=-\frac{\sqrt{3}}{3}$의 교점의 x좌표와 같으므로

$\boldsymbol{x=\frac{5}{6}\pi}$ **또는** $\boldsymbol{x=\frac{11}{6}\pi}$

2-1

(1) $2\sin^2 x+3\cos x=3$에서 $2(1-\cos^2 x)+3\cos x=3$

$2\cos^2 x-3\cos x+1=0$, $(2\cos x-1)(\cos x-1)=0$

$\therefore \cos x=\frac{1}{2}$ 또는 $\cos x=1$

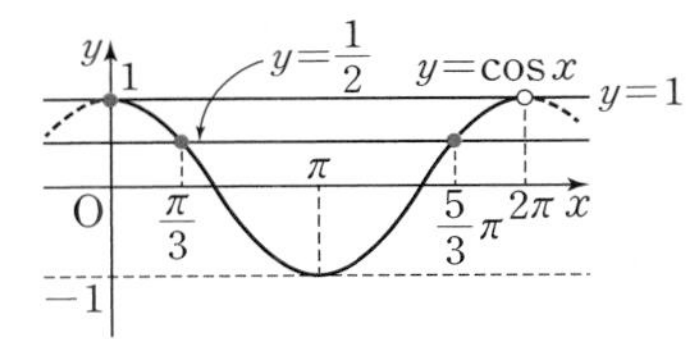

(i) $\cos x=\frac{1}{2}$일 때, $x=\frac{\pi}{3}$ 또는 $x=\frac{5}{3}\pi$

(ii) $\cos x=1$일 때, $x=0$

(i), (ii)에서 구하는 방정식의 해는

$\boldsymbol{x=0}$ **또는** $\boldsymbol{x=\frac{\pi}{3}}$ **또는** $\boldsymbol{x=\frac{5}{3}\pi}$

(2) $6\cos^2 x-5\sin x=2$에서 $6(1-\sin^2 x)-5\sin x=2$

$6\sin^2 x+5\sin x-4=0$, $(2\sin x-1)(3\sin x+4)=0$

이때 $3\sin x+4>0$이므로 $\sin x=\frac{1}{2}$

→ $-1\le\sin x\le1$이므로 $1\le3\sin x+4\le7$

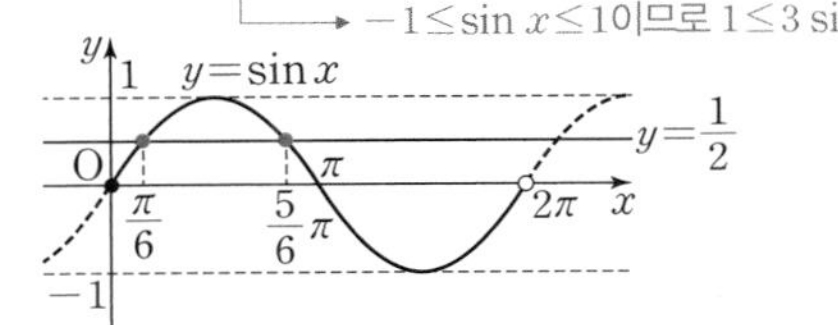

따라서 구하는 방정식의 해는

$\boldsymbol{x=\frac{\pi}{6}}$ **또는** $\boldsymbol{x=\frac{5}{6}\pi}$

2-2

(1) $2\cos^2 x-\sin x-2=0$에서 $2(1-\sin^2 x)-\sin x-2=0$

$2\sin^2 x+\sin x=0$, $\sin x(2\sin x+1)=0$

$\therefore \sin x=0$ 또는 $\sin x=-\frac{1}{2}$

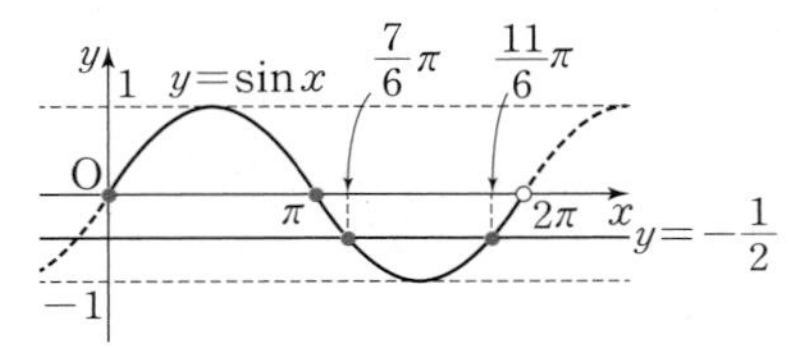

(i) $\sin x=0$일 때, $x=0$ 또는 $x=\pi$

(ii) $\sin x=-\frac{1}{2}$일 때, $x=\frac{7}{6}\pi$ 또는 $x=\frac{11}{6}\pi$

(i), (ii)에서 구하는 방정식의 해는

$\boldsymbol{x=0}$ **또는** $\boldsymbol{x=\pi}$ **또는** $\boldsymbol{x=\frac{7}{6}\pi}$ **또는** $\boldsymbol{x=\frac{11}{6}\pi}$

(2) $2\sin^2 x-5\cos x-4=0$에서

$2(1-\cos^2 x)-5\cos x-4=0$

$2\cos^2 x+5\cos x+2=0$, $(2\cos x+1)(\cos x+2)=0$

이때 $\cos x+2>0$이므로 $\cos x=-\frac{1}{2}$

→ $-1\le\cos x\le 1$이므로 $1\le\cos x+2\le 3$

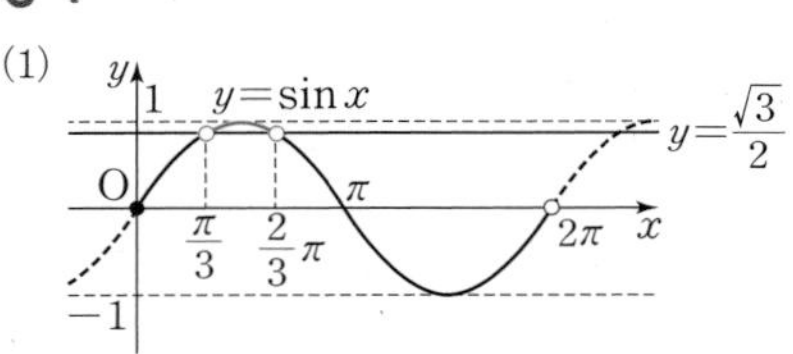

따라서 구하는 방정식의 해는

$\boldsymbol{x=\frac{2}{3}\pi}$ **또는** $\boldsymbol{x=\frac{4}{3}\pi}$

3-1

(1)

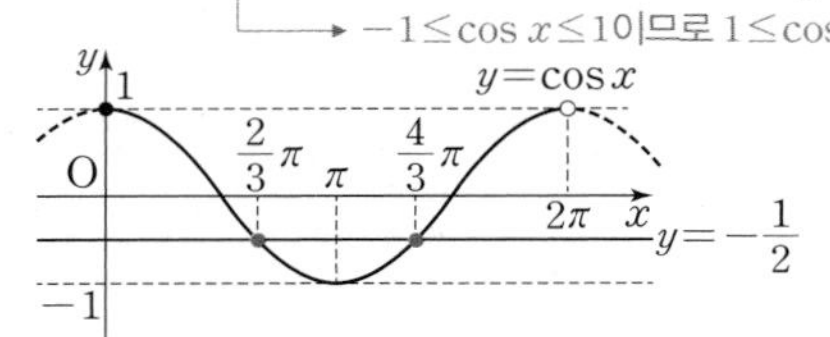

구하는 부등식의 해는 함수 $y=\sin x$의 그래프가 직선 $y=\frac{\sqrt{3}}{2}$보다 위쪽에 있는 부분의 x의 값의 범위와 같으므로

$\boldsymbol{\frac{\pi}{3}<x<\frac{2}{3}\pi}$

(2)

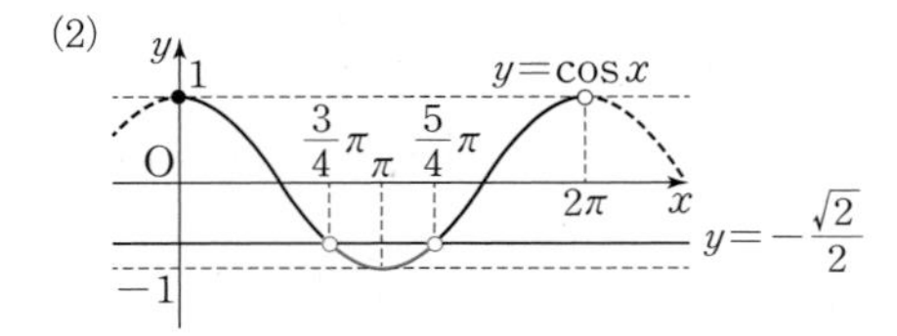

구하는 부등식의 해는 함수 $y=\cos x$의 그래프가 직선 $y=-\frac{\sqrt{2}}{2}$보다 아래쪽에 있는 부분의 x의 값의 범위와 같으므로

$\boldsymbol{\frac{3}{4}\pi<x<\frac{5}{4}\pi}$

(3)

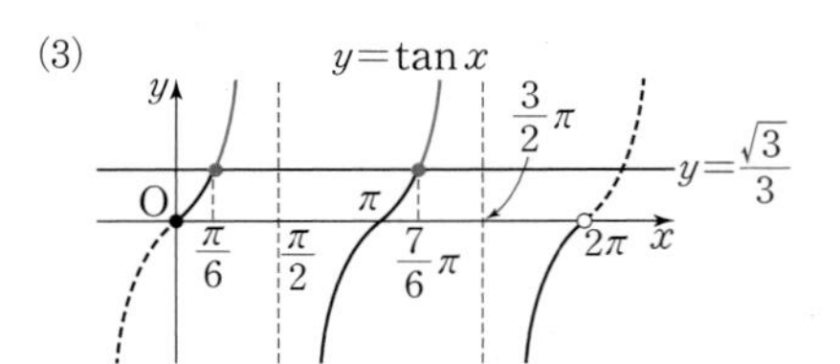

구하는 부등식의 해는 함수 $y=\tan x$의 그래프가 직선 $y=\frac{\sqrt{3}}{3}$과 만나거나 위쪽에 있는 부분의 x의 값의 범위와 같으므로

$\boldsymbol{\frac{\pi}{6}\le x<\frac{\pi}{2}}$ **또는** $\boldsymbol{\frac{7}{6}\pi\le x<\frac{3}{2}\pi}$

3-2

(1) $2\sin x\ge 1$에서 $\sin x\ge\frac{1}{2}$

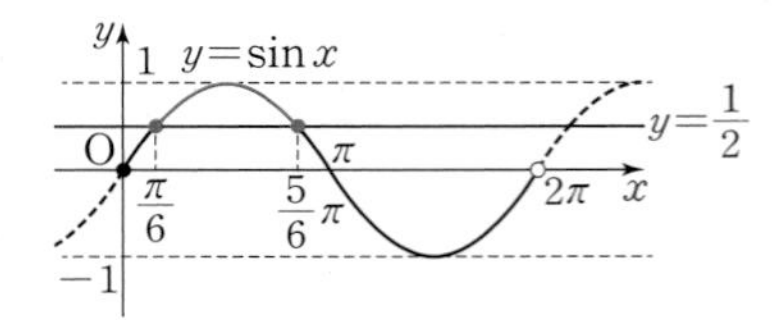

구하는 부등식의 해는 함수 $y=\sin x$의 그래프가 직선 $y=\frac{1}{2}$과 만나거나 위쪽에 있는 부분의 x의 값의 범위와 같으므로

$\boldsymbol{\frac{\pi}{6}\le x\le\frac{5}{6}\pi}$

(2) $2\cos x-\sqrt{3}\ge 0$에서 $\cos x\ge\frac{\sqrt{3}}{2}$

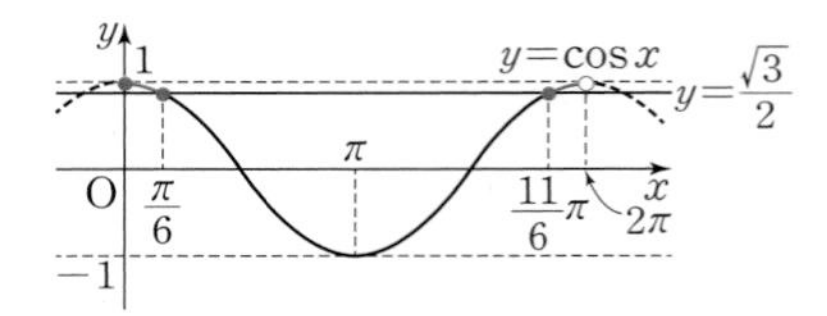

구하는 부등식의 해는 함수 $y=\cos x$의 그래프가 직선 $y=\frac{\sqrt{3}}{2}$과 만나거나 위쪽에 있는 부분의 x의 값의 범위와 같으므로

$\boldsymbol{0\le x\le\frac{\pi}{6}}$ **또는** $\boldsymbol{\frac{11}{6}\pi\le x<2\pi}$

(3) $\tan x-1<0$에서 $\tan x<1$

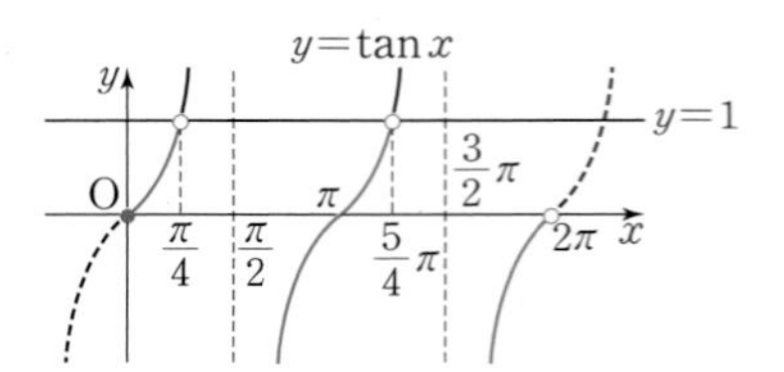

구하는 부등식의 해는 함수 $y=\tan x$의 그래프가 직선 $y=1$보다 아래쪽에 있는 부분의 x의 값의 범위와 같으므로

$\boldsymbol{0\le x<\frac{\pi}{4}}$ **또는** $\boldsymbol{\frac{\pi}{2}<x<\frac{5}{4}\pi}$ **또는** $\boldsymbol{\frac{3}{2}\pi<x<2\pi}$

4-1

(1) $2\cos^2 x-\sqrt{3}\cos x<0$에서 $\cos x(2\cos x-\sqrt{3})<0$

$\therefore\ 0<\cos x<\frac{\sqrt{3}}{2}$

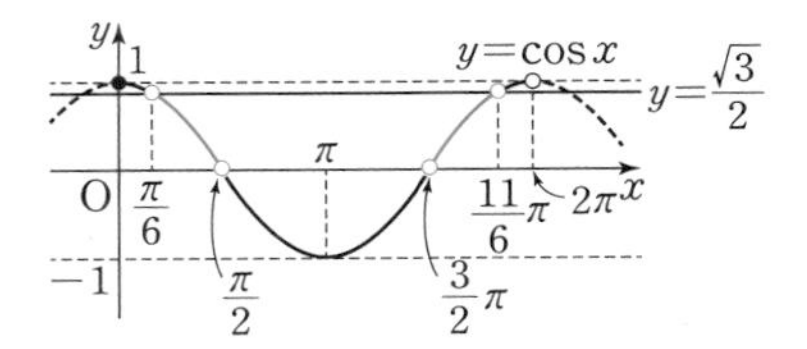

따라서 구하는 부등식의 해는

$\boldsymbol{\frac{\pi}{6}<x<\frac{\pi}{2}}$ **또는** $\boldsymbol{\frac{3}{2}\pi<x<\frac{11}{6}\pi}$

(2) $2\sin^2 x-\cos x-1>0$에서

$2(1-\cos^2 x)-\cos x-1>0$

$2\cos^2 x+\cos x-1<0$, $(\cos x+1)(2\cos x-1)<0$

$\therefore\ -1<\cos x<\frac{1}{2}$

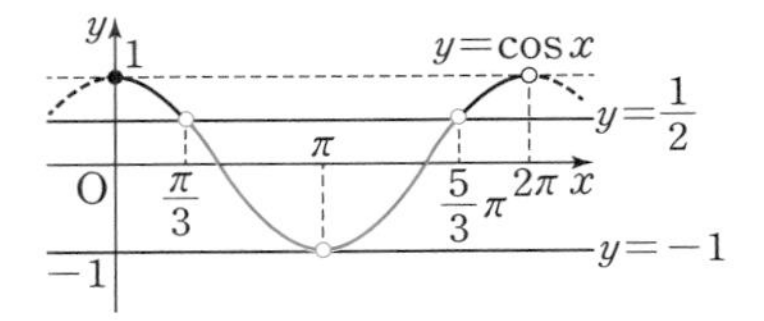

따라서 구하는 부등식의 해는

$\boldsymbol{\frac{\pi}{3}<x<\pi}$ **또는** $\boldsymbol{\pi<x<\frac{5}{3}\pi}$

4-2

(1) $2\sin^2 x-\sin x\le 0$에서 $\sin x(2\sin x-1)\le 0$

$\therefore\ 0\le\sin x\le\frac{1}{2}$

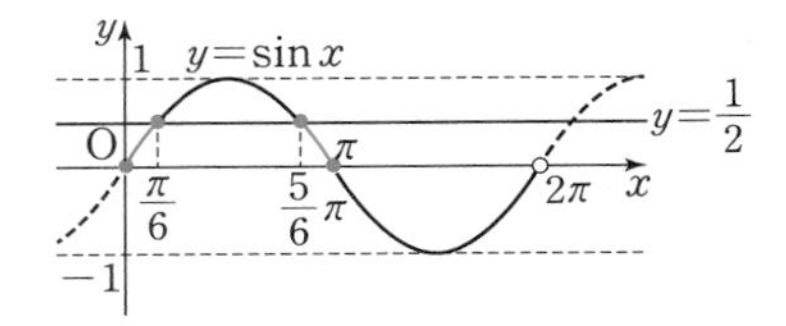

따라서 구하는 부등식의 해는

$\boldsymbol{0\le x\le\frac{\pi}{6}}$ **또는** $\boldsymbol{\frac{5}{6}\pi\le x\le\pi}$

(2) $2\cos^2 x+3\sin x-3\ge 0$에서

$2(1-\sin^2 x)+3\sin x-3\ge 0$

$2\sin^2 x-3\sin x+1\le 0$, $(2\sin x-1)(\sin x-1)\le 0$

$\therefore\ \frac{1}{2}\le\sin x\le 1$

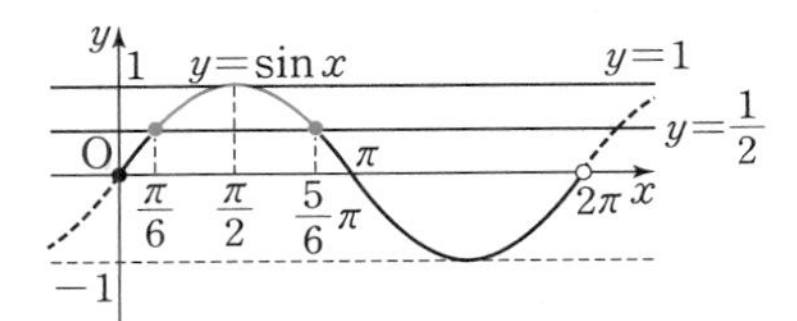

따라서 구하는 부등식의 해는

$\boldsymbol{\frac{\pi}{6}\le x\le\frac{5}{6}\pi}$

기초 유형

| 본문 104, 105쪽 |

1-1 **2, 2, 6**

1-2

$x-\frac{\pi}{3}=t$로 치환하면 $0\le x<2\pi$에서 $-\frac{\pi}{3}\le t<\frac{5}{3}\pi$

$\sin t=\frac{1}{2}$에서 $t=\frac{\pi}{6}$ 또는 $t=\frac{5}{6}\pi$

(i) $t=\frac{\pi}{6}$일 때, $x-\frac{\pi}{3}=\frac{\pi}{6}$ $\quad\therefore\ x=\frac{\pi}{2}$

(ii) $t=\frac{5}{6}\pi$일 때, $x-\frac{\pi}{3}=\frac{5}{6}\pi$ $\quad\therefore\ x=\frac{7}{6}\pi$

(i), (ii)에서 구하는 모든 x의 값의 합은

$\frac{\pi}{2}+\frac{7}{6}\pi=\boldsymbol{\frac{5}{3}\pi}$

2-1 $\boldsymbol{\pi,\ 3\pi,\ 4\pi}$

2-2

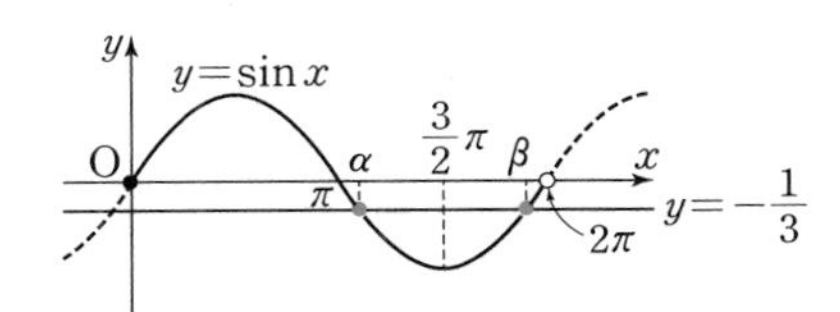

함수 $y=\sin x$의 그래프는 직선 $x=\frac{3}{2}\pi$에 대하여 대칭이므로

$\frac{\alpha+\beta}{2}=\frac{3}{2}\pi$ $\quad\therefore\ \alpha+\beta=3\pi$

$\therefore\ \sin\left(\alpha+\beta+\frac{\pi}{3}\right)=\sin\left(3\pi+\frac{\pi}{3}\right)=\sin\left(\pi+\frac{\pi}{3}\right)$

$=-\sin\frac{\pi}{3}=\boldsymbol{-\frac{\sqrt{3}}{2}}$

2-3

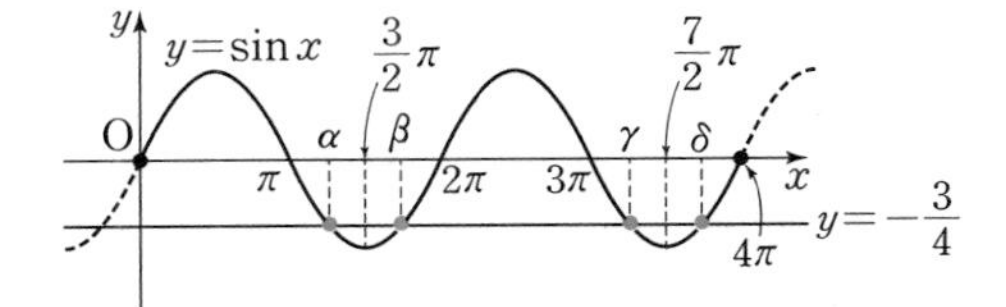

구하는 방정식의 근을 작은 것부터 차례대로 α, β, γ, δ라 하면 함수 $y=\sin x$의 그래프는 직선 $x=\frac{3}{2}\pi$ 및 $x=\frac{7}{2}\pi$에 대하여 대칭이므로

$\frac{\alpha+\beta}{2}=\frac{3}{2}\pi$, $\frac{\gamma+\delta}{2}=\frac{7}{2}\pi$

$\therefore\ \alpha+\beta=3\pi$, $\gamma+\delta=7\pi$

따라서 모든 실근의 합은 $\boldsymbol{10\pi}$

3-1 **2, 7**

3-2

주어진 방정식은 $(2\sin x+1)(2\sin x-1)=0$

$\therefore \sin x=-\frac{1}{2}$ 또는 $\sin x=\frac{1}{2}$

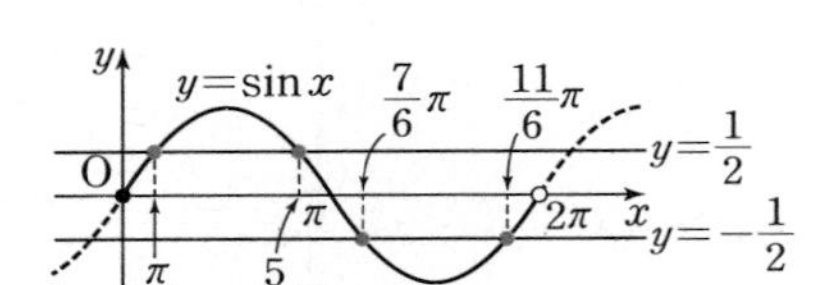

(i) $\sin x=-\frac{1}{2}$일 때, $x=\frac{7}{6}\pi$ 또는 $x=\frac{11}{6}\pi$

(ii) $\sin x=\frac{1}{2}$일 때, $x=\frac{\pi}{6}$ 또는 $x=\frac{5}{6}\pi$

(i), (ii)에서 구하는 방정식의 해는

$\boldsymbol{x=\frac{\pi}{6}}$ **또는** $\boldsymbol{x=\frac{5}{6}\pi}$ **또는** $\boldsymbol{x=\frac{7}{6}\pi}$ **또는** $\boldsymbol{x=\frac{11}{6}\pi}$

3-3

$\cos^2 x-\sin^2 x+5\cos x+3\ge 0$에서

$\cos^2 x-(1-\cos^2 x)+5\cos x+3\ge 0$

$2\cos^2 x+5\cos x+2\ge 0$

$(2\cos x+1)(\cos x+2)\ge 0$

이때 $\cos x+2>0$이므로

$2\cos x+1\ge 0 \qquad \therefore \cos x\ge -\frac{1}{2}$

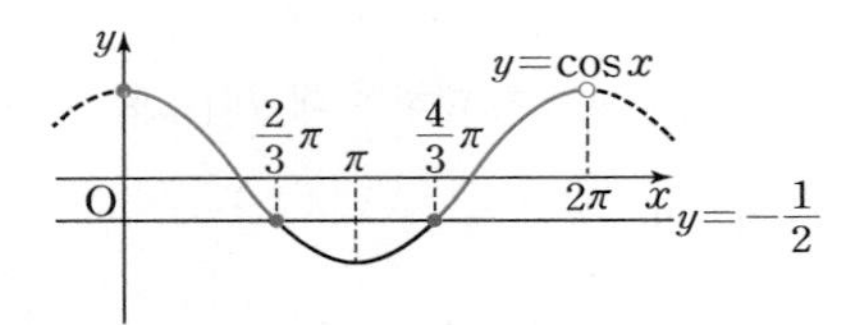

따라서 구하는 부등식의 해는

$\boldsymbol{0\le x\le \frac{2}{3}\pi}$ **또는** $\boldsymbol{\frac{4}{3}\pi\le x<2\pi}$

4-1 **7, 7, 7**

4-2

$\cos^2 x+3\sin x-a<0$에서

$(1-\sin^2 x)+3\sin x-a<0$

$\sin^2 x-3\sin x+a-1>0$

$\sin x=t$로 놓으면 $-1\le t\le 1$이고, 주어진 부등식은

$t^2-3t+a-1>0$

$y=t^2-3t+a-1$이라 하면

$y=\left(t-\frac{3}{2}\right)^2+a-\frac{13}{4}$

$-1\le t\le 1$에서 $t=1$일 때 최솟값 $a-3$을 가지므로 주어진 부등식이 항상 성립하려면

$a-3>0 \qquad \therefore \boldsymbol{a>3}$

3주 3일 사인법칙과 코사인법칙

개념 확인

| 본문 107, 109쪽 |

1-1

(1) 삼각형의 내각의 크기의 합은 180°이므로

$A=180°-(45°+45°)=90°$

사인법칙에 의하여 $\frac{2}{\sin 90°}=\frac{b}{\sin 45°}$이므로

$\boldsymbol{b}=\sin 45°\times\frac{2}{\sin 90°}=\boldsymbol{\sqrt{2}}$

(2) 사인법칙에 의하여 $\frac{\sqrt{3}}{\sin B}=\frac{1}{\sin 30°}$이므로

$\sin B=\sqrt{3}\times\sin 30°=\frac{\sqrt{3}}{2}$

$0°<B<180°$이므로 $B=60°$ 또는 $B=120°$

삼각형의 내각의 크기의 합은 180°이므로

$\boldsymbol{A}=180°-(60°+30°)=\boldsymbol{90°}$

또는 $\boldsymbol{A}=180°-(120°+30°)=\boldsymbol{30°}$

1-2

(1) 삼각형의 내각의 크기의 합은 180°이므로

$A=180°-(75°+60°)=45°$

사인법칙에 의하여 $\frac{8}{\sin 45°}=\frac{c}{\sin 60°}$이므로

$\boldsymbol{c}=\sin 60°\times\frac{8}{\sin 45°}=\boldsymbol{4\sqrt{6}}$

(2) 사인법칙에 의하여 $\frac{2\sqrt{3}}{\sin 120°}=\frac{2}{\sin B}$이므로

$2\sqrt{3}\sin B=2\sin 120° \qquad \therefore \sin B=\frac{1}{2}$

$0°<B<180°$이므로 $B=30°$ 또는 $B=150°$

그런데 $B=150°$이면 $A+B>180°$이므로 $B=30°$

삼각형의 내각의 크기의 합은 180°이므로

$\boldsymbol{C}=180°-(120°+30°)=\boldsymbol{30°}$

2-1

(1) 코사인법칙에 의하여

$a^2=b^2+c^2-2bc\cos A$

$=4^2+6^2-2\times4\times6\times\cos 60°=28$

그런데 $a>0$이므로 $\boldsymbol{a=2\sqrt{7}}$

(2) 코사인법칙으로부터

$\cos A=\frac{b^2+c^2-a^2}{2bc}=\frac{8^2+7^2-13^2}{2\times8\times7}=-\frac{1}{2}$

$0°<A<180°$이므로 $\boldsymbol{A=120°}$

2-2

(1) 코사인법칙에 의하여

$b^2=c^2+a^2-2ca\cos B$

$=8^2+5^2-2\times8\times5\times\cos 60^\circ=49$

그런데 $b>0$이므로 $\boldsymbol{b=7}$

(2) 코사인법칙으로부터

$\cos B=\frac{c^2+a^2-b^2}{2ca}=\frac{2^2+(2\sqrt{3})^2-2^2}{2\times2\times2\sqrt{3}}=\frac{\sqrt{3}}{2}$

$0^\circ<B<180^\circ$이므로 $\boldsymbol{B=30^\circ}$

3-1

(1) 삼각형 ABC의 외접원의 반지름의 길이를 R라 하면 사인법칙에 의하여

$\sin A=\frac{a}{2R}$, $\sin B=\frac{b}{2R}$

$a\sin A=b\sin B$에서

$a\times\frac{a}{2R}=b\times\frac{b}{2R}$

이 등식의 양변에 $2R$를 곱하면 $a^2=b^2$

따라서 삼각형 ABC는 **$a=b$인 이등변삼각형**이다.

(2) $a\cos A=b\cos B$에서

$a\times\frac{b^2+c^2-a^2}{2bc}=b\times\frac{c^2+a^2-b^2}{2ca}$

이 등식의 양변에 $2abc$를 곱하면

$a^2(b^2+c^2-a^2)=b^2(c^2+a^2-b^2)$

$a^2b^2+a^2c^2-a^4=b^2c^2+a^2b^2-b^4$

$a^4-b^4+b^2c^2-a^2c^2=0$

$(a^2+b^2)(a^2-b^2)-c^2(a^2-b^2)=0$

$(a^2-b^2)(a^2+b^2-c^2)=0$

$\therefore a^2=b^2$ 또는 $c^2=a^2+b^2$

따라서 삼각형 ABC는 **$a=b$인 이등변삼각형 또는 $C=90^\circ$인 직각삼각형**이다.

3-2

(1) 삼각형 ABC의 외접원의 반지름의 길이를 R라 하면 사인법칙에 의하여

$\sin A=\frac{a}{2R}$, $\sin B=\frac{b}{2R}$, $\sin C=\frac{c}{2R}$

$\sin^2 A=\sin^2 B+\sin^2 C$에서

$\left(\frac{a}{2R}\right)^2=\left(\frac{b}{2R}\right)^2+\left(\frac{c}{2R}\right)^2$

$\therefore a^2=b^2+c^2$

따라서 삼각형 ABC는 **$A=90^\circ$인 직각삼각형**이다.

(2) $a\times\frac{c^2+a^2-b^2}{2ca}=b\times\frac{b^2+c^2-a^2}{2bc}$

이 등식의 양변에 $2c$를 곱하면

$c^2+a^2-b^2=b^2+c^2-a^2 \quad \therefore a^2=b^2$

따라서 삼각형 ABC는 **$a=b$인 이등변삼각형**이다.

4-1

(1) 삼각형 ABC의 넓이 S는

$S=\frac{1}{2}bc\sin A=\frac{1}{2}\times8\times3\times\sin 60^\circ$

$=\frac{1}{2}\times8\times3\times\frac{\sqrt{3}}{2}=\boldsymbol{6\sqrt{3}}$

(2) 사인법칙에 의하여

$\frac{4\sqrt{3}}{\sin 60^\circ}=\frac{8}{\sin C}$, $\sin C=1$

이때 $0^\circ<C<180^\circ$이므로 $C=90^\circ$

삼각형의 내각의 크기의 합은 180°이므로

$B=180^\circ-(60^\circ+90^\circ)=30^\circ$

따라서 삼각형 ABC의 넓이 S는

$S=\frac{1}{2}ca\sin B=\frac{1}{2}\times8\times4\sqrt{3}\times\sin 30^\circ=\boldsymbol{8\sqrt{3}}$

(3) 코사인법칙으로부터

$\cos A=\frac{b^2+c^2-a^2}{2bc}=\frac{6^2+5^2-7^2}{2\times6\times5}=\frac{1}{5}$

$\sin A>0$이므로

$\sin A=\sqrt{1-\cos^2 A}=\sqrt{1-\left(\frac{1}{5}\right)^2}=\frac{2\sqrt{6}}{5}$

따라서 삼각형 ABC의 넓이 S는

$S=\frac{1}{2}bc\sin A=\frac{1}{2}\times6\times5\times\frac{2\sqrt{6}}{5}=\boldsymbol{6\sqrt{6}}$

다른 풀이

$s=\frac{7+6+5}{2}=9$이므로 삼각형 ABC의 넓이 S는

$S=\sqrt{s(s-a)(s-b)(s-c)}$

$=\sqrt{9(9-7)(9-6)(9-5)}$

$=\sqrt{9\times2\times3\times4}=6\sqrt{6}$

4-2

(1) 삼각형 ABC의 넓이 S는

$S=\frac{1}{2}ab\sin C=\frac{1}{2}\times5\times3\times\sin 120^\circ$

$=\frac{1}{2}\times5\times3\times\frac{\sqrt{3}}{2}=\boldsymbol{\frac{15\sqrt{3}}{4}}$

(2) 사인법칙에 의하여

$\frac{2\sqrt{3}}{\sin 120^\circ}=\frac{2}{\sin C}$, $\sin C=\frac{1}{2}$

$0^\circ<C<180^\circ$이므로 $C=30^\circ$ 또는 $C=150^\circ$

이때 $C=150^\circ$이면 $B+C>180^\circ$이므로 $C=30^\circ$

삼각형의 내각의 크기의 합은 180°이므로

$A=180^\circ-(120^\circ+30^\circ)=30^\circ$

따라서 삼각형 ABC의 넓이 S는

$S=\frac{1}{2}bc\sin A=\frac{1}{2}\times2\sqrt{3}\times2\times\sin 30^\circ$

$=\frac{1}{2}\times2\sqrt{3}\times2\times\frac{1}{2}=\boldsymbol{\sqrt{3}}$

(3) 코사인법칙으로부터

$\cos A=\frac{b^2+c^2-a^2}{2bc}=\frac{5^2+6^2-4^2}{2\times5\times6}=\frac{3}{4}$

$\sin A>0$이므로

$\sin A=\sqrt{1-\cos^2 A}=\sqrt{1-\left(\frac{3}{4}\right)^2}=\frac{\sqrt{7}}{4}$

따라서 삼각형 ABC의 넓이 S는

$S=\frac{1}{2}bc\sin A=\frac{1}{2}\times5\times6\times\frac{\sqrt{7}}{4}=\mathbf{\frac{15\sqrt{7}}{4}}$

다른 풀이

$s=\frac{4+5+6}{2}=\frac{15}{2}$이므로 삼각형 ABC의 넓이 S는

$S=\sqrt{s(s-a)(s-b)(s-c)}$

$=\sqrt{\frac{15}{2}\left(\frac{15}{2}-4\right)\left(\frac{15}{2}-5\right)\left(\frac{15}{2}-6\right)}$

$=\sqrt{\frac{15}{2}\times\frac{7}{2}\times\frac{5}{2}\times\frac{3}{2}}=\frac{15\sqrt{7}}{4}$

5-1

사각형 ABCD의 넓이 S는

$S=\frac{1}{2}\times5\times7\times\sin 60^\circ=\frac{1}{2}\times5\times7\times\frac{\sqrt{3}}{2}=\mathbf{\frac{35\sqrt{3}}{4}}$

5-2

사각형 ABCD의 넓이 S는

$S=\frac{1}{2}\times10\times12\times\sin 135^\circ=\frac{1}{2}\times10\times12\times\frac{\sqrt{2}}{2}=\mathbf{30\sqrt{2}}$

기초 유형

| 본문 110, 111쪽 |

1-1 $\mathbf{5,\ 5,\ 5\sqrt{2}}$

1-2

사인법칙에 의하여

$\frac{4\sqrt{2}}{\sin B}=2\times4$, $\sin B=\frac{\sqrt{2}}{2}$

이때 $0^\circ<B<180^\circ$이므로 $B=45^\circ$ 또는 $B=135^\circ$

그런데 $B=135^\circ$이면 $A+B>180^\circ$이므로 $B=45^\circ$

삼각형의 내각의 크기의 합은 180°이므로

$\boldsymbol{C}=180^\circ-(60^\circ+45^\circ)=\mathbf{75^\circ}$

2-1 $\mathbf{4,\ 4,\ 4,\ 50}$

2-2

코사인법칙에 의하여

$c^2=5^2+3^2-2\times5\times3\times\left(-\frac{1}{2}\right)=49 \qquad \therefore c=7$

삼각형 ABC의 외접원의 반지름의 길이를 R라 하면

사인법칙에 의하여

$\frac{7}{\sin 120^\circ}=2R$, $2R=\frac{14\sqrt{3}}{3} \qquad \therefore R=\mathbf{\frac{7\sqrt{3}}{3}}$

2-3

코사인법칙에 의하여

$a^2=3^2+4^2-2\times3\times4\times\frac{2}{3}=9 \qquad \therefore a=3$

$\sin A>0$이므로

$\sin A=\sqrt{1-\cos^2 A}=\sqrt{1-\left(\frac{2}{3}\right)^2}=\frac{\sqrt{5}}{3}$

사인법칙에 의하여 $\frac{a}{\sin A}=2R$이므로

$\frac{3}{\frac{\sqrt{5}}{3}}=2R$, $2R=\frac{9\sqrt{5}}{5} \qquad \therefore 10R=\mathbf{9\sqrt{5}}$

3-1 $\mathbf{2ab,\ 1}$

3-2

삼각형의 내각의 크기의 합은 180°이므로

$A=180^\circ\times\frac{1}{6}=30^\circ$, $B=180^\circ\times\frac{1}{6}=30^\circ$, $C=180^\circ\times\frac{4}{6}=120^\circ$

사인법칙에 의하여

$a:b:c=\sin A:\sin B:\sin C=\sin 30^\circ:\sin 30^\circ:\sin 120^\circ$

$=\frac{1}{2}:\frac{1}{2}:\frac{\sqrt{3}}{2}=\mathbf{1:1:\sqrt{3}}$

3-3

사인법칙에 의하여

$a:b:c=\sin A:\sin B:\sin C=4:5:6$

$a=4k$, $b=5k$, $c=6k$ $(k>0)$로 놓으면 코사인법칙으로부터

$\cos A=\frac{b^2+c^2-a^2}{2bc}=\frac{(5k)^2+(6k)^2-(4k)^2}{2\times5k\times6k}=\mathbf{\frac{3}{4}}$

4-1 $\mathbf{3,\ 3,\ 5,\ 10}$

4-2

$\sin C>0$이므로

$\sin C=\sqrt{1-\cos^2 C}=\sqrt{1-\left(\frac{1}{3}\right)^2}=\frac{2\sqrt{2}}{3}$

삼각형 ABC의 넓이를 S라 하면

$S=\frac{1}{2}ab\sin C=\frac{1}{2}\times8\times3\times\frac{2\sqrt{2}}{3}=\mathbf{8\sqrt{2}}$

4-3

삼각형 ABC의 넓이를 S라 하면 $S=\frac{1}{2}bc\sin A$이므로

$\frac{3\sqrt{3}}{2}=\frac{1}{2}\times b\times2\times\sin 120^\circ$

$\frac{\sqrt{3}}{2}b=\frac{3\sqrt{3}}{2} \qquad \therefore \boldsymbol{b=3}$

3주 4일 등차수열

개념 확인

| 본문 113, 115쪽 |

1-1

(1) $a_n=n+2$에 $n=1, 2, 3, 4$를 차례로 대입하면
$a_1=1+2=3$, $a_2=2+2=4$,
$a_3=3+2=5$, $a_4=4+2=6$
따라서 수열 $\{a_n\}$의 첫째항부터 제4항까지 차례로 나열하면
3, 4, 5, 6

(2) $a_n=n^2-1$에 $n=1, 2, 3, 4$를 차례로 대입하면
$a_1=1^2-1=0$, $a_2=2^2-1=3$,
$a_3=3^2-1=8$, $a_4=4^2-1=15$
따라서 수열 $\{a_n\}$의 첫째항부터 제4항까지 차례로 나열하면
0, 3, 8, 15

(3) $a_n=(-1)^n$에 $n=1, 2, 3, 4$를 차례로 대입하면
$a_1=(-1)^1=-1$, $a_2=(-1)^2=1$,
$a_3=(-1)^3=-1$, $a_4=(-1)^4=1$
따라서 수열 $\{a_n\}$의 첫째항부터 제4항까지 차례로 나열하면
−1, 1, −1, 1

1-2

(1) $a_n=-3n$에 $n=1, 2, 3, 4$를 차례로 대입하면
$a_1=-3\times1=-3$, $a_2=-3\times2=-6$,
$a_3=-3\times3=-9$, $a_4=-3\times4=-12$
따라서 수열 $\{a_n\}$의 첫째항부터 제4항까지 차례로 나열하면
−3, −6, −9, −12

(2) $a_n=n^3$에 $n=1, 2, 3, 4$를 차례로 대입하면
$a_1=1^3=1$, $a_2=2^3=8$, $a_3=3^3=27$, $a_4=4^3=64$
따라서 수열 $\{a_n\}$의 첫째항부터 제4항까지 차례로 나열하면
1, 8, 27, 64

(3) $a_n=2^n-1$에 $n=1, 2, 3, 4$를 차례로 대입하면
$a_1=2^1-1=1$, $a_2=2^2-1=3$,
$a_3=2^3-1=7$, $a_4=2^4-1=15$
따라서 수열 $\{a_n\}$의 첫째항부터 제4항까지 차례로 나열하면
1, 3, 7, 15

2-1

(1) $a_1=2=1+1$, $a_2=3=2+1$, $a_3=4=3+1$, $a_4=5=4+1$, $\cdots$
따라서 주어진 수열 $\{a_n\}$의 일반항은 $\boldsymbol{a_n=n+1}$

(2) $a_1=4=4\times1$, $a_2=8=4\times2$, $a_3=12=4\times3$,
$a_4=16=4\times4$, $\cdots$
따라서 주어진 수열 $\{a_n\}$의 일반항은 $\boldsymbol{a_n=4n}$

(3) $a_1=\frac{1}{3}$, $a_2=\frac{2}{3}$, $a_3=1=\frac{3}{3}$, $a_4=\frac{4}{3}$, $\cdots$
따라서 주어진 수열 $\{a_n\}$의 일반항은 $\boldsymbol{a_n=\frac{n}{3}}$

2-2

(1) $a_1=3=2\times1+1$, $a_2=5=2\times2+1$, $a_3=7=2\times3+1$,
$a_4=9=2\times4+1$, $\cdots$
따라서 주어진 수열 $\{a_n\}$의 일반항은 $\boldsymbol{a_n=2n+1}$

(2) $a_1=1=1^2$, $a_2=4=2^2$, $a_3=9=3^2$, $a_4=16=4^2$, $\cdots$
따라서 주어진 수열 $\{a_n\}$의 일반항은 $\boldsymbol{a_n=n^2}$

(3) $a_1=\frac{1}{2}=\frac{1}{1+1}$, $a_2=\frac{2}{3}=\frac{2}{2+1}$, $a_3=\frac{3}{4}=\frac{3}{3+1}$,
$a_4=\frac{4}{5}=\frac{4}{4+1}$, $\cdots$
따라서 주어진 수열 $\{a_n\}$의 일반항은 $\boldsymbol{a_n=\frac{n}{n+1}}$

3-1

(1) 첫째항이 -1, 공차가 2이므로
$a_n=-1+(n-1)\times2=\boldsymbol{2n-3}$

(2) 첫째항이 4, 공차가 $9-4=5$이므로
$a_n=4+(n-1)\times5=\boldsymbol{5n-1}$

3-2

(1) 첫째항이 2, 공차가 -3이므로
$a_n=2+(n-1)\times(-3)=\boldsymbol{-3n+5}$

(2) 첫째항이 -2, 공차가 $4-(-2)=6$이므로
$a_n=-2+(n-1)\times6=\boldsymbol{6n-8}$

4-1

(1) 등차수열 $\{a_n\}$의 첫째항을 a, 공차를 d라 하면
$a_1=a=3$ ······㉠
$a_3=a+2d=-7$ ······㉡
㉠을 ㉡에 대입하여 풀면 $d=-5$
$\therefore a_n=3+(n-1)\times(-5)=\boldsymbol{-5n+8}$

(2) 등차수열 $\{a_n\}$의 첫째항을 a, 공차를 d라 하면
$a_4=a+3d=14$ ······㉠
$a_7=a+6d=23$ ······㉡
㉠, ㉡을 연립하여 풀면 $a=5$, $d=3$
$\therefore a_n=5+(n-1)\times3=\boldsymbol{3n+2}$

4-2

(1) 등차수열 $\{a_n\}$의 첫째항을 a, 공차를 d라 하면
$a_2=a+d=1$ ······㉠
$a_4=a+3d=9$ ······㉡
㉠, ㉡을 연립하여 풀면 $a=-3$, $d=4$
$\therefore a_n=-3+(n-1)\times4=\boldsymbol{4n-7}$

(2) 등차수열 $\{a_n\}$의 첫째항을 a, 공차를 d라 하면

$a_5=a+4d=-7$ ······㉠

$a_9=a+8d=-15$ ······㉡

㉠, ㉡을 연립하여 풀면 $a=1$, $d=-2$

$\therefore$ $\boldsymbol{a_n}=1+(n-1)\times(-2)=\mathbf{-2n+3}$

5-1

(1) x는 4와 18의 등차중항이므로

$x=\frac{4+18}{2}=\mathbf{11}$

(2) 9는 13과 x의 등차중항이므로

$9=\frac{13+x}{2}$, $18=13+x$ $\quad\therefore x=\mathbf{5}$

5-2

(1) x는 7과 -1의 등차중항이므로

$x=\frac{7+(-1)}{2}=\mathbf{3}$

(2) 5는 x와 11의 등차중항이므로

$5=\frac{x+11}{2}$, $10=x+11$ $\quad\therefore x=\mathbf{-1}$

기초 유형

| 본문 116, 117쪽 |

1-1 **7, 4, 25**

1-2

첫째항이 2, 공차가 5이므로

$a_n=2+(n-1)\times5=5n-3$

$\therefore a_{10}=5\times10-3=\mathbf{47}$

2-1 **-3, -3, 5, 5**

2-2

등차수열 $\{a_n\}$의 첫째항을 a, 공차를 d라 하면

$a_5=a+4d=16$ ······㉠

$a_8=a+7d=25$ ······㉡

㉠, ㉡을 연립하여 풀면 $a=4$, $d=3$

따라서 $a_n=4+(n-1)\times3=3n+1$이므로

$a_{13}=3\times13+1=\mathbf{40}$

2-3

등차수열 $\{a_n\}$의 첫째항을 a, 공차를 d라 하면

$a_{31}=a+30d=85$ ······㉠

$a_{45}=a+44d=127$ ······㉡

㉠, ㉡을 연립하여 풀면 $a=-5$, $d=3$

$\therefore a_n=-5+(n-1)\times3=3n-8$

이때 $175=3n-8$에서 $3n=183$ $\quad\therefore n=61$

따라서 175는 **제61항**이다.

3-1 **3, 3, -1, 14**

3-2

등차수열 $\{a_n\}$의 첫째항을 a, 공차를 d라 하면

$a_3=a+2d=10$ ······㉠

$a_2+a_5=(a+d)+(a+4d)=2a+5d=24$ ······㉡

㉠, ㉡을 연립하여 풀면 $a=2$, $d=4$

따라서 $a_n=2+(n-1)\times4=4n-2$이므로

$a_7=4\times7-2=\mathbf{26}$

3-3

등차수열 $\{a_n\}$의 첫째항을 a, 공차를 d라 하면

$a_3+a_5=(a+2d)+(a+4d)=2a+6d=26$ ······㉠

$a_4-a_7=(a+3d)-(a+6d)=-3d=-12$ $\quad\therefore d=4$

$d=4$를 ㉠에 대입하여 풀면 $a=1$

$\therefore a_n=1+(n-1)\times4=4n-3$

이때 $93=4n-3$에서 $4n=96$ $\quad\therefore n=24$

따라서 93은 **제24항**이다.

4-1 **2, 14, 10, 4**

4-2

x는 2와 8의 등차중항이므로

$x=\frac{2+8}{2}=5$

y는 8과 14의 등차중항이므로

$y=\frac{8+14}{2}=11$

$\therefore y-x=\mathbf{6}$

3주 5일 등차수열의 합

개념 확인

| 본문 119, 121쪽 |

1-1

(1) $S_8=\frac{8(-4+10)}{2}=\mathbf{24}$

(2) $S_{11}=\frac{11(5+35)}{2}=\mathbf{220}$

1-2

(1) $S_9=\frac{9\{2\times1+(9-1)\times(-2)\}}{2}=\mathbf{-63}$

(2) $S_{15}=\frac{15\{2\times(-3)+(15-1)\times5\}}{2}=\mathbf{480}$

2-1

(1) 첫째항이 -15, 공차가 $-11-(-15)=4$이므로 37을 제n항이라 하면

$-15+(n-1)\times4=37$, $4n=56$ $\therefore n=14$

따라서 구하는 합은

$\frac{14(-15+37)}{2}=\mathbf{154}$

(2) 첫째항이 9, 공차가 $12-9=3$이므로 66을 제n항이라 하면

$9+(n-1)\times3=66$, $3n=60$ $\therefore n=20$

따라서 구하는 합은

$\frac{20(9+66)}{2}=\mathbf{750}$

2-2

(1) 첫째항이 7, 공차가 $2-7=-5$이므로 -38을 제n항이라 하면

$7+(n-1)\times(-5)=-38$, $5n=50$ $\therefore n=10$

따라서 구하는 합은

$\frac{10\{7+(-38)\}}{2}=\mathbf{-155}$

(2) 첫째항이 -26, 공차가 $-24-(-26)=2$이므로 10을 제n항이라 하면

$-26+(n-1)\times2=10$, $2n=38$ $\therefore n=19$

따라서 구하는 합은

$\frac{19(-26+10)}{2}=\mathbf{-152}$

3-1

(1) 첫째항이 10, 공차가 $8-10=-2$이므로 구하는 합은

$\frac{10\{2\times10+(10-1)\times(-2)\}}{2}=\mathbf{10}$

(2) 첫째항이 -1, 공차가 $5-(-1)=6$이므로 구하는 합은

$\frac{10\{2\times(-1)+(10-1)\times6\}}{2}=\mathbf{260}$

3-2

(1) 첫째항이 17, 공차가 $10-17=-7$이므로 구하는 합은

$\frac{20\{2\times17+(20-1)\times(-7)\}}{2}=\mathbf{-990}$

(2) 첫째항이 2, 공차가 $6-2=4$이므로 구하는 합은

$\frac{20\{2\times2+(20-1)\times4\}}{2}=\mathbf{800}$

4-1

(1) $a_1=S_1=2+1=\mathbf{3}$

(2) $a_3=S_3-S_2=(18+3)-(8+2)=\mathbf{11}$

(3) $a_5=S_5-S_4=(50+5)-(32+4)=\mathbf{19}$

(4) $a_{10}=S_{10}-S_9=(200+10)-(162+9)=\mathbf{39}$

4-2

(1) $a_1=S_1=1-3+1=\mathbf{-1}$

(2) $a_2=S_2-S_1=(4-6+1)-(1-3+1)=\mathbf{0}$

(3) $a_6=S_6-S_5=(36-18+1)-(25-15+1)=\mathbf{8}$

(4) $a_9=S_9-S_8=(81-27+1)-(64-24+1)=\mathbf{14}$

5-1

(1) (i) $n\geq2$일 때

$a_n=S_n-S_{n-1}$

$=(3n^2-2n)-\{3(n-1)^2-2(n-1)\}$

$=6n-5$ ……㉠

(ii) $n=1$일 때

$a_1=S_1=3-2=1$ ……㉡

이때 ㉠에 $n=1$을 대입하면 $a_1=1$이므로 ㉡과 같다.

(i), (ii)에서 $\boldsymbol{a_n=6n-5}$

(2) (i) $n\geq2$일 때

$a_n=S_n-S_{n-1}$

$=(n^2+1)-\{(n-1)^2+1\}$

$=2n-1$ ……㉠

(ii) $n=1$일 때

$a_1=S_1=1+1=2$ ……㉡

그런데 ㉠에 $n=1$을 대입하면 $a_1=1$이므로 ㉡과 같지 않다.

(i), (ii)에서 $\boldsymbol{a_1=2,\ a_n=2n-1\ (n\geq2)}$

5-2

(1) (i) $n\geq2$일 때

$a_n=S_n-S_{n-1}$

$=(n^2+2n)-\{(n-1)^2+2(n-1)\}$

$=2n+1$ ……㉠

(ii) $n=1$일 때

$a_1=S_1=1+2=3$ ……㉡

이때 ㉠에 $n=1$을 대입하면 $a_1=3$이므로 ㉡과 같다.

(i), (ii)에서 $\boldsymbol{a_n=2n+1}$

(2) (i) $n\geq2$일 때

$a_n=S_n-S_{n-1}$

$=(2n^2-5n+1)-\{2(n-1)^2-5(n-1)+1\}$

$=4n-7$ ……㉠

(ii) $n=1$일 때

$a_1=S_1=2-5+1=-2$ ……㉡

그런데 ㉠에 $n=1$을 대입하면 $a_1=-3$이므로 ㉡과 같지 않다.

(i), (ii)에서 $\boldsymbol{a_1=-2,\ a_n=4n-7\ (n\geq 2)}$

6-1

(i) $n\geq 2$일 때

$a_n=S_n-S_{n-1}$

$=(n^2+5n)-\{(n-1)^2+5(n-1)\}$

$=2n+4$ ……㉠

(ii) $n=1$일 때

$a_1=S_1=1+5=6$ ……㉡

이때 ㉠에 $n=1$을 대입하면 $a_1=6$이므로 ㉡과 같다.

(i), (ii)에서 $a_n=2n+4$이므로 **첫째항은 6, 공차는 2**이다.

6-2

(i) $n\geq 2$일 때

$a_n=S_n-S_{n-1}$

$=(2n^2-n)-\{2(n-1)^2-(n-1)\}$

$=4n-3$ ……㉠

(ii) $n=1$일 때

$a_1=S_1=2-1=1$ ……㉡

이때 ㉠에 $n=1$을 대입하면 $a_1=1$이므로 ㉡과 같다.

(i), (ii)에서 $a_n=4n-3$이므로 **첫째항은 1, 공차는 4**이다.

기초 유형

| 본문 122, 123쪽 |

1-1 **10, 2, 120**

1-2

주어진 등차수열의 일반항을 a_n, 첫째항을 a, 공차를 d라 하면

$a_4=a+3d=7$ ……㉠

$a_{11}=a+10d=21$ ……㉡

㉠, ㉡을 연립하여 풀면 $a=1,\ d=2$

따라서 주어진 등차수열의 첫째항부터 제20항까지의 합은

$\dfrac{20(2\times 1+19\times 2)}{2}=\mathbf{400}$

2-1 **32, −3, 12, 11**

2-2

첫째항이 25, 공차가 -3이므로

$a_n=25+(n-1)\times(-3)=-3n+28$

$-3n+28<0$에서 $n>\dfrac{28}{3}=9.333\cdots$

처음으로 음수가 되는 항은 제10항이므로 첫째항부터 제9항까지의 합이 최대가 된다.

따라서 구하는 자연수 n의 값은 **9**이다.

2-3

등차수열 $\{a_n\}$의 첫째항을 a, 공차를 d라 하면

$a_5=a+4d=22$ ……㉠

$a_{15}=a+14d=-18$ ……㉡

㉠, ㉡을 연립하여 풀면 $a=38,\ d=-4$

$a_n=38+(n-1)\times(-4)=-4n+42$

$-4n+42<0$에서 $n>\dfrac{42}{4}=10.5$

처음으로 음수가 되는 항은 제11항이므로 첫째항부터 제10항까지의 합이 최대가 된다.

따라서 구하는 최댓값은

$S_{10}=\dfrac{10\{2\times 38+9\times(-4)\}}{2}=\mathbf{200}$

3-1 **3, 8, 11**

3-2

$a_1=S_1=3+1-1=3$

$a_3=S_3-S_2=(27+3-1)-(12+2-1)=16$

$a_5=S_5-S_4=(75+5-1)-(48+4-1)=28$

$\therefore a_1+a_3+a_5=\mathbf{47}$

다른 풀이

$S_5=75+5-1=79$

$a_2=S_2-S_1=(12+2-1)-(3+1-1)=10$

$a_4=S_4-S_3=(48+4-1)-(27+3-1)=22$

$\therefore a_1+a_3+a_5=S_5-a_2-a_4=47$

4-1 **5, −1, 27**

4-2

(i) $n\geq 2$일 때

$a_n=S_n-S_{n-1}$

$=(3n^2-4n)-\{3(n-1)^2-4(n-1)\}$

$=6n-7$ ……㉠

(ii) $n=1$일 때

$a_1=S_1=3-4=-1$ ……㉡

이때 ㉠에 $n=1$을 대입하면 $a_1=-1$이므로 ㉡과 같다.

(i), (ii)에서 $\boldsymbol{a_n=6n-7}$

4-3

(i) $n\geq 2$일 때

$a_n=S_n-S_{n-1}$

$=(n^2-12n)-\{(n-1)^2-12(n-1)\}$

$=2n-13$ ⋯⋯㉠

(ii) $n=1$일 때

$a_1=S_1=1-12=-11$ ⋯⋯㉡

이때 ㉠에 $n=1$을 대입하면 $a_1=-11$이므로 ㉡과 같다.

(i), (ii)에서 $a_n=2n-13$

$a_n<0$에서 $2n-13<0$ $\quad\therefore n<\frac{13}{2}=6.5$

따라서 구하는 자연수 n의 개수는 1, 2, 3, 4, 5, 6의 **6**이다.

누구나 100점 테스트

본문 124, 125쪽

1 답 ③

$\sin\frac{7}{6}\pi=\sin\left(\pi+\frac{\pi}{6}\right)=-\sin\frac{\pi}{6}=-\frac{1}{2}$

2 답 ③

$3\sin\left(\frac{\pi}{2}+\theta\right)+\cos(\pi-\theta)$

$=3\cos\theta-\cos\theta=2\cos\theta$

$=2\times\frac{1}{4}=\frac{1}{2}$

3 답 ④

$x-\frac{\pi}{6}=t$로 치환하면 $0\leq x\leq\frac{\pi}{2}$에서 $-\frac{\pi}{6}\leq t\leq\frac{\pi}{3}$

$\sin t=\frac{1}{2}$에서 $t=\frac{\pi}{6}$

$x-\frac{\pi}{6}=\frac{\pi}{6}$ $\quad\therefore x=\frac{\pi}{3}$

4 답 ②

$2\sin x+1<0$에서 $\sin x<-\frac{1}{2}$

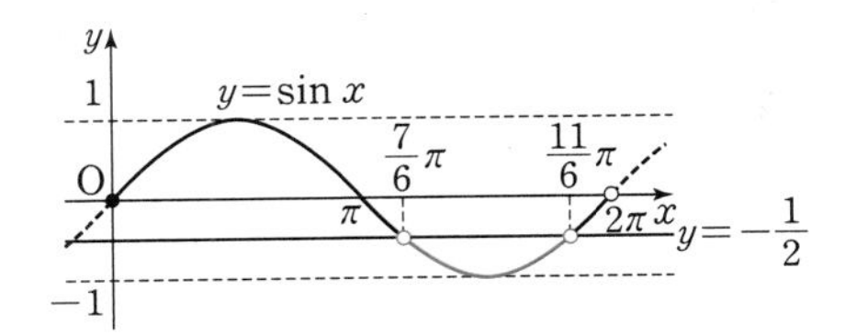

주어진 부등식의 해는 함수 $y=\sin x$의 그래프가 직선 $y=-\frac{1}{2}$보다 아래쪽에 있는 부분의 x의 값의 범위와 같으므로

$\frac{7}{6}\pi<x<\frac{11}{6}\pi$

이 부등식의 해가 $\alpha<x<\beta$이므로 $\alpha=\frac{7}{6}\pi$, $\beta=\frac{11}{6}\pi$

$\therefore \cos(\beta-\alpha)=\cos\left(\frac{11}{6}\pi-\frac{7}{6}\pi\right)=\cos\frac{2}{3}\pi$

$=\cos\left(\pi-\frac{\pi}{3}\right)=-\cos\frac{\pi}{3}$

$=-\frac{1}{2}$

5 답 41

삼각형 ABD에서

$\overline{AB}=\overline{AD}=6$, $\overline{BD}=\sqrt{15}$

이므로 $\angle BAD=\theta$라 하면 코사인법칙으로부터

$\cos\theta=\frac{6^2+6^2-(\sqrt{15})^2}{2\times6\times6}=\frac{19}{24}$

삼각형 ABC에서 코사인법칙에 의하여

$k^2=\overline{BC}^2$

$=6^2+10^2-2\times6\times10\times\cos\theta$

$=36+100-120\times\frac{19}{24}$

$=41$

6 답 ⑤

삼각형 ABC의 넓이를 S라 하면

$S=\frac{1}{2}\times\overline{AB}\times\overline{AC}\times\sin\theta$이므로

$\sqrt{6}=\frac{1}{2}\times2\times\sqrt{7}\times\sin\theta$ $\quad\therefore \sin\theta=\sqrt{\frac{6}{7}}$

$\therefore \sin\left(\frac{\pi}{2}+\theta\right)=\cos\theta=\sqrt{1-\left(\sqrt{\frac{6}{7}}\right)^2}=\frac{\sqrt{7}}{7}$ $(\because \cos\theta>0)$

7 답 ④

등차수열 $\{a_n\}$의 첫째항을 a, 공차를 d라 하면

$a_1+a_2+a_3=a+(a+d)+(a+2d)$에서

$3a+3d=15$ $\quad\therefore a+d=5$ ⋯⋯㉠

$a_3+a_4+a_5=(a+2d)+(a+3d)+(a+4d)$에서

$3a+9d=39$ $\quad\therefore a+3d=13$ ⋯⋯㉡

㉡－㉠을 하면 $2d=8$ $\quad\therefore d=\mathbf{4}$

다른 풀이

등차수열 $\{a_n\}$의 공차를 d라 하면

$a_3=a_1+2d$, $a_4=a_2+2d$, $a_5=a_3+2d$이므로

$a_3+a_4+a_5=a_1+a_2+a_3+6d$

$39=15+6d$ $\quad\therefore d=4$

8 답 15

a는 3과 b의 등차중항이므로

$a=\frac{3+b}{2}$ $\quad\therefore 2a-b=3$ ⋯⋯㉠

b는 a와 12의 등차중항이므로

$b=\frac{a+12}{2}$ $\quad\therefore a-2b=-12$ ⋯⋯㉡

㉠, ㉡을 연립하여 풀면 $a=6$, $b=9$

$\therefore a+b=15$

다른 풀이

네 수 3, a, b, 12가 이 순서대로 등차수열을 이루므로

$a-3=12-b \quad \therefore a+b=15$

9 답 90

$a_1+2a_{10}=34$, $a_1-a_{10}=-14$를 연립하여 풀면

$a_1=2$, $a_{10}=16$

따라서 첫째항부터 제10항까지의 합은

$\frac{10(2+16)}{2}=90$

10 답 43

등차수열 $\{a_n\}$의 첫째항을 a, 공차를 d라 하면

$a_2=a+d=7$ ……㉠

$S_7-S_5=a_7+a_6=(a+6d)+(a+5d)$에서

$2a+11d=50$ ……㉡

㉠, ㉡을 연립하여 풀면 $a=3$, $d=4$

따라서 $a_n=3+(n-1)\times 4=4n-1$이므로

$a_{11}=4\times 11-1=43$

창의 · 융합 · 코딩

본문 126~131쪽

정답 32

어느 공장에서 생산하는 직원뿔대 모양의 유리컵의 높이는 a(cm)이고 크기와 모양은 모두 일정하다. [그림 1]과 같이 유리컵 두 개를 밑면이 지면과 평행하도록 지면 위에 포개어 쌓으면 유리컵 한 개의 높이의 $\frac{2}{3}$만큼 항상 겹치게 된다.❶ [그림 2]와 같이 유리컵 3개를 이와 같은 방법으로 쌓을 때, 지면으로부터 마지막으로 쌓은 유리컵의 밑면까지의 높이가 20(cm)이다.❷ 유리컵 6개를 이와 같은 방법으로 쌓을 때, 지면으로부터 마지막으로 쌓은 유리컵의 밑면까지의 높이는 k(cm)이다. k의 값을❸ 구하시오. (단, 유리컵을 쌓은 지면은 평평하다.) [2015 6월 실시 고2 교육청 가형 10번]

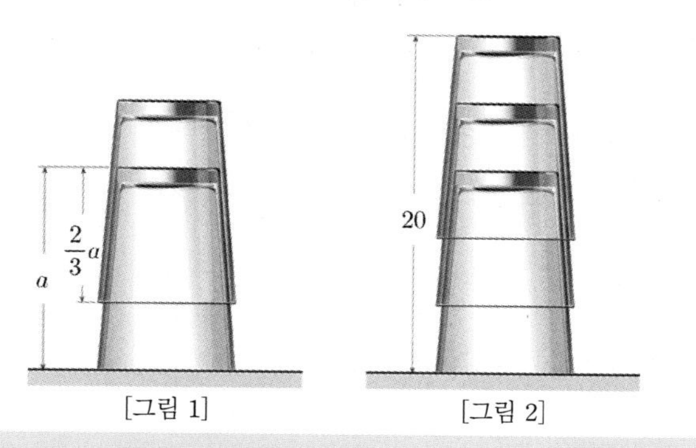

[그림 1] [그림 2]

❶ 지면으로부터 마지막으로 쌓은 유리컵의 밑면까지의 높이가 등차수열임을 알고, 등차수열의 일반항 a_n을 구한다.

❷ $a_3=20$임을 이용하여 a의 값을 구한다.

❸ $k=a_6$에서 k의 값을 구한다.

❶ 유리컵 n개를 포개어 쌓을 때, 지면으로부터 마지막으로 쌓은 유리컵의 밑면까지의 높이를 a_n이라 하면 수열 $\{a_n\}$은 첫째항이 a이고 공차가 $\frac{1}{3}a$인 등차수열이므로

$a_n=a+(n-1)\times\frac{1}{3}a=\left(\frac{n+2}{3}\right)a$ ……㉠

❷ 이때 $a_3=20$이므로 $\frac{5}{3}a=20 \quad \therefore a=12$

❸ $a=12$를 ㉠에 대입하면 $a_n=4n+8$이므로

$k=a_6=4\times 6+8=32$

1 0, tan 15°, tan 15°, tan 15°, 1

2 답 $\frac{2}{5}$

❶ $\sin x=t$로 놓으면 $0\le x<2\pi$에서 $-1\le t\le 1$이고, 주어진 부등식은

$t^2-4t-5k+5\ge 0$

❷ $f(t)=t^2-4t-5k+5$라 하면

$f(t)=(t-2)^2-5k+1$

함수 $f(t)$는 $-1\le t\le 1$에서 $t=1$일 때 최솟값 $2-5k$를 갖는다.

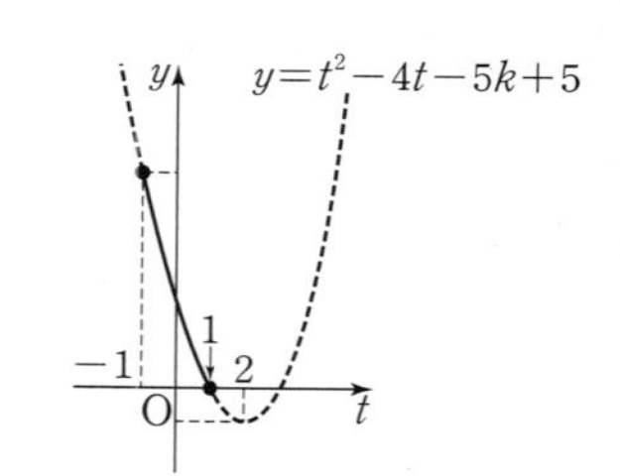

❸ 이때 주어진 부등식이 항상 성립하려면

$2-5k\ge 0 \quad \therefore k\le\frac{2}{5}$

❹ 따라서 구하는 실수 k의 최댓값은 $\frac{2}{5}$이다.

3 답 $\frac{4}{3}\pi$

❶ 이차방정식 $6x^2+(4\cos\theta)x+\sin\theta=0$의 판별식을 D라 하면

$\frac{D}{4}=(2\cos\theta)^2-6\sin\theta$

이 방정식이 실근을 갖지 않으므로

$(2\cos\theta)^2-6\sin\theta<0$, $2\cos^2\theta-3\sin\theta<0$

$2(1-\sin^2\theta)-3\sin\theta<0$, $2\sin^2\theta+3\sin\theta-2>0$

$(\sin\theta+2)(2\sin\theta-1)>0$

이때 $\sin\theta+2>0$이므로

$2\sin\theta-1>0 \quad \therefore \sin\theta>\frac{1}{2}$

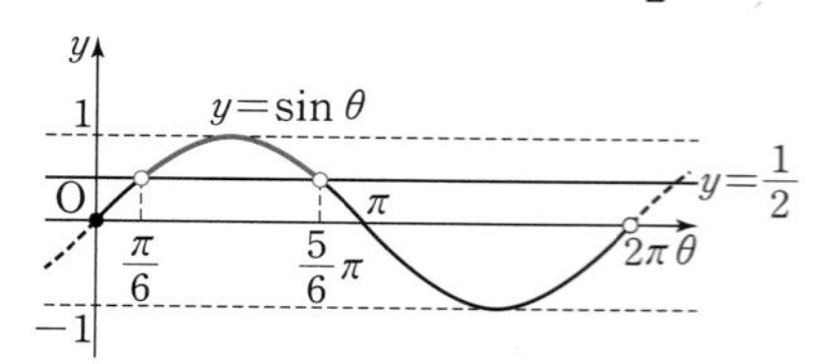

❷ 구하는 부등식의 해는 함수 $y=\sin\theta$의 그래프가 직선 $y=\frac{1}{2}$보다 위쪽에 있는 부분의 θ의 값의 범위와 같으므로

$\frac{\pi}{6}<\theta<\frac{5}{6}\pi$

이 부등식의 해가 $\alpha<\theta<\beta$이므로

$\alpha=\frac{\pi}{6}$, $\beta=\frac{5}{6}\pi$

❸ $\therefore 3\alpha+\beta=3\times\frac{\pi}{6}+\frac{5}{6}\pi=\frac{4}{3}\pi$

4 답 **5, 10, −5, 50**

5 답 **1**

❶ $f(x)=\log x$에서

$f(3)=\log 3$

$f(3^t+3)=\log (3^t+3)$

$f(12)=\log 12$

❷ $f(3^t+3)$은 $f(3)$과 $f(12)$의 등차중항이므로

$f(3^t+3)=\frac{f(3)+f(12)}{2}$

❸ $\log (3^t+3)=\frac{\log 3+\log 12}{2}$

$=\frac{1}{2}\log 36=\log 6$

$3^t+3=6$, $3^t=3$ $\therefore t=1$

6 답 **11**

❶ $x^2-nx+4(n-4)=0$에서

$(x-4)(x-n+4)=0$

$\therefore x=4$ 또는 $x=n-4$

❷ α는 1과 β의 등차중항이므로

$\alpha=\frac{1+\beta}{2}$

$\therefore 2\alpha=\beta+1$ ······㉠

❸ (i) $\alpha=4$, $\beta=n-4$일 때

$\alpha<\beta$이므로 $4<n-4$ $\therefore n>8$

또 ㉠에서 $8=(n-4)+1$ $\therefore n=11$

11은 8보다 큰 자연수이므로 조건을 만족시킨다.

(ii) $\alpha=n-4$, $\beta=4$일 때

$\alpha<\beta$이므로 $n-4<4$ $\therefore n<8$

또 ㉠에서 $2(n-4)=4+1$ $\therefore n=\frac{13}{2}$

$\frac{13}{2}$은 8보다 작지만 자연수가 아니므로 조건을 만족시키지 않는다.

(i), (ii)에서 구하는 자연수 n의 값은 11이다.

4주 1일 등비수열

개념 확인

| 본문 137, 139쪽 |

1-1

(1) 첫째항이 4, 공비가 2인 등비수열이므로

$\boldsymbol{a_n}=4\times 2^{n-1}=\boldsymbol{2^{n+1}}$

(2) 첫째항이 1, 공비가 $\frac{2}{1}=2$인 등비수열이므로

$\boldsymbol{a_n}=1\times 2^{n-1}=\boldsymbol{2^{n-1}}$

1-2

(1) 첫째항이 -25, 공비가 4인 등비수열이므로

$\boldsymbol{a_n=-25\times 4^{n-1}}$

(2) 첫째항이 5, 공비가 $\frac{-5}{5}=-1$인 등비수열이므로

$\boldsymbol{a_n=5\times(-1)^{n-1}}$

2-1

(1) 등비수열 $\{a_n\}$의 첫째항을 a, 공비를 r라 하면

$a_1=a=2$ ……㉠

$a_4=ar^3=54$ ……㉡

㉠을 ㉡에 대입하여 정리하면 $r^3=27$

이때 r는 실수이므로 $r=3$

$\therefore \boldsymbol{a_n=2\times 3^{n-1}}$

(2) 등비수열 $\{a_n\}$의 첫째항을 a, 공비를 r라 하면

$a_3=ar^2=1$ ……㉠

$a_6=ar^5=\frac{1}{64}$ ……㉡

㉡÷㉠을 하면 $r^3=\frac{1}{64}$

이때 r는 실수이므로 $r=\frac{1}{4}$

$r=\frac{1}{4}$을 ㉠에 대입하여 풀면 $a=16$

$\therefore \boldsymbol{a_n}=16\times\left(\frac{1}{4}\right)^{n-1}=\boldsymbol{\left(\frac{1}{4}\right)^{n-3}}$

2-2

(1) 등비수열 $\{a_n\}$의 첫째항을 a, 공비를 r라 하면

$a_2=ar=-2$ ……㉠

$a_5=ar^4=16$ ……㉡

㉡÷㉠을 하면 $r^3=-8$

이때 r는 실수이므로 $r=-2$

$r=-2$를 ㉠에 대입하여 풀면 $a=1$

$\therefore \boldsymbol{a_n}=1\times(-2)^{n-1}=\boldsymbol{(-2)^{n-1}}$

(2) 등비수열 $\{a_n\}$의 첫째항을 a, 공비를 r라 하면

$a_4=ar^3=5$ ……㉠

$a_7=ar^6=625$ ……㉡

㉡÷㉠을 하면 $r^3=125$

이때 r는 실수이므로 $r=5$

$r=5$를 ㉠에 대입하여 풀면 $a=\frac{1}{25}$

$\therefore \boldsymbol{a_n}=\frac{1}{25}\times 5^{n-1}=\boldsymbol{5^{n-3}}$

3-1

(1) x는 2와 32의 등비중항이므로

$x^2=2\times 32=64$ $\quad\therefore \boldsymbol{x=\pm 8}$

(2) x는 $-\frac{1}{3}$과 $-\frac{1}{27}$의 등비중항이므로

$x^2=-\frac{1}{3}\times\left(-\frac{1}{27}\right)=\frac{1}{81}$ $\quad\therefore \boldsymbol{x=\pm\frac{1}{9}}$

3-2

(1) x는 1과 121의 등비중항이므로

$x^2=1\times 121=121$ $\quad\therefore \boldsymbol{x=\pm 11}$

(2) x는 $\frac{\sqrt{2}}{2}$와 $\sqrt{2}$의 등비중항이므로

$x^2=\frac{\sqrt{2}}{2}\times\sqrt{2}=1$ $\quad\therefore \boldsymbol{x=\pm 1}$

4-1

(1) $S_n=\frac{3(4^n-1)}{4-1}=\boldsymbol{4^n-1}$

(2) $S_n=\frac{2\left\{1-\left(\frac{1}{5}\right)^n\right\}}{1-\frac{1}{5}}=\boldsymbol{\frac{5}{2}\left\{1-\left(\frac{1}{5}\right)^n\right\}}$

4-2

(1) $S_n=\frac{\sqrt{2}\{1-(-3)^n\}}{1-(-3)}=\boldsymbol{\frac{\sqrt{2}}{4}\{1-(-3)^n\}}$

(2) $S_n=\frac{-\frac{3}{2}(2^n-1)}{2-1}=\boldsymbol{-\frac{3}{2}(2^n-1)}$

5-1

(1) 첫째항이 3, 공비가 $\frac{9}{3}=3$이므로 구하는 합은

$\frac{3(3^n-1)}{3-1}=\boldsymbol{\frac{3}{2}(3^n-1)}$

(2) 첫째항이 4, 공비가 $\frac{3}{4}$이므로 구하는 합은

$\frac{4\left\{1-\left(\frac{3}{4}\right)^n\right\}}{1-\frac{3}{4}}=\boldsymbol{16\left\{1-\left(\frac{3}{4}\right)^n\right\}}$

5-2

(1) 첫째항이 -3, 공비가 $\frac{12}{-3}=-4$이므로 구하는 합은

$\frac{-3\{1-(-4)^n\}}{1-(-4)}=\mathbf{-\frac{3}{5}\{1-(-4)^n\}}$

(2) 첫째항이 5, 공비가 $\frac{5}{5}=1$이므로 구하는 합은

$n\times5=\mathbf{5n}$

6-1

(i) $n\ge2$일 때

$a_n=S_n-S_{n-1}=(2\times3^n-2)-(2\times3^{n-1}-2)$

$=2\times3^n-2\times3^{n-1}=4\times3^{n-1}$ ······㉠

(ii) $n=1$일 때

$a_1=S_1=2\times3-2=4$ ······㉡

이때 ㉠에 $n=1$을 대입하면 $a_1=4$이므로 ㉡과 같다.

(i), (ii)에서 $\mathbf{a_n=4\times3^{n-1}}$

6-2

(i) $n\ge2$일 때

$a_n=S_n-S_{n-1}=(2^n+1)-(2^{n-1}+1)$

$=2^n-2^{n-1}=2^{n-1}$ ······㉠

(ii) $n=1$일 때

$a_1=S_1=2+1=3$ ······㉡

그런데 ㉠에 $n=1$을 대입하면 $a_1=1$이므로 ㉡과 같지 않다.

(i), (ii)에서 $\mathbf{a_1=3,\ a_n=2^{n-1}\ (n\ge2)}$

기초 유형

| 본문 140, 141쪽 |

1-1 **8, 2, 3**

1-2

$a_3=ar^2=12$ ······㉠

$a_7=ar^6=972$ ······㉡

㉡÷㉠을 하면 $r^4=81$

이때 $r>0$이므로 $r=3$

$r=3$을 ㉠에 대입하여 풀면 $a=\frac{4}{3}$

$\therefore ar=\mathbf{4}$

2-1 **1, 4, 16**

2-2

등비수열 $\{a_n\}$의 첫째항을 a, 공비를 r라 하면

$a_4=4a_2$에서 $ar^3=4ar$, $r^2=4$

이때 모든 항이 양수이므로 $r=2$

$a_5=a_3+6$에서 $ar^4=ar^2+6$

이 식에 $r=2$를 대입하면 $16a=4a+6$ $\quad\therefore a=\frac{1}{2}$

$\therefore a_8=ar^7=\frac{1}{2}\times2^7=\mathbf{64}$

2-3

등비수열 $\{a_n\}$의 첫째항을 a, 공비를 r라 하면

$\frac{a_5}{a_2}=2$에서 $\frac{ar^4}{ar}=r^3=2$

$a_4+a_7=12$에서 $ar^3+ar^6=12$

이 식에 $r^3=2$를 대입하면 $2a+4a=12$ $\quad\therefore a=2$

$\therefore a_{10}=ar^9=a(r^3)^3=2\times2^3=\mathbf{16}$

3-1 **12, 12, 6**

3-2

6은 $a-9$와 $a+7$의 등비중항이므로

$6^2=(a-9)(a+7)$, $36=a^2-2a-63$

$a^2-2a-99=0$, $(a+9)(a-11)=0$

$\therefore$ **$a=-9$ 또는 $a=11$**

4-1 **2, 3, 48**

4-2

등비수열 $\{a_n\}$의 첫째항을 a, 공비를 r라 하면

$S_2=\frac{a(r^2-1)}{r-1}$ ······㉠

$S_4=\frac{a(r^4-1)}{r-1}=\frac{a(r^2-1)(r^2+1)}{r-1}$ ······㉡

㉡÷㉠을 하면 $\frac{S_4}{S_2}=r^2+1$

이때 $\frac{S_4}{S_2}=9$이므로 $r^2+1=9$ $\quad\therefore r^2=8$

$\therefore \frac{a_5}{a_3}=\frac{ar^4}{ar^2}=r^2=\mathbf{8}$

4-3

등비수열 $\{a_n\}$의 첫째항을 a, 공비를 r라 하면

$S_2=\frac{a(r^2-1)}{r-1}=2$ ······㉠

$S_6=\frac{a(r^6-1)}{r-1}=\frac{a(r^2-1)(r^4+r^2+1)}{r-1}=26$ ······㉡

㉡÷㉠을 하면 $r^4+r^2+1=13$, $r^4+r^2-12=0$

$(r^2+4)(r^2-3)=0$ $\quad\therefore r^2=3\ (\because r^2>0)$

$\therefore S_4=\frac{a(r^4-1)}{r-1}=\frac{a(r^2-1)}{r-1}\times(r^2+1)$

$=2(r^2+1)=\mathbf{8}$

4주 2일 합의 기호 Σ

개념 확인

| 본문 143, 145쪽 |

1-1

(1) 수열 1, 2, 3, …의 일반항을 a_n이라 하면 첫째항이 1, 공차가 1인 등차수열이므로

$a_n=1+(n-1)\times1=n$

이때 $n=12$이므로

$1+2+3+\cdots+12=\boldsymbol{\sum_{k=1}^{12}k}$

(2) 수열 2, 5, 8, …의 일반항을 a_n이라 하면 첫째항이 2, 공차가 3인 등차수열이므로

$a_n=2+(n-1)\times3=3n-1$

이때 $3n-1=59$에서 $n=20$이므로

$2+5+8+\cdots+59=\boldsymbol{\sum_{k=1}^{20}(3k-1)}$

(3) 수열 3, 3^2, 3^3, …의 일반항을 a_n이라 하면 첫째항이 3, 공비가 3인 등비수열이므로

$a_n=3\times3^{n-1}=3^n$

이때 $3^n=3^{14}$에서 $n=14$이므로

$3+3^2+3^3+\cdots+3^{14}=\boldsymbol{\sum_{k=1}^{14}3^k}$

1-2

(1) 수열 1, 3, 5, …의 일반항을 a_n이라 하면 첫째항이 1, 공차가 2인 등차수열이므로

$a_n=1+(n-1)\times2=2n-1$

이때 $2n-1=19$에서 $n=10$이므로

$1^2+3^2+5^2+\cdots+19^2=\boldsymbol{\sum_{k=1}^{10}(2k-1)^2}$

(2) 수열 1, 2, 4, …의 일반항을 a_n이라 하면 첫째항이 1, 공비가 2인 등비수열이므로

$a_n=1\times2^{n-1}=2^{n-1}$

이때 $2^{n-1}=512=2^9$에서 $n=10$이므로

$1+2+4+\cdots+512=\boldsymbol{\sum_{k=1}^{10}2^{k-1}}$

(3) 수열 $\frac{1}{1\times2}$, $\frac{1}{2\times3}$, $\frac{1}{3\times4}$, …의 일반항을 a_n이라 하면

$a_n=\frac{1}{n(n+1)}$

이때 $\frac{1}{n(n+1)}=\frac{1}{99\times100}$에서 $n=99$이므로

$\frac{1}{1\times2}+\frac{1}{2\times3}+\frac{1}{3\times4}+\cdots+\frac{1}{99\times100}$

$=\boldsymbol{\sum_{k=1}^{99}\frac{1}{k(k+1)}}$

2-1

(1) 일반항 $3k$의 k에 1, 2, 3, …, 7을 차례로 대입하면

$\sum_{k=1}^{7}3k=3\times1+3\times2+3\times3+\cdots+3\times7$

$=\mathbf{3+6+9+\cdots+21}$

(2) $\sum_{k=1}^{5}4=\mathbf{4+4+4+4+4}$

(3) 일반항 4^{k-2}의 k에 5, 6, 7, …, 20을 차례로 대입하면

$\sum_{k=5}^{20}4^{k-2}=4^{5-2}+4^{6-2}+4^{7-2}+\cdots+4^{20-2}$

$=\mathbf{4^3+4^4+4^5+\cdots+4^{18}}$

2-2

(1) 일반항 $4k-3$의 k에 1, 2, 3, …, 9를 차례로 대입하면

$\sum_{k=1}^{9}(4k-3)$

$=(4\times1-3)+(4\times2-3)+(4\times3-3)+\cdots+(4\times9-3)$

$=\mathbf{1+5+9+\cdots+33}$

(2) 일반항 k^3의 k에 1, 2, 3, …, 10을 차례로 대입하면

$\sum_{k=1}^{10}k^3=\mathbf{1^3+2^3+3^3+\cdots+10^3}$

(3) 일반항 $\frac{1}{k-2}$의 k에 3, 4, 5, …, 17을 차례로 대입하면

$\sum_{k=3}^{17}\frac{1}{k-2}=\frac{1}{3-2}+\frac{1}{4-2}+\frac{1}{5-2}+\cdots+\frac{1}{17-2}$

$=\boldsymbol{1+\frac{1}{2}+\frac{1}{3}+\cdots+\frac{1}{15}}$

3-1

(1) $\sum_{k=1}^{5}(a_k+2b_k)=\sum_{k=1}^{5}a_k+2\sum_{k=1}^{5}b_k$

$=3+2\times8=\mathbf{19}$

(2) $\sum_{k=1}^{5}(7a_k-3b_k)=7\sum_{k=1}^{5}a_k-3\sum_{k=1}^{5}b_k$

$=7\times3-3\times8=\mathbf{-3}$

(3) $\sum_{k=1}^{5}(2a_k-b_k+4)=2\sum_{k=1}^{5}a_k-\sum_{k=1}^{5}b_k+\sum_{k=1}^{5}4$

$=2\times3-8+4\times5=\mathbf{18}$

3-2

(1) $\sum_{k=1}^{10}(2a_k-b_k)=2\sum_{k=1}^{10}a_k-\sum_{k=1}^{10}b_k$

$=2\times7-(-2)=\mathbf{16}$

(2) $\sum_{k=1}^{10}(3a_k-2b_k)=3\sum_{k=1}^{10}a_k-2\sum_{k=1}^{10}b_k$

$=3\times7-2\times(-2)=\mathbf{25}$

(3) $\sum_{k=1}^{10}(-a_k+4b_k+2)=-\sum_{k=1}^{10}a_k+4\sum_{k=1}^{10}b_k+\sum_{k=1}^{10}2$

$=-7+4\times(-2)+2\times10=\mathbf{5}$

4-1

(1) $\sum_{k=1}^{4}(a_k^2+a_k-3)=\sum_{k=1}^{4}a_k^2+\sum_{k=1}^{4}a_k-\sum_{k=1}^{4}3$

$=15+9-3\times4=\mathbf{12}$

(2) $\sum_{k=1}^{4}(a_k+1)^2=\sum_{k=1}^{4}(a_k^2+2a_k+1)$

$=\sum_{k=1}^{4}a_k^2+2\sum_{k=1}^{4}a_k+\sum_{k=1}^{4}1$

$=15+2\times9+1\times4=\mathbf{37}$

(3) $\sum_{k=1}^{4}(a_k+2)(a_k-2)=\sum_{k=1}^{4}(a_k^2-4)$

$=\sum_{k=1}^{4}a_k^2-\sum_{k=1}^{4}4$

$=15-4\times4=\mathbf{-1}$

참고 (2) $\sum_{k=1}^{4}(a_k+1)^2\neq\left\{\sum_{k=1}^{4}(a_k+1)\right\}^2$

(3) $\sum_{k=1}^{4}(a_k+2)(a_k-2)\neq\sum_{k=1}^{4}(a_k+2)\sum_{k=1}^{4}(a_k-2)$

4-2

(1) $\sum_{k=1}^{15}a_k(a_k-5)=\sum_{k=1}^{15}(a_k^2-5a_k)$

$=\sum_{k=1}^{15}a_k^2-5\sum_{k=1}^{15}a_k$

$=6-5\times(-3)=\mathbf{21}$

(2) $\sum_{k=1}^{15}(2a_k+3)^2=\sum_{k=1}^{15}(4a_k^2+12a_k+9)$

$=4\sum_{k=1}^{15}a_k^2+12\sum_{k=1}^{15}a_k+\sum_{k=1}^{15}9$

$=4\times6+12\times(-3)+9\times15=\mathbf{123}$

(3) $\sum_{k=1}^{15}(a_k-2)(a_k+1)=\sum_{k=1}^{15}(a_k^2-a_k-2)$

$=\sum_{k=1}^{15}a_k^2-\sum_{k=1}^{15}a_k-\sum_{k=1}^{15}2$

$=6-(-3)-2\times15=\mathbf{-21}$

기초 유형

| 본문 146, 147쪽 |

1-1 **1, 91**

1-2

$\sum_{k=1}^{19}a_{k+1}-\sum_{k=2}^{20}a_{k-1}$

$=(a_2+a_3+a_4+\cdots+a_{20})-(a_1+a_2+a_3+\cdots+a_{19})$

$=a_{20}-a_1$

$=30-10=\mathbf{20}$

2-1 **2, 7, 24**

2-2

$\sum_{k=1}^{10}(a_k-2)=\sum_{k=1}^{10}a_k-\sum_{k=1}^{10}2=\sum_{k=1}^{10}a_k-20=8$

이므로 $\sum_{k=1}^{10}a_k=28$

$\sum_{k=1}^{10}(2a_k-b_k)=2\sum_{k=1}^{10}a_k-\sum_{k=1}^{10}b_k=2\times28-\sum_{k=1}^{10}b_k$

$=56-\sum_{k=1}^{10}b_k=8$

이므로 $\sum_{k=1}^{10}b_k=48$

$\therefore \sum_{k=1}^{10}(a_k+b_k)=\sum_{k=1}^{10}a_k+\sum_{k=1}^{10}b_k$

$=28+48=\mathbf{76}$

3-1 **40, 11**

3-2

$\sum_{k=1}^{5}(a_k+1)^2-\sum_{k=1}^{5}(a_k-1)^2$

$=\sum_{k=1}^{5}(a_k^2+2a_k+1)-\sum_{k=1}^{5}(a_k^2-2a_k+1)$

$=\sum_{k=1}^{5}\{(a_k^2+2a_k+1)-(a_k^2-2a_k+1)\}$

$=4\sum_{k=1}^{5}a_k$

$=4\times8=\mathbf{32}$

3-3

$\sum_{k=1}^{10}(2a_k-1)^2=\sum_{k=1}^{10}(4a_k^2-4a_k+1)$

$=4\sum_{k=1}^{10}a_k^2-4\sum_{k=1}^{10}a_k+\sum_{k=1}^{10}1$

$=4\times10-4\sum_{k=1}^{10}a_k+10$

$=50-4\sum_{k=1}^{10}a_k=34$

$4\sum_{k=1}^{10}a_k=16 \qquad \therefore \sum_{k=1}^{10}a_k=\mathbf{4}$

4-1 **6, 5, 16**

4-2

$a_{51}=\sum_{k=1}^{51}a_k-\sum_{k=1}^{50}a_k$

$=(51^2-2\times51+5)-(50^2-2\times50+5)$

$=(51^2-50^2)-2(51-50)$

$=(51+50)(51-50)-2$

$=\mathbf{99}$

4주 3일 수열의 합

개념 확인

| 본문 149, 151쪽 |

1-1

(1) $\sum_{k=1}^{8}(k+3)=\sum_{k=1}^{8}k+\sum_{k=1}^{8}3$

$=\frac{8\times 9}{2}+3\times 8$

$=36+24=\mathbf{60}$

(2) $\sum_{k=1}^{10}(2k^2-5k)=2\sum_{k=1}^{10}k^2-5\sum_{k=1}^{10}k$

$=2\times\frac{10\times 11\times 21}{6}-5\times\frac{10\times 11}{2}$

$=770-275=\mathbf{495}$

(3) $\sum_{k=1}^{6}(k^3-4k+5)=\sum_{k=1}^{6}k^3-4\sum_{k=1}^{6}k+\sum_{k=1}^{6}5$

$=\left(\frac{6\times 7}{2}\right)^2-4\times\frac{6\times 7}{2}+5\times 6$

$=441-84+30=\mathbf{387}$

1-2

(1) $\sum_{k=1}^{9}(1-3k)=\sum_{k=1}^{9}1-3\sum_{k=1}^{9}k$

$=1\times 9-3\times\frac{9\times 10}{2}$

$=9-135=\mathbf{-126}$

(2) $\sum_{k=1}^{12}(k-1)^2=\sum_{k=1}^{12}(k^2-2k+1)$

$=\sum_{k=1}^{12}k^2-2\sum_{k=1}^{12}k+\sum_{k=1}^{12}1$

$=\frac{12\times 13\times 25}{6}-2\times\frac{12\times 13}{2}+1\times 12$

$=650-156+12=\mathbf{506}$

(3) $\sum_{k=1}^{5}k(k+1)(k-2)=\sum_{k=1}^{5}(k^3-k^2-2k)$

$=\sum_{k=1}^{5}k^3-\sum_{k=1}^{5}k^2-2\sum_{k=1}^{5}k$

$=\left(\frac{5\times 6}{2}\right)^2-\frac{5\times 6\times 11}{6}-2\times\frac{5\times 6}{2}$

$=225-55-30=\mathbf{140}$

2-1

(1) 수열 1, 3, 5, …의 일반항을 a_n이라 하면 $a_n=2n-1$

이때 $2n-1=39$에서 $n=20$

따라서 구하는 합은

$\sum_{k=1}^{20}a_k=\sum_{k=1}^{20}(2k-1)=2\sum_{k=1}^{20}k-\sum_{k=1}^{20}1$

$=2\times\frac{20\times 21}{2}-1\times 20$

$=420-20=\mathbf{400}$

(2) 수열 1×10, 2×9, 3×8, …의 일반항을 a_n이라 하면

$a_n=n(11-n)$

이때 $n(11-n)=10\times 1$에서 $n=10$

따라서 구하는 합은

$\sum_{k=1}^{10}a_k=\sum_{k=1}^{10}k(11-k)=\sum_{k=1}^{10}(11k-k^2)$

$=11\sum_{k=1}^{10}k-\sum_{k=1}^{10}k^2$

$=11\times\frac{10\times 11}{2}-\frac{10\times 11\times 21}{6}$

$=605-385=\mathbf{220}$

2-2

(1) 수열 3, 4, 5, …의 일반항을 a_n이라 하면

$a_n=n+2$

이때 $n+2=12$에서 $n=10$

따라서 구하는 합은

$\sum_{k=1}^{10}{a_k}^2=\sum_{k=1}^{10}(k+2)^2=\sum_{k=1}^{10}(k^2+4k+4)$

$=\sum_{k=1}^{10}k^2+4\sum_{k=1}^{10}k+\sum_{k=1}^{10}4$

$=\frac{10\times 11\times 21}{6}+4\times\frac{10\times 11}{2}+4\times 10$

$=385+220+40=\mathbf{645}$

(2) 수열 $1^2\times 2$, $2^2\times 3$, $3^2\times 4$, …의 일반항을 a_n이라 하면

$a_n=n^2(n+1)$

이때 $n^2(n+1)=8^2\times 9$에서 $n=8$

따라서 구하는 합은

$\sum_{k=1}^{8}a_k=\sum_{k=1}^{8}k^2(k+1)=\sum_{k=1}^{8}(k^3+k^2)$

$=\sum_{k=1}^{8}k^3+\sum_{k=1}^{8}k^2$

$=\left(\frac{8\times 9}{2}\right)^2+\frac{8\times 9\times 17}{6}$

$=1296+204=\mathbf{1500}$

3-1

주어진 수열의 일반항을 a_n이라 하면

$a_n=\sum_{k=1}^{n}k=\frac{n(n+1)}{2}$

따라서 주어진 수열의 첫째항부터 제10항까지의 합은

$\sum_{k=1}^{10}a_k=\sum_{k=1}^{10}\frac{k(k+1)}{2}=\frac{1}{2}\sum_{k=1}^{10}(k^2+k)$

$=\frac{1}{2}\left(\sum_{k=1}^{10}k^2+\sum_{k=1}^{10}k\right)$

$=\frac{1}{2}\left(\frac{10\times 11\times 21}{6}+\frac{10\times 11}{2}\right)$

$=\frac{1}{2}(385+55)=\mathbf{220}$

3-2

주어진 수열의 일반항을 a_n이라 하면

$$a_n=\sum_{k=1}^{n}(2k-1)=2\sum_{k=1}^{n}k-\sum_{k=1}^{n}1$$
$$=2\times\frac{n(n+1)}{2}-n=n^2$$

따라서 주어진 수열의 첫째항부터 제20항까지의 합은

$$\sum_{k=1}^{20}a_k=\sum_{k=1}^{20}k^2=\frac{20\times21\times41}{6}=\mathbf{2870}$$

4-1

(1) $\sum_{k=1}^{8}\frac{1}{k(k+1)}$

$$=\sum_{k=1}^{8}\left(\frac{1}{k}-\frac{1}{k+1}\right)$$
$$=\left(1-\frac{1}{2}\right)+\left(\frac{1}{2}-\frac{1}{3}\right)+\left(\frac{1}{3}-\frac{1}{4}\right)+\cdots+\left(\frac{1}{8}-\frac{1}{9}\right)$$
$$=1-\frac{1}{9}=\mathbf{\frac{8}{9}}$$

→ 앞에서 첫 번째가 남으면 뒤에서 첫 번째가 남는다.

(2) $\sum_{k=1}^{10}\frac{1}{(2k-1)(2k+1)}$

$$=\frac{1}{2}\sum_{k=1}^{10}\left(\frac{1}{2k-1}-\frac{1}{2k+1}\right)$$
$$=\frac{1}{2}\left\{\left(1-\frac{1}{3}\right)+\left(\frac{1}{3}-\frac{1}{5}\right)+\left(\frac{1}{5}-\frac{1}{7}\right)+\cdots+\left(\frac{1}{19}-\frac{1}{21}\right)\right\}$$
$$=\frac{1}{2}\left(1-\frac{1}{21}\right)=\mathbf{\frac{10}{21}}$$

4-2

(1) $\sum_{k=1}^{10}\frac{2}{(k+1)(k+3)}$

$$=\sum_{k=1}^{10}\left(\frac{1}{k+1}-\frac{1}{k+3}\right)$$
$$=\left(\frac{1}{2}-\frac{1}{4}\right)+\left(\frac{1}{3}-\frac{1}{5}\right)+\left(\frac{1}{4}-\frac{1}{6}\right)+\cdots+\left(\frac{1}{10}-\frac{1}{12}\right)+\left(\frac{1}{11}-\frac{1}{13}\right)$$
$$=\frac{1}{2}+\frac{1}{3}-\frac{1}{12}-\frac{1}{13}=\mathbf{\frac{35}{52}}$$

→ 앞에서 첫 번째, 세 번째가 남으면 뒤에서 첫 번째, 세 번째가 남는다.

(2) $\sum_{k=1}^{12}\frac{1}{(3k-1)(3k+2)}$

$$=\frac{1}{3}\sum_{k=1}^{12}\left(\frac{1}{3k-1}-\frac{1}{3k+2}\right)$$
$$=\frac{1}{3}\left\{\left(\frac{1}{2}-\frac{1}{5}\right)+\left(\frac{1}{5}-\frac{1}{8}\right)+\left(\frac{1}{8}-\frac{1}{11}\right)+\cdots+\left(\frac{1}{35}-\frac{1}{38}\right)\right\}$$
$$=\frac{1}{3}\left(\frac{1}{2}-\frac{1}{38}\right)=\mathbf{\frac{3}{19}}$$

5-1

(1) $\sum_{k=1}^{7}\frac{1}{\sqrt{k+2}+\sqrt{k+1}}$

$$=\sum_{k=1}^{7}\frac{\sqrt{k+2}-\sqrt{k+1}}{(\sqrt{k+2}+\sqrt{k+1})(\sqrt{k+2}-\sqrt{k+1})}$$
$$=\sum_{k=1}^{7}(\sqrt{k+2}-\sqrt{k+1})$$
$$=(\sqrt{3}-\sqrt{2})+(\sqrt{4}-\sqrt{3})+(\sqrt{5}-\sqrt{4})+\cdots+(\sqrt{9}-\sqrt{8})$$
$$=\sqrt{9}-\sqrt{2}=\mathbf{3-\sqrt{2}}$$

→ 앞에서 두 번째가 남으면 뒤에서 두 번째가 남는다.

(2) $\sum_{k=1}^{16}\frac{1}{\sqrt{3k+2}+\sqrt{3k-1}}$

$$=\sum_{k=1}^{16}\frac{\sqrt{3k+2}-\sqrt{3k-1}}{(\sqrt{3k+2}+\sqrt{3k-1})(\sqrt{3k+2}-\sqrt{3k-1})}$$
$$=\frac{1}{3}\sum_{k=1}^{16}(\sqrt{3k+2}-\sqrt{3k-1})$$
$$=\frac{1}{3}\{(\sqrt{5}-\sqrt{2})+(\sqrt{8}-\sqrt{5})+(\sqrt{11}-\sqrt{8})+\cdots+(\sqrt{50}-\sqrt{47})\}$$
$$=\frac{1}{3}(\sqrt{50}-\sqrt{2})=\mathbf{\frac{4\sqrt{2}}{3}}$$

5-2

(1) $\sum_{k=1}^{12}\frac{1}{\sqrt{2k+3}+\sqrt{2k+1}}$

$$=\sum_{k=1}^{12}\frac{\sqrt{2k+3}-\sqrt{2k+1}}{(\sqrt{2k+3}+\sqrt{2k+1})(\sqrt{2k+3}-\sqrt{2k+1})}$$
$$=\frac{1}{2}\sum_{k=1}^{12}(\sqrt{2k+3}-\sqrt{2k+1})$$
$$=\frac{1}{2}\{(\sqrt{5}-\sqrt{3})+(\sqrt{7}-\sqrt{5})+(\sqrt{9}-\sqrt{7})+\cdots+(\sqrt{27}-\sqrt{25})\}$$
$$=\frac{1}{2}(\sqrt{27}-\sqrt{3})=\mathbf{\sqrt{3}}$$

(2) $\sum_{k=1}^{48}\frac{1}{\sqrt{k+2}+\sqrt{k}}$

$$=\sum_{k=1}^{48}\frac{\sqrt{k+2}-\sqrt{k}}{(\sqrt{k+2}+\sqrt{k})(\sqrt{k+2}-\sqrt{k})}$$
$$=\frac{1}{2}\sum_{k=1}^{48}(\sqrt{k+2}-\sqrt{k})$$
$$=\frac{1}{2}\{(\sqrt{3}-\sqrt{1})+(\sqrt{4}-\sqrt{2})+(\sqrt{5}-\sqrt{3})+\cdots+(\sqrt{49}-\sqrt{47})+(\sqrt{50}-\sqrt{48})\}$$
$$=\frac{1}{2}(-\sqrt{1}-\sqrt{2}+\sqrt{49}+\sqrt{50})=\mathbf{3+2\sqrt{2}}$$

→ 앞에서 두 번째, 네 번째가 남으면 뒤에서 두 번째, 네 번째가 남는다.

6-1

수열 $\frac{2}{2^2-1}$, $\frac{2}{3^2-1}$, $\frac{2}{4^2-1}$, $\cdots$의 일반항을 a_n이라 하면

$$a_n=\frac{2}{(n+1)^2-1}=\frac{2}{n(n+2)}=\frac{1}{n}-\frac{1}{n+2}$$

이때 $\frac{2}{(n+1)^2-1}=\frac{2}{11^2-1}$에서 $n=10$

따라서 구하는 합은

$$\sum_{k=1}^{10} a_k = \sum_{k=1}^{10}\left(\frac{1}{k}-\frac{1}{k+2}\right)$$

$$=\left(1-\frac{1}{3}\right)+\left(\frac{1}{2}-\frac{1}{4}\right)+\left(\frac{1}{3}-\frac{1}{5}\right)+\cdots+\left(\frac{1}{9}-\frac{1}{11}\right)+\left(\frac{1}{10}-\frac{1}{12}\right)$$

$$=1+\frac{1}{2}-\frac{1}{11}-\frac{1}{12}=\mathbf{\frac{175}{132}}$$

6-2

수열 $\frac{1}{\sqrt{4}+\sqrt{2}}, \frac{1}{\sqrt{6}+\sqrt{4}}, \frac{1}{\sqrt{8}+\sqrt{6}}, \cdots$의 일반항을 a_n이라 하면

$$a_n=\frac{1}{\sqrt{2n+2}+\sqrt{2n}}$$

$$=\frac{\sqrt{2n+2}-\sqrt{2n}}{(\sqrt{2n+2}+\sqrt{2n})(\sqrt{2n+2}-\sqrt{2n})}$$

$$=\frac{1}{2}(\sqrt{2n+2}-\sqrt{2n})$$

이때 $\frac{1}{\sqrt{2n+2}+\sqrt{2n}}=\frac{1}{\sqrt{32}+\sqrt{30}}$에서 $n=15$

따라서 구하는 합은

$$\sum_{k=1}^{15} a_k=\frac{1}{2}\sum_{k=1}^{15}(\sqrt{2k+2}-\sqrt{2k})$$

$$=\frac{1}{2}\{(\sqrt{4}-\sqrt{2})+(\sqrt{6}-\sqrt{4})+(\sqrt{8}-\sqrt{6})+\cdots+(\sqrt{32}-\sqrt{30})\}$$

$$=\frac{1}{2}(\sqrt{32}-\sqrt{2})=\mathbf{\frac{3\sqrt{2}}{2}}$$

기초 유형

| 본문 152, 153쪽 |

1-1 **$4k$, 4, 220**

1-2

$$\sum_{k=1}^{5}(2k^2+k+1)-\sum_{k=1}^{5}(k^2-k-1)$$

$$=\sum_{k=1}^{5}\{(2k^2+k+1)-(k^2-k-1)\}$$

$$=\sum_{k=1}^{5}(k^2+2k+2)$$

$$=\sum_{k=1}^{5}k^2+2\sum_{k=1}^{5}k+\sum_{k=1}^{5}2$$

$$=\frac{5\times6\times11}{6}+2\times\frac{5\times6}{2}+2\times5$$

$$=55+30+10=\mathbf{95}$$

1-3

$$\sum_{k=1}^{5}(k+1)^2-\sum_{k=3}^{5}(k^2+1)$$

$$=\sum_{k=1}^{5}(k^2+2k+1)-\left\{\sum_{k=1}^{5}(k^2+1)-\sum_{k=1}^{2}(k^2+1)\right\}$$

$$=\sum_{k=1}^{5}(k^2+2k+1)-\sum_{k=1}^{5}(k^2+1)+\sum_{k=1}^{2}(k^2+1)$$

$$=\sum_{k=1}^{5}2k+\sum_{k=1}^{2}(k^2+1)$$

$$=2\times\frac{5\times6}{2}+(1^2+1)+(2^2+1)$$

$$=30+2+5=\mathbf{37}$$

2-1 **300, 19**

2-2

$$\sum_{k=1}^{6}(k+a)=\sum_{k=1}^{6}k+\sum_{k=1}^{6}a=\frac{6\times7}{2}+6a=21+6a$$

따라서 $21+6a=45$이므로

$6a=24 \quad \therefore \mathbf{a=4}$

3-1 **4, 10, 210**

3-2

$$\sum_{k=1}^{20}(-1)^k(k+1)^2$$

$$=-2^2+3^2-4^2+5^2-\cdots-20^2+21^2$$

$$=(3^2+5^2+\cdots+21^2)-(2^2+4^2+\cdots+20^2)$$

$$=\sum_{i=1}^{10}(2i+1)^2-\sum_{i=1}^{10}(2i)^2$$

$$=\sum_{i=1}^{10}\{(2i+1)^2-(2i)^2\}$$

$$=\sum_{i=1}^{10}(4i+1)$$

$$=4\times\frac{10\times11}{2}+10$$

$$=220+10=\mathbf{230}$$

다른 풀이

$$\sum_{k=1}^{20}(-1)^k(k+1)^2$$

$$=-2^2+3^2-4^2+5^2-\cdots-20^2+21^2$$

$$=(-2+3)(2+3)+(-4+5)(4+5)+\cdots+(-20+21)(20+21)$$

$$=2+3+4+5+\cdots+20+21$$

$$=\sum_{i=1}^{20}(i+1)$$

$$=\frac{20\times21}{2}+20$$

$$=210+20=230$$

4-1 **2, 27, 4**

4-2

$\sum_{k=1}^{10}\frac{3}{9k^2-3k-2}$

$=\sum_{k=1}^{10}\frac{3}{(3k-2)(3k+1)}$

$=\sum_{k=1}^{10}\left(\frac{1}{3k-2}-\frac{1}{3k+1}\right)$

$=\left(1-\frac{1}{4}\right)+\left(\frac{1}{4}-\frac{1}{7}\right)+\left(\frac{1}{7}-\frac{1}{10}\right)+\cdots+\left(\frac{1}{28}-\frac{1}{31}\right)$

$=1-\frac{1}{31}=\mathbf{\frac{30}{31}}$

4-3

$a_n=\sum_{k=1}^{n}k=\frac{n(n+1)}{2}$이므로

$\sum_{n=1}^{10}\frac{1}{a_n}=\sum_{n=1}^{10}\frac{2}{n(n+1)}=2\sum_{n=1}^{10}\left(\frac{1}{n}-\frac{1}{n+1}\right)$

$=2\left\{\left(1-\frac{1}{2}\right)+\left(\frac{1}{2}-\frac{1}{3}\right)+\left(\frac{1}{3}-\frac{1}{4}\right)+\cdots+\left(\frac{1}{10}-\frac{1}{11}\right)\right\}$

$=2\left(1-\frac{1}{11}\right)=\mathbf{\frac{20}{11}}$

4주 4일 수열의 귀납적 정의

개념 확인

| 본문 155, 157쪽 |

1-1

(1) $a_{n+1}=2a_n+1$의 n에 1, 2, 3, 4를 차례로 대입하면

$a_2=2a_1+1=2\times3+1=7$

$a_3=2a_2+1=2\times7+1=15$

$a_4=2a_3+1=2\times15+1=31$

$a_5=2a_4+1=2\times31+1=63$

따라서 수열 $\{a_n\}$의 첫째항부터 제5항까지 차례로 나열하면

3, 7, 15, 31, 63

(2) $a_{n+1}=-a_n-5$의 n에 1, 2, 3, 4를 차례로 대입하면

$a_2=-a_1-5=-(-1)-5=-4$

$a_3=-a_2-5=-(-4)-5=-1$

$a_4=-a_3-5=-(-1)-5=-4$

$a_5=-a_4-5=-(-4)-5=-1$

따라서 수열 $\{a_n\}$의 첫째항부터 제5항까지 차례로 나열하면

−1, −4, −1, −4, −1

1-2

(1) $a_{n+1}=a_n+(-1)^n$의 n에 1, 2, 3, 4를 차례로 대입하면

$a_2=a_1+(-1)^1=4-1=3$

$a_3=a_2+(-1)^2=3+1=4$

$a_4=a_3+(-1)^3=4-1=3$

$a_5=a_4+(-1)^4=3+1=4$

따라서 수열 $\{a_n\}$의 첫째항부터 제5항까지 차례로 나열하면

4, 3, 4, 3, 4

(2) $a_{n+1}=-3a_n$의 n에 1, 2, 3, 4를 차례로 대입하면

$a_2=-3a_1=-3\times2=-6$

$a_3=-3a_2=-3\times(-6)=18$

$a_4=-3a_3=-3\times18=-54$

$a_5=-3a_4=-3\times(-54)=162$

따라서 수열 $\{a_n\}$의 첫째항부터 제5항까지 차례로 나열하면

2, −6, 18, −54, 162

2-1

(1) $a_1=1$, $a_{n+1}-a_n=2$이므로 수열 $\{a_n\}$은 첫째항이 1, 공차가 2인 등차수열이다.

$\therefore a_{10}=1+9\times2=\mathbf{19}$

(2) $a_1=-2$, $\frac{a_{n+1}}{a_n}=4$이므로 수열 $\{a_n\}$은 첫째항이 −2, 공비가 4인 등비수열이다.

$\therefore a_{10}=-2\times4^9=\mathbf{-2^{19}}$

2-2

(1) $a_1=2$, $a_2=5$, $2a_{n+1}=a_n+a_{n+2}$이므로 수열 $\{a_n\}$은 첫째항이 2, 공차가 $5-2=3$인 등차수열이다.

$\therefore a_{10}=2+9\times3=\mathbf{29}$

(2) $a_1=3$, $a_2=-1$, ${a_{n+1}}^2=a_na_{n+2}$이므로 수열 $\{a_n\}$은 첫째항이 3, 공비가 $\frac{-1}{3}=-\frac{1}{3}$인 등비수열이다.

$\therefore a_{10}=3\times\left(-\frac{1}{3}\right)^9=\mathbf{-\frac{1}{3^8}}$

3-1

$a_1=1$, $a_2=5$, $a_{n+2}-a_{n+1}=a_{n+1}-a_n$이므로 수열 $\{a_n\}$은 첫째항이 1, 공차가 $5-1=4$인 등차수열이다.

따라서 수열 $\{a_n\}$의 일반항은

$a_n=1+(n-1)\times4=4n-3$

$\therefore \sum_{k=1}^{10}a_k=\sum_{k=1}^{10}(4k-3)$

$=4\times\frac{10\times11}{2}-30$

$=220-30=\mathbf{190}$

3-2

$a_1=1$, $a_2=-2$, $\frac{a_{n+2}}{a_{n+1}}=\frac{a_{n+1}}{a_n}$이므로 수열 $\{a_n\}$은 첫째항이 1, 공비가 $\frac{-2}{1}=-2$인 등비수열이다.

따라서 수열 $\{a_n\}$의 일반항은

$a_n=1\times(-2)^{n-1}=(-2)^{n-1}$

$$\therefore \sum_{k=1}^{10} a_k=\sum_{k=1}^{10}(-2)^{k-1}$$
$$=\frac{1-(-2)^{10}}{1-(-2)}=\frac{1-2^{10}}{3}$$
$$=-\frac{1023}{3}=\mathbf{-341}$$

4-1

(1) $a_{n+1}=a_n+3n$의 n에 1, 2, 3, 4를 차례로 대입하면

$a_2=a_1+3$

$a_3=a_2+6=a_1+3+6$

$a_4=a_3+9=a_1+3+6+9$

$a_5=a_4+12=a_1+3+6+9+12$

$=2+30=\mathbf{32}$

(2) $a_{n+1}=a_n+3^{n-1}$의 n에 1, 2, 3, 4를 차례로 대입하면

$a_2=a_1+1$

$a_3=a_2+3=a_1+1+3$

$a_4=a_3+3^2=a_1+1+3+3^2$

$a_5=a_4+3^3=a_1+1+3+3^2+3^3$

$=3+\frac{3^4-1}{3-1}=\mathbf{43}$

4-2

(1) $a_{n+1}=a_n+n^2$의 n에 1, 2, 3, …, 9를 차례로 대입하면

$a_2=a_1+1^2$

$a_3=a_2+2^2=a_1+1^2+2^2$

$a_4=a_3+3^2=a_1+1^2+2^2+3^2$

⋮

$a_{10}=a_9+9^2=a_1+1^2+2^2+3^2+\cdots+9^2$

$=-1+\frac{9\times10\times19}{6}=\mathbf{284}$

(2) $a_{n+1}=a_n+2^n$의 n에 1, 2, 3, …, 9를 차례로 대입하면

$a_2=a_1+2$

$a_3=a_2+2^2=a_1+2+2^2$

$a_4=a_3+2^3=a_1+2+2^2+2^3$

⋮

$a_{10}=a_9+2^9=a_1+2+2^2+2^3+\cdots+2^9$

$=1+\frac{2(2^9-1)}{2-1}=\mathbf{1023}$

5-1

(1) $a_{n+1}=\frac{n+1}{n}a_n$의 n에 1, 2, 3, 4, 5를 차례로 대입하면

$a_2=\frac{2}{1}a_1$

$a_3=\frac{3}{2}a_2=\frac{2}{1}\times\frac{3}{2}a_1$

$a_4=\frac{4}{3}a_3=\frac{2}{1}\times\frac{3}{2}\times\frac{4}{3}a_1$

$a_5=\frac{5}{4}a_4=\frac{2}{1}\times\frac{3}{2}\times\frac{4}{3}\times\frac{5}{4}a_1$

$a_6=\frac{6}{5}a_5=\frac{2}{1}\times\frac{3}{2}\times\frac{4}{3}\times\frac{5}{4}\times\frac{6}{5}a_1$

$=6a_1=\mathbf{12}$

(2) $2^n a_{n+1}=a_n$에서 $a_{n+1}=\left(\frac{1}{2}\right)^n a_n$

$a_{n+1}=\left(\frac{1}{2}\right)^n a_n$의 n에 1, 2, 3, 4, 5를 차례로 대입하면

$a_2=\frac{1}{2}a_1$

$a_3=\left(\frac{1}{2}\right)^2 a_2=\frac{1}{2}\times\left(\frac{1}{2}\right)^2 a_1$

$a_4=\left(\frac{1}{2}\right)^3 a_3=\frac{1}{2}\times\left(\frac{1}{2}\right)^2\times\left(\frac{1}{2}\right)^3 a_1$

$a_5=\left(\frac{1}{2}\right)^4 a_4=\frac{1}{2}\times\left(\frac{1}{2}\right)^2\times\left(\frac{1}{2}\right)^3\times\left(\frac{1}{2}\right)^4 a_1$

$a_6=\left(\frac{1}{2}\right)^5 a_5=\frac{1}{2}\times\left(\frac{1}{2}\right)^2\times\left(\frac{1}{2}\right)^3\times\left(\frac{1}{2}\right)^4\times\left(\frac{1}{2}\right)^5 a_1$

$=\left(\frac{1}{2}\right)^{1+2+3+4+5}=\mathbf{\left(\frac{1}{2}\right)^{15}}$

5-2

(1) $\sqrt{n+1}a_{n+1}=\sqrt{n}a_n$에서 $a_{n+1}=\frac{\sqrt{n}}{\sqrt{n+1}}a_n$

$a_{n+1}=\frac{\sqrt{n}}{\sqrt{n+1}}a_n$의 n에 1, 2, 3, …, 11을 차례로 대입하면

$a_2=\frac{\sqrt{1}}{\sqrt{2}}a_1$

$a_3=\frac{\sqrt{2}}{\sqrt{3}}a_2=\frac{\sqrt{1}}{\sqrt{2}}\times\frac{\sqrt{2}}{\sqrt{3}}a_1$

$a_4=\frac{\sqrt{3}}{\sqrt{4}}a_3=\frac{\sqrt{1}}{\sqrt{2}}\times\frac{\sqrt{2}}{\sqrt{3}}\times\frac{\sqrt{3}}{\sqrt{4}}a_1$

⋮

$a_{12}=\frac{\sqrt{11}}{\sqrt{12}}a_{11}=\frac{\sqrt{1}}{\sqrt{2}}\times\frac{\sqrt{2}}{\sqrt{3}}\times\frac{\sqrt{3}}{\sqrt{4}}\times\cdots\times\frac{\sqrt{11}}{\sqrt{12}}a_1$

$=\frac{1}{\sqrt{12}}a_1=\mathbf{\frac{1}{2}}$

(2) $a_{n+1}=5^{n-1}a_n$의 n에 1, 2, 3, …, 11을 차례로 대입하면

$a_2=a_1$

$a_3=5a_2=5a_1$

$a_4=5^2a_3=5\times5^2a_1$

⋮

$a_{12}=5^{10}a_{11}=5\times5^2\times5^3\times\cdots\times5^{10}a_1$

$=5^{1+2+3+\cdots+10}=5^{\frac{10\times11}{2}}=\mathbf{5^{55}}$

6-1

(1) $a_{n+1}=2a_n+6$의 n에 1, 2, 3, 4를 차례로 대입하면

$a_2=2a_1+6=2\times4+6=14$

$a_3=2a_2+6=2\times14+6=34$

$a_4=2a_3+6=2\times34+6=74$

$a_5=2a_4+6=2\times74+6=\mathbf{154}$

(2) $a_{n+1}=4a_n-7$의 n에 1, 2, 3, 4를 차례로 대입하면

$a_2=4a_1-7=4\times3-7=5$

$a_3=4a_2-7=4\times5-7=13$

$a_4=4a_3-7=4\times13-7=45$

$a_5=4a_4-7=4\times45-7=\mathbf{173}$

6-2

(1) $a_{n+1}=3a_n+4$의 n에 1, 2, 3, 4를 차례로 대입하면

$a_2=3a_1+4=3\times(-1)+4=1$

$a_3=3a_2+4=3\times1+4=7$

$a_4=3a_3+4=3\times7+4=25$

$a_5=3a_4+4=3\times25+4=\mathbf{79}$

(2) $a_{n+1}=-2a_n+3$의 n에 1, 2, 3, 4를 차례로 대입하면

$a_2=-2a_1+3=-2\times2+3=-1$

$a_3=-2a_2+3=-2\times(-1)+3=5$

$a_4=-2a_3+3=-2\times5+3=-7$

$a_5=-2a_4+3=-2\times(-7)+3=\mathbf{17}$

기초 유형

| 본문 158, 159쪽 |

1-1 **3, 2, 4**

1-2

$a_n+a_{n+1}=n$에서 $a_{n+1}=-a_n+n$

$a_{n+1}=-a_n+n$의 n에 1, 2, 3, 4를 차례로 대입하면

$a_2=-a_1+1=0+1=1$

$a_3=-a_2+2=-1+2=1$

$a_4=-a_3+3=-1+3=2$

$a_5=-a_4+4=-2+4=\mathbf{2}$

1-3

$a_{n+1}=a_n^{\ 2}-3$의 n에 1, 2, 3, 4, …를 차례로 대입하면

$a_2=a_1^{\ 2}-3=1^2-3=-2$

$a_3=a_2^{\ 2}-3=(-2)^2-3=1$

$a_4=a_3^{\ 2}-3=1^2-3=-2$

$a_5=a_4^{\ 2}-3=(-2)^2-3=1$

⋮

즉, 수열 $\{a_n\}$은 1, −2, 1, −2, 1, …이므로 홀수 번째 항은 1, 짝수 번째 항은 −2이다.

따라서 $a_{11}=1$, $a_{12}=-2$이므로 $a_{11}+a_{12}=\mathbf{-1}$

2-1 **3, 1, 88**

2-2

$a_1=50$, $a_{n+1}-a_n=-3$이므로 수열 $\{a_n\}$은 첫째항이 50, 공차가 −3인 등차수열이다.

따라서 수열 $\{a_n\}$의 일반항은

$a_n=50+(n-1)\times(-3)=-3n+53$

이때 $a_k=11$이므로

$-3k+53=11$, $3k=42$ $\quad\therefore \boldsymbol{k=14}$

3-1 **−2, −2, 256**

3-2

$a_{n+1}^{\ 2}=a_na_{n+2}$이므로 수열 $\{a_n\}$은 등비수열이다.

등비수열 $\{a_n\}$의 공비가 $\frac{a_3}{a_2}=\frac{4}{2}=2$이므로

$a_2=2a_1=2$ $\quad\therefore a_1=1$

따라서 등비수열 $\{a_n\}$의 첫째항은 1, 공비는 2이므로

$a_6=1\times2^5=32$

$\therefore a_6-a_1=\mathbf{31}$

4-1 **10, 10, 16**

4-2

$a_{n+1}=\frac{2n+1}{2n-1}a_n$의 n에 1, 2, 3, …, 7을 차례로 대입하면

$a_2=\frac{3}{1}a_1$

$a_3=\frac{5}{3}a_2=\frac{3}{1}\times\frac{5}{3}a_1$

$a_4=\frac{7}{5}a_3=\frac{3}{1}\times\frac{5}{3}\times\frac{7}{5}a_1$

⋮

$a_8=\frac{15}{13}a_7=\frac{3}{1}\times\frac{5}{3}\times\frac{7}{5}\times\cdots\times\frac{15}{13}a_1=15a_1=\mathbf{30}$

4-3

$a_{n+1}=\frac{n+2}{n}a_n$의 n에 1, 2, 3, 4, 5를 차례로 대입하면

$a_2=\frac{3}{1}a_1$

$a_3=\frac{4}{2}a_2=\frac{3}{1}\times\frac{4}{2}a_1$

$a_4=\frac{5}{3}a_3=\frac{3}{1}\times\frac{4}{2}\times\frac{5}{3}a_1$

$a_5=\frac{6}{4}a_4=\frac{3}{1}\times\frac{4}{2}\times\frac{5}{3}\times\frac{6}{4}a_1$

$a_6=\frac{7}{5}a_5=\frac{3}{1}\times\frac{4}{2}\times\frac{5}{3}\times\frac{6}{4}\times\frac{7}{5}a_1$

$=21a_1=\mathbf{21}$

4주 5일 수학적 귀납법

개념 확인

| 본문 161, 163쪽 |

1-1

(가) 1 (나) $(k+1)^2$ (다) $2k+3$

1-2

(가) 2 (나) $(k+1)(k+2)$ (다) $k+3$

2-1

(가) $\frac{5}{4}$ (나) $\frac{1}{(k+1)^2}$ (다) 1

2-2

(가) 32 (나) 2 (다) $(k+1)^2$

기초 유형

| 본문 164, 165쪽 |

1-1 **2, k, 40**

1-2

(i) $n=1$일 때

(좌변)$=\boxed{1}$, (우변)$=\frac{1+1}{2}=1$

이므로 부등식 (*)이 성립한다.

(ii) $n=k$일 때 부등식 (*)이 성립한다고 가정하면

$1+\frac{1}{2}+\frac{1}{3}+\cdots+\frac{1}{k}\le\frac{k+1}{2}$

위 부등식의 양변에 $\frac{1}{k+1}$을 더하면

$1+\frac{1}{2}+\frac{1}{3}+\cdots+\frac{1}{k}+\frac{1}{k+1}\le\frac{k+1}{2}+\frac{1}{k+1}$

이때

$\frac{k+2}{2}-\left(\frac{k+1}{2}+\frac{1}{k+1}\right)=\frac{1}{2}-\frac{1}{k+1}$

$=\frac{k+1-2}{2(k+1)}$

$=\frac{\boxed{k-1}}{2(k+1)}\ge0$

이므로

$1+\frac{1}{2}+\frac{1}{3}+\cdots+\frac{1}{k}+\frac{1}{k+1}\le\boxed{\frac{k+2}{2}}$

따라서 $n=k+1$일 때도 부등식 (*)이 성립한다.

(i), (ii)에서 모든 자연수 n에 대하여 부등식 (*)이 성립한다.

따라서 $a=1$, $f(k)=k-1$, $g(k)=\frac{k+2}{2}$이므로

$a+f(5)+g(6)=1+4+4=\mathbf{9}$

1-3

(i) $n=1$일 때 $3^2-1=8$은 8의 배수이다.

따라서 $n=1$일 때 $3^{2n}-1$은 8의 배수이다.

(ii) $n=k$일 때 $3^{2k}-1$이 8의 배수라 가정하면

$3^{2k}-1=8m$ (m은 자연수)

이므로 $3^{2k}=8m+1$

$n=k+1$일 때

$3^{2(k+1)}-1=3^{2k+2}-1$

$=\boxed{9}\times3^{2k}-1$

$=9(8m+1)-1$

$=72m+8$

$=\boxed{8}(9m+1)$

따라서 $n=k+1$일 때도 $3^{2n}-1$은 8의 배수이다.

(i), (ii)에서 모든 자연수 n에 대하여 $3^{2n}-1$은 8의 배수이다.

따라서 (가) 9, (나) 8이므로 구하는 합은

$9+8=\mathbf{17}$

누구나 100점 테스트

본문 166, 167쪽

1 답 ④

등비수열 $\{a_n\}$의 첫째항을 a, 공비를 r라 하면

$a_2=ar=5$ ······㉠

$a_{10}=ar^9=80$ ······㉡

㉡÷㉠을 하면 $r^8=16$ $\therefore r^4=4$

$\therefore \frac{a_5}{a_1}=\frac{ar^4}{a}=r^4=4$

2 답 **12**

12는 a^2과 b^2의 등비중항이므로

$12^2=a^2\times b^2=(ab)^2$

이때 a, b는 모두 양수이므로 $a\times b=12$

3 답 **63**

등비수열 $\{a_n\}$의 공비를 r라 하면

$S_9-S_5=a_6+a_7+a_8+a_9$

$=7r^5+7r^6+7r^7+7r^8$

$=7r^5(1+r+r^2+r^3)$

$S_6-S_2=a_3+a_4+a_5+a_6$

$=7r^2+7r^3+7r^4+7r^5$

$=7r^2(1+r+r^2+r^3)$

이때

$$\frac{S_9-S_5}{S_6-S_2}=\frac{7r^5(1+r+r^2+r^3)}{7r^2(1+r+r^2+r^3)}=r^3$$

이므로 $r^3=3$

$\therefore a_7=7r^6=7(r^3)^2=7\times3^2=63$

다른 풀이

등비수열 $\{a_n\}$의 공비를 r라 하면 $S_n=\frac{7(r^n-1)}{r-1}$

이때

$$\frac{S_9-S_5}{S_6-S_2}=\frac{(r^9-1)-(r^5-1)}{(r^6-1)-(r^2-1)}=\frac{r^9-r^5}{r^6-r^2}$$
$$=\frac{r^5(r^4-1)}{r^2(r^4-1)}=r^3$$

이므로 $r^3=3$

$\therefore a_7=7r^6=7(r^3)^2=7\times3^2=63$

4 답 ①

$$\sum_{k=1}^{10}(a_k+2b_k)=\sum_{k=1}^{10}(a_k+b_k)+\sum_{k=1}^{10}b_k$$
$$=\sum_{k=1}^{10}10+\sum_{k=1}^{10}b_k$$
$$=100+\sum_{k=1}^{10}b_k=160$$

$\therefore \sum_{k=1}^{10}b_k=60$

5 답 ②

$$a_5=\sum_{k=1}^{5}a_k-\sum_{k=1}^{4}a_k$$
$$=(2^{5+1}-2)-(2^{4+1}-2)$$
$$=2^6-2^5=32$$

6 답 **150**

$f(x)=\frac{1}{2}x+2$에서 $f(2k)=\frac{1}{2}\times2k+2=k+2$

$$\therefore \sum_{k=1}^{15}f(2k)=\sum_{k=1}^{15}(k+2)$$
$$=\frac{15\times16}{2}+30$$
$$=120+30=150$$

7 답 ①

$$\sum_{k=1}^{10}\frac{k^3}{k+1}+\sum_{k=1}^{10}\frac{1}{k+1}=\sum_{k=1}^{10}\frac{k^3+1}{k+1}$$
$$=\sum_{k=1}^{10}\frac{(k+1)(k^2-k+1)}{k+1}$$
$$=\sum_{k=1}^{10}(k^2-k+1)$$
$$=\frac{10\times11\times21}{6}-\frac{10\times11}{2}+10$$
$$=385-55+10=340$$

8 답 ⑤

$a_{n+1}=3a_n$이므로 수열 $\{a_n\}$은 공비가 3인 등비수열이다.

등비수열 $\{a_n\}$의 첫째항을 a라 하면

$a_2=3a=2$에서 $a=\frac{2}{3}$

$\therefore a_4=\frac{2}{3}\times3^3=18$

다른 풀이

$a_{n+1}=3a_n$이므로 수열 $\{a_n\}$은 공비가 3인 등비수열이다.

이때 $a_2=2$이므로

$a_4=3^2a_2=9\times2=18$

9 답 ②

$a_1=2$에서 짝수이므로 $a_2=a_1-1=2-1=1$

a_2는 홀수이므로 $a_3=a_2+2=1+2=3$

a_3은 홀수이므로 $a_4=a_3+3=3+3=6$

a_4는 짝수이므로 $a_5=a_4-1=6-1=5$

a_5는 홀수이므로 $a_6=a_5+5=5+5=10$

a_6은 짝수이므로 $a_7=a_6-1=10-1=9$

10 답 ⑤

(i) $n=1$일 때

(좌변)$=\frac{4}{3}$, (우변)$=3-\frac{5}{3}=\frac{4}{3}$

이므로 (*)이 성립한다.

(ii) $n=k$일 때 (*)이 성립한다고 가정하면

$$\frac{4}{3}+\frac{8}{3^2}+\frac{12}{3^3}+\cdots+\frac{4k}{3^k}=3-\frac{2k+3}{3^k}$$

이다. 위 등식의 양변에 $\frac{4(k+1)}{3^{k+1}}$을 더하여 정리하면

$$\frac{4}{3}+\frac{8}{3^2}+\frac{12}{3^3}+\cdots+\frac{4k}{3^k}+\frac{4(k+1)}{3^{k+1}}$$
$$=3-\frac{2k+3}{3^k}+\frac{4(k+1)}{3^{k+1}}$$
$$=3-\frac{1}{3^k}\left\{(2k+3)-\left(\boxed{\frac{4k+4}{3}}\right)\right\}$$
$$=3-\frac{1}{3^k}\times\frac{6k+9-4k-4}{3}$$
$$=3-\frac{1}{3^k}\times\frac{2k+5}{3}$$
$$=3-\frac{\boxed{2(k+1)+3}}{3^{k+1}}$$

따라서 $n=k+1$일 때도 (*)이 성립한다.

(i), (ii)에서 모든 자연수 n에 대하여 (*)이 성립한다.

따라서 $f(k)=\frac{4k+4}{3}$, $g(k)=2(k+1)+3$이므로

$f(3)\times g(2)=\frac{16}{3}\times9=48$

창의 · 융합 · 코딩

본문 168~173쪽

정답 235

그림과 같이 나무에 55개의 전구가 맨 위 첫 번째 줄에는 1개, 두 번째 줄에는 2개, 세 번째 줄에는 3개, …, 열 번째 줄에는 10개가 설치되어 있다. 전원을 넣으면 이 전구들은 다음 규칙에 따라 작동한다.

(가) n이 10 이하의 자연수일 때, n번째 줄에 있는 전구는 n초가 되는 순간 처음 켜진다.❶
(나) 모든 전구는 처음 켜진 후 1초 간격으로 꺼짐과 켜짐을 반복한다.❷

전원을 넣고 n초가 되는 순간 켜지는 모든 전구의 개수를 a_n이라고 하자. 예를 들어 $a_1=1$, $a_2=2$, $a_4=6$, $a_{11}=25$이다. $\sum_{n=1}^{14} a_n$의 값을 구하시오.❸ [2010 이전 6월 평가원 나형 15번]

❶ n의 값이 1, 2, 3, …, 10일 때, a_n을 차례로 구한다.
❷ n의 값이 11, 12, 13, 14일 때, a_n을 차례로 구한다.
❸ $\sum_{n=1}^{14} a_n$의 값을 구한다.

❶ $n\le 10$일 때

$a_1=1$, $a_2=2$,

$a_3=1+3=4$, $a_4=2+4=6$

⋮

n이 홀수이면 n 이하의 홀수 번째 줄의 모든 전구가 켜지고, n이 짝수이면 n 이하의 짝수 번째 줄의 모든 전구가 켜지므로

$$a_{2n-1}=\sum_{k=1}^{n}(2k-1)=2\times\frac{n(n+1)}{2}-n=n^2$$

$$a_{2n}=\sum_{k=1}^{n}2k=2\times\frac{n(n+1)}{2}=n^2+n$$

$$\therefore \sum_{n=1}^{10}a_n=\sum_{n=1}^{5}a_{2n-1}+\sum_{n=1}^{5}a_{2n}=\sum_{n=1}^{5}n^2+\sum_{n=1}^{5}(n^2+n)$$

$$=\sum_{n=1}^{5}(2n^2+n)$$

$$=2\times\frac{5\times6\times11}{6}+\frac{5\times6}{2}$$

$$=110+15=125$$

❷ $n\ge 11$일 때, n이 홀수이면 홀수 번째 줄의 전구들이 켜지고, n이 짝수이면 짝수 번째 줄의 전구들이 켜지므로

$a_{11}=a_{13}=1+3+5+7+9=25$

$a_{12}=a_{14}=2+4+6+8+10=30$

❸ $\therefore \sum_{n=1}^{14}a_n=\sum_{n=1}^{10}a_n+a_{11}+a_{12}+a_{13}+a_{14}$

$=125+25+30+25+30=235$

1 답 **−1, −6, −9**

2 답 **3**

❶ $f(x)=\sqrt{x+2}$에서

$$f\left(\frac{5}{2}\right)=\sqrt{\frac{5}{2}+2}=\sqrt{\frac{9}{2}}=\frac{3\sqrt{2}}{2}$$

$$f(16)=\sqrt{16+2}=\sqrt{18}=3\sqrt{2}$$

❷ a는 $f\left(\frac{5}{2}\right)$와 $f(16)$의 등비중항이므로

$$a^2=f\left(\frac{5}{2}\right)\times f(16)=\frac{3\sqrt{2}}{2}\times3\sqrt{2}=9$$

❸ 이때 a는 양수이므로 $a=3$

3 답 **31**

❶ 두 곡선 $y=\log_2 x$, $y=\log_2(2^n-x)$가 만나는 점의 x좌표는 $\log_2 x=\log_2(2^n-x)$에서 $x=2^n-x$

$x=2^{n-1}$이므로 $a_n=2^{n-1}$

❷ $\therefore \sum_{n=1}^{5}a_n=\sum_{n=1}^{5}2^{n-1}=\frac{2^5-1}{2-1}=31$

4 답 **1, 91, n^2, 91**

5 답 $\mathbf{\frac{25}{42}}$

❶ 점 $(-1, 0)$을 지나고 기울기가 a_n인 직선의 방정식은

$y=a_n(x+1)$, 즉 $a_nx-y+a_n=0$

❷ 원 O_n의 중심 $(n, 0)$과 직선 $a_nx-y+a_n=0$ 사이의 거리가 1이므로

$$\frac{|na_n+a_n|}{\sqrt{a_n^2+1}}=1,\ (n+1)^2a_n^2=a_n^2+1$$

$$(n^2+2n)a_n^2=1 \qquad \therefore a_n^2=\frac{1}{n^2+2n}$$

❸ $$\sum_{n=1}^{5}a_n^2=\sum_{n=1}^{5}\frac{1}{n^2+2n}=\sum_{n=1}^{5}\frac{1}{n(n+2)}$$

$$=\frac{1}{2}\sum_{n=1}^{5}\left(\frac{1}{n}-\frac{1}{n+2}\right)$$

$$=\frac{1}{2}\left\{\left(1-\frac{1}{3}\right)+\left(\frac{1}{2}-\frac{1}{4}\right)+\left(\frac{1}{3}-\frac{1}{5}\right)+\left(\frac{1}{4}-\frac{1}{6}\right)+\left(\frac{1}{5}-\frac{1}{7}\right)\right\}$$

$$=\frac{1}{2}\left(1+\frac{1}{2}-\frac{1}{6}-\frac{1}{7}\right)=\frac{25}{42}$$

6 답 $\mathbf{\sqrt{2}}$

❶ $a_1=1$에서 $a_1\le1$이므로 $a_2=2^{a_1}=2^1=2$

$a_2>1$이므로 $a_3=\log_{a_2}\sqrt{2}=\log_2\sqrt{2}=\frac{1}{2}$

$a_3\le1$이므로 $a_4=2^{a_3}=2^{\frac{1}{2}}=\sqrt{2}$

$a_4>1$이므로 $a_5=\log_{a_4}\sqrt{2}=\log_{\sqrt{2}}\sqrt{2}=1$

이때 $a_5=a_1=1$이므로 수열 $\{a_n\}$은 1, 2, $\frac{1}{2}$, $\sqrt{2}$가 반복되어 나타난다.

❷ 따라서 $a_{12}=a_8=a_4=\sqrt{2}$, $a_{13}=a_9=a_5=a_1=1$이므로

$a_{12}\times a_{13}=\sqrt{2}$

무겁고 뻐근한 다리에 시원함을! 다리 스트레칭

의자에 오래 앉아 있다 보면 다리가 뻐근하고 붓는 느낌이 들 때가 많아요. 실제로 의자에 오래 앉아 있게 되면 우리 몸을 건강하게 지켜 주는 엉덩이, 허벅지 근육이 손실된다고 합니다. 의자에 앉아서도 쉽게 할 수 있는 다리 스트레칭을 통해 소중한 건강을 지켜 주세요.

❶ 의자에 한쪽 다리를 접어서 올리고 두 손으로 정강이 부분을 잡은 후 고개를 자연스럽게 숙이며 가슴 쪽으로 당겨 주세요.

❷ 같은 자세에서 허리를 쭉 펴고 고개와 등을 뒤로 젖혀 줍니다. 이때 넘어지지 않게 주의하세요.

❸ 다시 앞을 보고 의자에 바른 자세로 앉은 다음, 한쪽 다리를 접어 반대쪽 다리 위에 올리고 발목을 돌려 주세요.

❹ 두 발을 앞으로 쭉 뻗어 발목을 몸 쪽으로 꺾어 줍니다. 10초 정도 유지 후 반대쪽으로 발목을 펴 주면 다리 피로 안녕~!

정답은
이안에
있어!

배움으로 행복한 내일을 꿈꾸는

천재교육 커뮤니티 안내

교재 안내부터 구매까지 한 번에!

천재교육 홈페이지

천재교육 홈페이지에서는 자사가 발행하는 참고서,
교과서에 대한 소개는 물론 도서 구매도 할 수 있습니다.
회원에게 지급되는 별을 모아 다양한 상품 응모에도
도전해 보세요.

구독, 좋아요는 필수! 핵유용 정보 가득한

천재교육 유튜브 <천재TV>

신간에 대한 자세한 정보가 궁금하세요?
참고서를 어떻게 활용해야 할지 고민인가요?
공부 외 다양한 고민을 해결해 줄 채널이 필요한가요?
학생들에게 꼭 필요한 콘텐츠로 가득한 천재TV로 놀러 오세요!

다양한 교육 꿀팁에 깜짝 이벤트는 덤!

천재교육 인스타그램

천재교육의 새롭고 중요한 소식을 가장 먼저 접하고 싶다면?
천재교육 인스타그램 팔로우가 필수!
누구보다 빠르고 재미있게 천재교육의 소식을 전달합니다.
깜짝 이벤트도 수시로 진행되니 놓치지 마세요!